Erwin Rödler

Handbuch IT-gestützte Prüfung und Revision

Erwin Rödler ist Geschäftsführer der eigenen Unternehmensberatung Rödler GbR mit dem Schwerpunkt IT-Beratung, Risiko- und Projektmanagement in Trier. Daneben ist er Partner der Revidata GmbH in Düsseldorf, die sich vorwiegend mit IT-Revision, -Sicherheit und -Beratung, SAP-Berechtigungsprüfung und -schulung sowie Software-Zertifizierung beschäftigt. Außerdem ist er geschäftsführender Gesellschafter der Revidata Akademie in Trier, deren Ziel die Aus- und Weiterbildung in den Tätigkeitsfeldern der Revidata ist. Davor war er als DV-Revisor bei einer Fondsgesellschaft sowie als Projektmanager und Berater in einem führenden deutschen Softwareunternehmen tätig. Zu diesen Themen hält er auch Workshops und Seminare.

Erwin Rödler

Handbuch IT-gestütze Prüfung und Revision

*Datenanalyse
mit IDEA und ACL*

WILEY-VCH Verlag GmbH & Co. KGaA

1. Auflage 2006

Bibliografische Information der Deutschen Nationalbibliothek
Die Deutsche Nationalbibliothek verzeichnet diese Publikation in der Deutschen Nationalbibliografie; detaillierte bibliografische Daten sind im Internet über http://dnb.d-nb.de abrufbar.

Printed in the Federal Republic of Germany.

Gedruckt auf säurefreiem Papier.

Satz TypoDesign Hecker GmbH, Leimen
Druck und Bindung Ebner & Spiegel, Ulm
Umschlag init Gmbh, Bielefeld

ISBN-13: 978-3-527-50231-8
ISBN-10: 3-527-50231-9

Inhaltsverzeichnis

Handbuch IT-gestützte Prüfung und Revision. Erwin Rödler
Copyright © 2006 WILEY-VCH Verlag GmbH & Co. KGaA, Weinheim
ISBN 3-527-50231-9

Vorwort

Anlass und Ausblick

Der stetig wachsende Anteil der EDV an der Verarbeitung und Aufbereitung rechnungslegungsrelevanter Daten, die gestiegenen Anforderungen an die Offenlegung und Darstellung der wirtschaftlichen Unternehmensaktivitäten sowie die Vielzahl von Daten in IT-Systemen zwingen Prüfer und Revisoren dazu, sich immer mehr mit der Analyse und Aufbereitung von Massendaten in für die Rechnungslegung relevanten Systemen zu beschäftigen. Um ein qualifiziertes Urteil über die Ordnungsmäßigkeit, Sicherheit und Nachvollziehbarkeit der rechnungslegungsrelevanten Prozesse, ihre Kontrolle sowie die gesetzlich geforderten Dokumentationen fällen zu können, ist es unerlässlich geworden, mit Hilfe IT-gestützter Werkzeuge in die Aufbereitung und Detailanalyse der rechnungslegungsrelevanten Daten zu gehen. Erst eine dem physischen Prozess von der Auftragsannahme bis hin zur Leistungserbringung und Rechnungserstellung entsprechende Aufbereitung und Verknüpfung der Daten ermöglicht es Prüfern und Revisoren, sich im Dschungel der Daten ein genaues Bild über die darin gespeicherten Informationen zu betriebswirtschaftlichen Aktivitäten zu verschaffen und diese der Unternehmensleitung darzustellen.

Seit Beginn der neunziger Jahre sind in Kanada zwei Softwareprodukte entwickelt worden, die darauf zielen, dem Prüfer und Revisor geeignete Werkzeuge für die Datenanalyse und Prüfung bereitzustellen. Diese Software ermöglicht es, Massendaten effizient und sicher aufzubereiten und zu analysieren. Es handelt sich um die beiden Produkte ACL und IDEA.

ACL als Software (= **A**udit **C**ommand **L**anguage) wurde Mitte der siebziger Jahre als formatfreie Kommandosprache durch Professor Dr. Hartmut Will für Großrechner entwickelt. Erstes Ziel dieser Software war die Analyse von auf Großrechnern verarbeiteten Daten. Seit 1985 ist das Programm auf Personalcomputern lauffähig und galt längere Zeit als das unter Windows lauffähige Prüfprogramm. Dagegen wurde IDEA (= **I**nteractive **D**ata **E**xtraction **A**nalysis) im Auftrag des kanadischen Rechnungshofes sowie der

Handbuch IT-gestützte Prüfung und Revision. Erwin Rödler
Copyright © 2006 WILEY-VCH Verlag GmbH & Co. KGaA, Weinheim
ISBN 3-527-50231-9

kanadischen Berufsorganisation der Wirtschaftsprüfer (CICA) entwickelt. Im Jahr 1987 wurde die erste menügesteuerte Prüfsoftware vorgestellt, der Übergang zu einer Windows-Oberfläche erfolgte später.

Beide Produkte haben sich seit ihren Anfängen stetig fortentwickelt und gleichen einander hinsichtlich der Bedieneroberfläche, des Programmhandlings und der Funktionalitäten sehr stark. Als spezielle Prüfsoftware unterscheiden beide Programme sich in folgenden Punkten wesentlich von anderen Softwareprodukten, die zur Datenanalyse und -aufbereitung genutzt werden können:

- Beide Programme bieten die Möglichkeit der Verarbeitung von Massendaten. Eine Beschränkung der Anzahl der zu verarbeitenden Datensätze wie beispielsweise bei MS Excel gibt es nicht.
- Die vom Prüfer beziehungsweise Revisor durchgeführten Analysen werden in beiden Programmen automatisch aufgezeichnet, so dass eine Chronologie der durchgeführten Handlungen dokumentiert ist.
- Die importierten Datensätze können inhaltlich nicht geändert werden, das heißt, sie erfüllen die Forderung nach dem revisionssicheren Import der zu analysierenden Daten.

Aufgrund der zunehmenden Notwendigkeit der revisionssicheren Aufbereitung und Analyse von Massendaten soll dieses Buch die Möglichkeiten der Datenanalyse aufzeigen.

Ziel des Buches

Wirtschaftsprüfer und Revisoren nutzen zunehmend beide Programme zur Datenanalyse und -aufbereitung im Rahmen der Prüfungshandlungen. Zum Thema IT-gestützte Prüfungshandlungen mit Hilfe beider Programme gibt es derzeit kein eigenständiges Werk, sondern lediglich die eine oder andere Veröffentlichung in Form von Aufsätzen oder Seminarhandouts von verschiedenen Autoren mit verschiedenen Themenschwerpunkten. Diese Veröffentlichungen haben jedoch keinen Fokus auf vorhandenen Analyseverfahren und -techniken und damit verbundenen Implikationen und Möglichkeiten, die mit Hilfe einer solchen Software durch standardisierte Vorgehensweise gegeben sind.

Dieses Buch wendet sich an Prüfer und Revisoren, die im Rahmen ihrer Prüfungshandlungen solche Programme zur Datenanalyse nutzen möchten. Es werden Möglichkeiten der Datenanalyse und -aufbereitung vorgestellt, um die Vielfalt der Unterstützung einer solchen speziellen Software im Rahmen der Prüfungshandlungen darzustellen.

Inhalt des Buches

Nach einer Darstellung der gesetzlichen und gesetzesähnlichen Anforderungen im Rahmen der Prüfungshandlungen im ersten Kapitel zeigt das zweite Kapitel die Möglichkeiten der Datei- und Datenanalyse mit Hilfe der Prüfprogramme ACL und IDEA. Hier werden Möglichkeiten der Fehlersuche beziehungsweise Datenprüfung sowie der Datenübernahme aus verschiedenen Produktivsystemen dargestellt. Darüber hinaus findet der Leser grundlegende Informationen zum Thema Stichprobenverfahren zur Analyse von Massendaten im Rahmen von Prüfungshandlungen. In diesem Zusammenhang werden das Attributs-Stichprobenverfahren sowie das Monetary-Unit-Verfahren vorgestellt. Die Darstellung von Verfahren zur Manipulationssuche und die Analyse doloser Handlungen wie etwa die Benford-Analyse bilden das Ende des zweiten Kapitels.

Im dritten Kapitel findet der Prüfer beziehungsweise Revisor alle Informationen zu den Funktionen und Verfahren, die beide Prüfprogramme zur Datenaufbereitung und -analyse enthalten. Nach einer Klassifizierung der Prüfwerkzeuge werden diese im Einzelnen und anhand von Beispielen dargestellt. Dabei werden die Gemeinsamkeiten beider Programme ebenso wie ihre Unterschiede hinsichtlich der verfügbaren Funktionalitäten sowie des Programmhandlings dem Leser verständlich vermittelt. Nach dem Studium dieses Kapitels hat der Prüfer beziehungsweise Revisor einen grundlegenden Überblick über die in beiden Programmen enthaltenen Funktionen.

Das vierte Kapitel schließlich zeigt anhand von zehn verschiedenen Fällen aus der Praxis, welche Variationsvielfalt und Möglichkeiten es zur Analyse von Daten im Rahmen von Prüfungshandlungen gibt. Die einzelnen Fälle sind dabei einheitlich gegliedert, um dem Leser hinsichtlich der Organisation und der Prüfungsdurchführung ein strukturiertes Vorgehen aufzuzeigen. Nach Vorstellung der Ausgangssituation erfolgt die Formulierung der jeweiligen Prüfungsaufgabe beziehungsweise des Auftrages. Im Anschluss daran werden der Lösungsweg sowie das Prüfungsergebnis beschrieben. Die beim Lösungsweg mit Hilfe der Prüfsoftware zum Einsatz gekommenen Techniken und Methoden bilden den Abschluss jedes dargestellten Falles. Neben der Schilderung der Vorgehensweise finden sich begleitende Screenshots, die dem Leser das Vorgehen beim Einsatz der verfügbaren Funktionen und Verfahren verständlich und klar aufzeigen.

Im Anhang finden sich gegliedert und in Form tabellarischer Übersichtstabellen dargestellt mögliche Fragestellungen zu speziellen Prüfungsgebieten sowie die von Seiten der Prüfsoftware dazu bereitgestellten und empfohlenen Funktionen und Verfahren.

Den beiden Firmen Audicon GmbH in Düsseldorf sowie ACL Services Ltd. in Vancouver möchte ich für die Genehmigung zur Verwendung der Programm-Screenshots danken. Ebenso danke ich der Firma Revidata GmbH in Düsseldorf, die mir die Möglichkeit gab, mich intensiv mit beiden Prüfprogrammen und ihren Einsatzgebieten zu beschäftigen. Auch den vielen Teilnehmern an meinen Seminaren möchte ich an dieser Stelle einen herzlichen Dank aussprechen für die zahlreichen interessanten Diskussionsbeiträge.

Trier, August 2006   *Erwin Rödler*

1
Ordnungsmäßigkeit und Nachvollziehbarkeit rechnungslegungsrelevanter Daten

Die Forderung nach Ordnungsmäßigkeit und Nachvollziehbarkeit rechnungslegungsrelevanter Daten besteht in Deutschland zum einen in der Gesetzgebung des Handelsgesetzbuches (HGB) und der Abgabenordnung (AO), zum anderen finden sich entsprechende Forderungen in den korrespondierenden Prüfungsstandards des Instituts für Wirtschaftsprüfer e.V.

Ordnungsmäßigkeit bedeutet hierbei, dass die für die Rechnungslegung relevanten Informationen und Daten vollständig, richtig und zeitgerecht in den entsprechenden IT-Systemen vorgehalten und archiviert werden. Darüber hinaus sind die Daten so zu verwalten, dass eine sachverständige Person die mit den Daten korrespondierenden rechnungslegungsrelevanten Prozesse und Aktivitäten nachvollziehen kann.

Eine weitere Forderung zur Sicherstellung der gesetzlich geforderten Ordnungsmäßigkeit von DV-Systemen ist die Prüfbarkeit, die sehr stark mit der Forderung nach der Nachvollziehbarkeit der Daten korreliert.

Im Folgenden möchte ich einen Überblick über die Anforderungen zur IT-gestützten Rechnungslegung geben.

Die handels- und steuerrechtlichen Vorschriften zur Ordnungsmäßigkeit der Buchführung und Rechnungslegung

Die gesetzlichen Anforderungen zielen in erster Linie auf die »Sicherstellung der gesetzlich geforderten Ordnungsmäßigkeit des DV-gestützten Abrechnungsverfahrens«. Unter dem Begriff der Ordnungsmäßigkeit werden dabei folgende Anforderungen an das IT-gestützte System gerichtet:

- Vollständigkeit der Daten,
- Richtigkeit der Daten und Verarbeitungsfunktionen,
- Zeitgerechtigkeit der Datenverarbeitung,
- Nachvollziehbarkeit der Daten und
- Prüfbarkeit der Daten.

Handbuch IT-gestützte Prüfung und Revision. Erwin Rödler
Copyright © 2006 WILEY-VCH Verlag GmbH & Co. KGaA, Weinheim
ISBN 3-527-50231-9

Zu diesen gesetzlichen gesellen sich weitere gesetzesähnliche Anforderungen, deren Ursprung in den Unternehmenszielen und weiteren IT-Entwicklungstendenzen liegen.

Als Prüfungsmaßstäbe werden bei Prüfungen der Ordnungsmäßigkeit der Rechnungslegung im Allgemeinen herangezogen:

- die handels- und steuerrechtlichen Vorschriften zur Ordnungsmäßigkeit der Buchführung (§§ 238 ff. HGB, §§ 145 ff. AO),
- die »Grundsätze ordnungsmäßiger DV-gestützter Buchführungssysteme (GoBS)«, veröffentlicht im Bundessteuerblatt 1995, Teil I, Nr. 18,
- die Stellungnahme des Fachausschusses für moderne Abrechnungssysteme (FAMA) des Instituts der Wirtschaftsprüfer in Deutschland e.V. über die »Grundsätze ordnungsmäßiger Buchführung bei computergestützten Verfahren und deren Prüfung«,
- die IDW-Stellungnahme zur Rechnungslegung: »Grundsätze ordnungsmäßiger Buchführung bei Einsatz von Informationstechnologie« (IDW RS FAIT 1),
- der IDW-Prüfungsstandard.

Überblick über die gesetzlichen und fachlichen Anforderungen

Ausgangspunkt bilden die Grundsätze ordnungsmäßiger Buchführung (GoB), die sich in verschiedenen Gesetzen finden. Hierzu zählen beispielsweise in der Bundesrepublik Deutschland:

- die handels- und steuerrechtlichen Vorschriften zur Ordnungsmäßigkeit der Buchführung (§§ 238 ff. HGB, §§ 145 ff. AO),
- die Vorschriften des Bundesdatenschutzgesetzes (BDSG) und
- die Vorschriften des Gesetzes zur Kontrolle und Transparenz im Unternehmensbereich (KonTraG).

Darüber hinaus existieren weitere fachliche Stellungnahmen zu den gesetzlichen Anforderungen. Hierzu gehören unter anderem:

- die FAMA-Stellungnahme 1/1987 (erg. 11/1993),
- die Prüfungsstandards und -hinweise des Instituts für Wirtschaftsprüfer (IDW),
- die Grundsätze ordnungsmäßiger Speicherbuchführung (GoS),

- die Grundsätze ordnungsmäßiger DV-gestützter Buchführungssystem (GoBS) sowie
- das Merkblatt für die Prüfung von Rechnungsvermerken (ADV).

Ausgangspunkt der Anforderungen

Die in den Grundsätzen ordnungsmäßiger Buchführung (GoB) definierten Normen sind:

- *Vollständigkeit:* Die Erfassung aller buchungspflichtigen Geschäftsvorfälle muss gewährleistet sein.
- *Richtigkeit:* Die erfassten Daten müssen sachlich und rechnerisch richtig sein, um sicherzustellen, dass der Geschäftsvorfall korrekt erfasst ist. Dabei sind nur diejenigen buchungspflichtigen Geschäftsvorfälle zu erfassen, die objektiv für den Rechnungslegungssachverhalt zutreffend sind.
- *Zeitgerechtigkeit:* Hierunter ist in erster Linie die zeitnahe Erfassung der rechnungslegungsrelevanten Daten gemeint. Ferner ist seitens des Systems eine zeitliche Ordnung sicherzustellen, die den buchungstechnischen Sachverhalt richtig wiedergibt (Fragen zur zeitlichen Abgrenzung von Aufwendungen und Erträgen). Die Vergleichbarkeit der Daten mit anderen Perioden ist im System sicherzustellen.
- *Nachvollziehbarkeit:* Die erfassten buchungspflichtigen Geschäftsvorfälle müssen belegbar sowie nachträgliche Änderungen und Ergänzungen der Daten erkennbar sein.
- *Prüfbarkeit:* Die erfassten rechnungslegungsrelevanten Daten sind zum Zweck nachträglicher Prüfungen sicher und replizierbar aufzubewahren.

Gesetzliche Verankerungen in der Bundesrepublik Deutschland

Ausgangspunkt der gesetzlichen Normen für die Ordnungsmäßigkeit der Buchführung und Rechnungslegung sind in der Bundesrepublik Deutschland das Handelsgesetzbuch (HGB) sowie die Abgabenordnung (AO). Dabei sind insbesondere die folgenden Paragrafen von Bedeutung:

- Handelsgesetzbuch (HGB):
  - § 238 HGB: Buchungspflicht

- § 239 HGB: Führung der Handelsbücher
- § 257 HGB: Aufbewahrung von Unterlagen und Aufbewahrungsfristen
- Abgabenordnung (AO):
  - § 145 AO: allgemeine Anforderungen an Buchführung und Aufzeich-
    nungen
  - § 146 AO: Ordnungsvorschriften für die Buchführung und für Auf-
    zeichnungen
  - § 147 AO: Ordnungsvorschriften für die Aufbewahrung von Unter-
    lagen

Hinzu kommen weitere Anforderungen, die in anderen Gesetzeswerken erfasst sind. Hierzu zählt zum einen das Bundesdatenschutzgesetz (BDSG),
welches die Sicherstellung der Vertraulichkeit bei der Verarbeitung personenbezogener Daten gewährleistet. Hiernach sind nach Anlage zu § 9, Satz
1 des BDSG folgende Kontrollen bei der Verarbeitung personenbezogener
Daten durch den Anwender zu gewährleisten:

- Zugangskontrolle,
- Abgangskontrolle,
- Speicherkontrolle,
- Benutzerkontrolle,
- Zugriffskontrolle,
- Übermittlungskontrolle,
- Eingabekontrolle,
- Auftragskontrolle,
- Transportkontrolle sowie
- Organisationskontrolle.

Seit dem Jahre 1998 definiert der Gesetzgeber für publizitätspflichtige
Unternehmen weitere Anforderungen hinsichtlich der Berichts- und Über-
wachungspflicht sowie der Anforderungen an die Abschlussprüfung und
Berichterstattung, die höhere Ansprüche an die Daten- und Detailanalyse
buchungspflichtiger Geschäftsvorfälle stellen.

Zu den Regelungen des KonTraG gehören beispielsweise folgende Anforderungen:

- Treffen geeigneter Maßnahmen sowie die Einrichtung eines Überwachungssystems zur frühzeitigen Erkennung bestandsgefährdender Risiken (§ 91 Abs. 2 AktG),

- Berichtspflicht unter Einbeziehung von Risiken für die künftige Unternehmensentwicklung
  - im Lagebericht (§ 298 Abs. 1 HGB),
  - im Konzernbericht (§ 315 Abs. 1 HGB),
- Ausrichtung der Abschlussprüfung an das »zuverlässige« Erkennen wesentlicher Verstöße gegen die Rechnungslegungsvorschriften (§ 317 Abs. 1 und 3 HGB),
- Prüfung des Lageberichtes unter Einbeziehung möglicher Risiken für zukünftige Unternehmensentwicklungen (§ 317 Abs. 2 HGB),
- Prüfung der Maßnahmen des Vorstandes zur Einrichtung und Funktionsfähigkeit des Überwachungssystems (§ 317 Abs. 4 HGB),
- umfassend erweiterte risikoorientierte Berichtspflicht im Prüfungsbericht (§ 321 Abs. 1 und 3 HGB),
- gesonderte Berichtserstellung zur Einrichtung sowie zur Funktionsfähigkeit des Überwachungssystems einschließlich der Darstellung von Maßnahmen zu dessen Verbesserung (§ 321 Abs. 4 HGB Bestätigungsvermerk),
- differenzierter Bestätigungsvermerk mit Darstellung wesentlicher »bestandsgefährdender« Risiken.

Internationale Anforderungen der Rechnungslegung zur Revision und Prüfung

Grundsätzlich sind die vom International Federation of Accountants (IFAC) definierten International Standards on Auditing (ISA) zu erfüllen, die als internationale Prüfungsgrundsätze gelten.

Das Handbuch der IFAC fordert, die Prüfungsunterlagen so anzulegen, dass ein anderer Prüfer ohne vorherige Erfahrung auf dem speziellen Gebiet der Prüfung einen Einblick in die durchgeführten Arbeiten und die Grundlage für die wichtigsten Entscheidungen erhält.

Weitere Vorschriften sind im Abschnitt 404 des Sarbanes-Oxley Act definiert. Diese verlangen, dass die Revision sich auch mit der Bewertung der Effektivität von Kontrollen, Risikomanagement und Geschäftsvorgängen beschäftigen muss.

Prüfer und Revisoren stehen folgenden Aufgaben beziehungsweise Problemfällen gegenüber, die sie unabhängig und objektiv erfüllen müssen:

- Einhaltung der gesetzlichen Vorschriften und Kontrollen,
- Wert und Unabhängigkeit der Revision,

- Aufdeckung und Kontrolle von Betrugsfällen,
- Verfügbarkeit qualifizierter Ressourcen für die Analyse und Beurteilung sowie für das Risikomanagement,
- Festlegen und Bewerten von geeigneten technologischen Lösungen.

Bezüglich des Auditings unterscheidet die IFAC derzeit die International Standards on Auditing (ISA) von den International Auditing Practice Statements (IAPS). In den ISA finden sich die grundsätzlichen Normen zur Prüfungsplanung, -durchführung und -bewertung. Die IAPS enthalten hierzu ergänzende Hinweise und Empfehlungen zu den grundsätzlichen Normen der ISA.

Prüfungsmethoden

Prüfungsnachweise sind vom Prüfer erlangte Informationen, die zu Prüfungsfeststellungen (Schlussfolgerungen) führen und auf die er sein Prüfungsurteil stützt (vgl. ISA 500.4). Grundsätzlich lassen sich folgende zwei Prüfungskategorien unterscheiden:

- *Systemprüfungen:* Diese zielen auf die Erlangung von Prüfungsnachweisen über die angemessene Ausgestaltung und Wirksamkeit des Internen Kontrollsystems (IKS) für die Rechnungslegung (vgl. ISA 400).
- *Aussagebezogene Prüfungshandlungen:* Bei dieser Methode wird geprüft, ob mit genügender Prüfungssicherheit die Erfüllung rechnungslegungsrelevanter Anforderungen festgestellt werden kann. Dabei lassen sich zwei Arten von aussagebezogenen Prüfungshandlungen unterscheiden: die analytische Prüfung (vgl. ISA 520.10 ff.) sowie die Einzelfallprüfungen (vgl. ISA 500.6).

Bei der Einzelfallprüfung kommt es dabei aufgrund vorliegender Massendaten häufig zum Einsatz der Auswahlprüfung. Hier unterscheidet man die bewusste Auswahl und die Stichprobenverfahren (Audit Sampling).

Nach ISA 560.4 sind die Prüfungshandlungen darauf auszurichten, dass der Prüfer ausreichende und angemessene Prüfungsnachweise über alle rechnungslegungsrelevanten Ereignisse erlangt.

Urteilsbildung und Berichterstattung

Die Urteilsbildung des Prüfers basiert auf Schlussfolgerungen, die er aus den erlangten Prüfungsnachweisen zieht (vgl. ISA 700.2). Dabei bedarf es nach ISA 520.13 vor Abgabe eines Gesamturteils der abschließenden, auf analytische Prüfungen beruhenden Gesamtdurchsicht aller Prüfungsnachweise.

Der Prüfer muss alle wichtigen Angelegenheiten in den Arbeitspapieren dokumentieren (vgl. ISA 230) und hierauf in seinem Bericht hinweisen. Zentrales Instrument der externen Berichterstattung ist der Bestätigungsvermerk (Auditor's Report on Financial Statements), die Normen zur Berichterstattung finden sich in ISA 700.

Zentrale ISA-Prüfstandards

Im Folgenden sind wesentliche Prüfungsstandards des International Standards on Auditing (ISA) aufgeführt, die sich auch in den deutschen Gesetzen und den deutschen Prüfstandards des IDW finden lassen (vgl. Abschnitt 1.5):

ISA	Bezeichnung
ISA 200	Ziele und allgemeine Grundsätze der Durchführung von Abschlussprüfungen
	Rechnungslegungs- und Prüfungsgrundsätze für die Abschlussprüfung
ISA 210	Beauftragung des Abschlussprüfers
ISA 230	Arbeitspapiere des Abschlussprüfers
ISA 240/250	Zur Aufdeckung von Unregelmäßigkeiten im Rahmen der Abschlussprüfung
ISA 260	Grundsätze für die mündliche Berichterstattung des Abschlussprüfers an den Aufsichtsrat
	Grundsätze ordnungsmäßiger Berichterstattung bei Abschlussprüfungen
ISA 300	Grundsätze der Planung von Abschlussprüfungen
ISA 310	Kenntnisse über die Geschäftätigkeit sowie das wirtschaftliche und rechtliche Umfeld des zu prüfenden Unternehmens im Rahmen der Abschlussprüfung
ISA 320/400	Wesentlichkeit im Rahmen der Jahresabschlussprüfung
ISA 400	Das interne Kontrollsystem (IKS) im Rahmen der Abschlussprüfung
ISA 401	Abschlussprüfung bei Einsatz von Informationstechnologie
ISA 500	Prüfungsnachweise im Rahmen der Abschlussprüfung
ISA 520	Analytische Prüfungshandlungen

Fortsetzung auf Seite 18

ISA	Bezeichnung
ISA 530	Stichprobengestützte Prüfungen
ISA 540	Die Prüfung von geschätzten Werten in der Rechnungslegung
ISA 560	Ereignisse nach dem Abschlussstichtag
ISA 600	Verwendung der Arbeit eines anderen externen Prüfers
ISA 610	Interne Revision und Abschlussprüfung
ISA 700/700 A	Grundsätze für die ordnungsmäßige Erteilung von Bestätigungsvermerken bei Abschlussprüfungen
ISA 710	Prüfung von Vergleichsangaben über Vorjahre
ISA 720	Die Beurteilung von zusätzlichen Informationen, die von Unternehmen zusammen mit dem Jahresabschluss veröffentlicht werden
ISA 800/920	Grundsätze für die ordnungsmäßige Erteilung von Bescheinigungen
ISA 910	Grundsätze für die prüferische Durchsicht von Abschlüssen

Die Grundsätze ordnungsmäßiger DV-gestützter Buchführungssysteme (GoBS)

Die Grundsätze ordnungsmäßiger DV-gestützter Buchführungssysteme (GoBS) sind von der Arbeitsgemeinschaft für wirtschaftliche Verwaltung e.V. (AMV) ausgearbeitet worden. In den Teilziffern (Tz.) 1 bis 9 werden die für DV-gestützte Buchführungssysteme notwendigen Anforderungen zur Erfüllung der Grundsätze ordnungsmäßiger Buchführung (GoB) dargestellt. Dies sind im Einzelnen:

Tz. 1: Anwendungsbereich
Tz. 2: Beleg-, Journal- und Kontenfunktion
Tz. 3: Buchung
Tz. 4: Internes Kontrollsystem (IKS)
Tz. 5: Datensicherheit
Tz. 6: Dokumentation und Prüfbarkeit
Tz. 7: Aufbewahrungsfristen
Tz. 8: Wiedergabe der auf Datenträgern geführten Unterlagen
Tz. 9: Verantwortlichkeit

Seit der erstmaligen Veröffentlichung der Grundsätze ordnungsmäßiger Speicherbuchführung (GoS) im Jahre 1978 hat sich die Technik der IT wesentlich weiterentwickelt und schließlich zur Veränderung im Bereich des kaufmännischen Rechnungswesens und seinem Workflow geführt. Die heutigen in den GoBS definierten Anforderungen an Kontrollen, Regelungen und Maßnahmen durch den Buchführungspflichtigen zielen darauf, dass die GoB beim Einsatz der IT erfüllt werden.

Im Folgenden werden die für den Einsatz computergestützter Prüfsoftware wichtigen Regelungen und Anforderungen dargestellt.

Anwendungsbereich (Tz. 1)

Die Forderung nach der Ordnungsmäßigkeit einer IT-gestützten Buchführung ist zentraler Ausgangspunkt und besagt, dass sie grundsätzlich nach den gleichen Prinzipien wie die manuell erstellte Buchführung zu beurteilen ist. Das heißt, mit den GoBS sollen die allgemeinen GoB für den Bereich der IT-gestützten Buchführung präzisiert werden. Somit ersetzen die GoBS nicht die GoB, sondern sie beschreiben Maßnahmen, die der Buchführungspflichtige ergreifen muss, um sicherzustellen, dass die Buchungen und sonst erforderlichen Aufzeichnungen vollständig, richtig, zeitgerecht und geordnet vorgenommen werden. Für die Einhaltung der GoB ist auch bei der IT-gestützten Buchführung der Buchführungspflichtige verantwortlich (Tz. 9: Verantwortlichkeit).

Wichtig hier sind die in Tz. 1.2 genannten Anforderungen, die darauf zielen, die Ordnungsvorschriften der §§ 238, 239 und 257 HGB und die §§ 145 und 146 AO zu erfüllen. Diese sind:

- Die buchführungspflichtigen Geschäftsvorfälle müssen richtig, vollständig und zeitgerecht erfasst werden sowie sich in ihrer Entstehung und Abwicklung verfolgen lassen (Beleg- und Journalfunktion).
- Die Geschäftsvorfälle sind so zu verarbeiten, dass sie geordnet darstellbar sind und einen Überblick über die Vermögens- und Ertragslage gewährleisten (Kontenfunktion).
- Die Buchungen müssen einzeln und geordnet nach Konten und diese fortgeschrieben nach Kontensummen und Salden sowie nach Abschlusspositionen dargestellt und jederzeit lesbar gemacht werden können.
- Ein sachverständiger Dritter muss sich in dem jeweiligen Verfahren der Buchführung in angemessener Zeit zurechtfinden und sich einen Überblick über die Geschäftsvorfälle und die Lage des Unternehmens verschaffen können.
- Das Verfahren der IT-gestützten Buchführung muss durch eine Verfahrensdokumentation, die sowohl die aktuellen als auch die historischen

Verfahrensinhalte nachweist, verständlich und nachvollziehbar gemacht werden.

- Es muss gewährleistet sein, dass das in der Dokumentation beschriebene Verfahren dem in der Praxis eingesetzten Programm voll entspricht (Programmidentität).

Beleg-, Journal- und Kontenfunktion (Tz. 2)

Auch für die IT-gestützte Buchführung gilt die Forderung, dass Geschäftsvorfälle retrograd und progressiv prüfbar bleiben müssen. Während die progressive Prüfung beim Beleg beginnt und schließlich über die Grundaufzeichnungen zu den Konten und schließlich zur Bilanz und Gewinn- und Verlustrechnung führt, verläuft die retrograde Prüfung in die entgegengesetzte Richtung.

Grundsätzlich gilt, dass ein sachlicher und zeitlicher Nachweis über sämtliche buchführungspflichtigen Geschäftsvorfälle erbracht werden muss. Die Nachvollziehbarkeit des einzelnen buchführungspflichtigen Geschäftsvorfalls wird durch die Beachtung der Beleg-, Journal- und Kontenfunktion gewährleistet.

Die Belegfunktion stellt dabei die Basis für die Beweiskraft der Buchführung dar. Nach Ziffer 2.2.1 ist sie der nachvollziehbare Nachweis über den Zusammenhang zwischen den unternehmensexternen und -internen buchungspflichtigen Vorgängen in der Realität einerseits und dem gebuchten Inhalt in den Geschäftsbüchern andererseits. Deshalb muss auch für die Buchungen in IT-gestützten Systemen die Belegfunktion erfüllt sein, was auf verschiedene Arten möglich ist. Unabhängig von der Art der Erfüllung müssen zum Buchungsvorgang folgende Inhalte belegt werden:

- hinreichende Erläuterung des Buchungsvorgangs,
- zu buchender Betrag oder Mengen- und Wertangaben, aus denen sich der zu buchende Betrag ergibt,
- Zeitpunkt des Vorgangs (Bestimmung der Buchungsperiode),
- Bestätigung des Vorgangs (Autorisation) durch den Buchführungspflichtigen.

Der Nachweis der vollständigen, zeitgerechten und formal richtigen Erfassung, Verarbeitung und Wiedergabe der Geschäftsvorfälle kann durch Protokollierung auf verschiedenen Stufen des Verarbeitungsprozesses erfolgen und definiert die Journalfunktion. Dieser Nachweis muss während der gesetzlichen Aufbewahrungsfrist innerhalb eines angemessenen Zeitraums darstellbar sein. Die Geschäftsvorfälle müssen dabei in zeitlicher Reihenfolge sowie in übersichtlicher und verständlicher Form sowohl vollständig als auch auszugsweise dargestellt werden.

Zur Erfüllung der Kontenfunktion müssen die einzelnen Geschäftsvorfälle nach Sach- und Personenkonten geordnet dargestellt werden. Die Ordnungsmäßigkeit bei Buchungen verdichteter Zahlen auf Sach- und Personenkonten erfordert zudem die Möglichkeit des Nachweises der in den verdichteten Zahlen enthaltenen Einzelpositionen.

Buchung (Tz. 3)

Grundsätzlich gilt, dass eine einmal erfolgte Buchung nicht verändert werden darf. Fehlerhafte Buchungen können wirksam und nachvollziehbar durch Stornierungen oder Neubuchungen geändert werden.

Nach Tz. 3.1 sind Geschäftsvorfälle bei IT-Buchführungen dann ordnungsgemäß gebucht, wenn sie nach einem Ordnungsprinzip vollständig, formal richtig, zeitgerecht und verarbeitungsfähig erfasst und gespeichert sind, das heißt:

- Die Erfüllung der Belegfunktion sowie der Kontenfunktion sind Voraussetzung für das Ordnungsprinzip bei IT-gestützten Buchführungssystemen. Dabei ist die Speicherung nach einem bestimmten Ordnungsmerkmal nicht vorgeschrieben, vielmehr ist die Forderung nach einem Ordnungsprinzip erfüllt, wenn auf die gespeicherten Geschäftsvorfälle und/oder Teile davon gezielt durch den Anwender zugegriffen werden kann.
- Ferner ist die Verarbeitungsfähigkeit der Buchungen, angefangen von der maschinellen Erfassung über die weiteren Bearbeitungsstufen, zu gewährleisten.
- Durch Kontrollen ist ferner sicherzustellen, dass alle Geschäftsvorfälle vollständig erfasst werden und nach erfolgter Buchung nicht unbefugt, das heißt nicht ohne entsprechende Zugriffschutzverfahren und nicht ohne Nachweis des vorangegangenen Zustandes verändert werden können. Hierzu sind in den IT-Buchführungssystemen entsprechende Protokolle zu definieren und aktiv zu schalten.
- Mittels geeigneter Erfassungskontrollen ist sicherzustellen, dass die formale Richtigkeit der Buchung erfüllt wird und somit alle für die unmittelbare oder zeitlich versetzte Verarbeitung erforderlichen Merkmale einer Buchung vorhanden und plausibel sind.

Die Grundsätze
ordnungsmäßiger
DV-gestützter
Buchführungssysteme

- Die Forderung nach einer zeitgerechten Verarbeitung bezieht sich auf die zeitnahe und periodengerechte Erfassung der Geschäftsvorfälle.

Dokumentation und Prüfbarkeit (Tz. 6)

Grundsätzlich gilt nach Tz. 6.1, dass die IT-Buchführung von einem weiteren Sachverständigen hinsichtlich ihrer formellen und sachlichen Richtigkeit in angemessener Zeit prüfbar sein muss. Diese Forderung bezieht sich sowohl auf die Prüfbarkeit einzelner Geschäftsvorfälle (Einzelprüfung) als auch auf die Prüfbarkeit des gesamten Abrechnungsverfahrens (Verfahrens- und Systemprüfung). Darüber hinaus muss sich aus der vorliegenden Dokumentation ergeben, dass das Verfahren entsprechend seiner Beschreibung durchgeführt wurde.

Verantwortlichkeit (Tz. 9)

Für die Einhaltung der GoB und GoBS ist allein der Buchführungspflichtige verantwortlich. Die Verantwortlichkeit erstreckt sich dabei auf den Einsatz sowohl von selbst als auch von fremderstellten DV-Buchführungssystemen.

Die Stellungnahme des Fachausschusses für moderne Abrechnungssysteme (FAMA) des Instituts der Wirtschaftsprüfer in Deutschland e.V. über die GoBS

Zu den »Grundsätzen ordnungsmäßiger Buchführung« sind ergänzend fachliche Stellungnahmen des Fachausschusses für moderne Abrechnungssysteme (FAMA) des Instituts der Wirtschaftsprüfer in Deutschland e.V. erstellt worden, die sich in verschiedenen Revisions- und Prüfungsstandards finden.

Ausgangspunkt für die Erstellung zusätzlicher Standards im Rahmen der Revision und Prüfung, die ihren Ursprung in der FAMA-Stellungnahme 1/1987 (ergänzt in der Fassung von 11/1993) haben, waren Forderungen nach

- der Nachvollziehbarkeit des jeweiligen Verarbeitungsverfahrens in dem Sinne, dass von einem sachverständigen Dritten in angemessener Zeit die Wirksamkeit und Angemessenheit des Kontrollsystems beurteilt werden kann (anhand einer Verfahrensdokumentation),

- der Nachvollziehbarkeit des einzelnen buchungspflichtigen Geschäftsvorfalls von seinem Ursprung bis zur endgültigen Darstellung (so genannte Beleg-, Konten- und Journalfunktion) und
- dem Nachweis, dass das Verfahren entsprechend seiner Dokumentation durchgeführt wurde.

Zur praktischen Verifizierung der Anforderungen hat die FAMA zur Durchführung der Prüfung computergestützter Abrechnungssysteme eine Checkliste erarbeitet, die folgende Inhalte umfasst:

- *Beurteilung der Datenverarbeitungsorganisation im Allgemeinen:* Hierzu zählt die Beurteilung der Ordnungsmäßigkeit und Nachvollziehbarkeit der Aufbauorganisation, der Systementwicklung und -pflege (Customizing), die Datenverarbeitung und -aufbereitung, die Kommunikation über Netzwerke sowie die im Einsatz befindlichen Benutzersysteme (FiBu-Programm, Auftragsmanagement-Programm).
- *Beurteilung der einzelnen Arbeitsgebiete des rechnungslegungsrelevanten Prozesses:* In diesem Bereich wird die Ablauforganisation rechnungslegungsrelevanter Prozesse und Aufgabenbereiche analysiert. Unter anderem erfolgen eine Überprüfung des Belegwesens und vorhandener Belegfunktionen, des Datenflusses, der Richtigkeit der Verarbeitungsfunktionen, der Vollständigkeit, Richtigkeit und Aktualität der Verfahrensdokumentation sowie die Aufzeichnung des Buchungsstoffes.

Diese Anforderungen zur Durchführung der Prüfung computergestützter Abrechnungssysteme werden im Detail in folgenden Werken in Form von Fragen und Feststellungsvermerken erfasst:

- *IDW RS FAIT 1:* »Grundsätze ordnungsgemäßer Buchführung beim Einsatz von Informationstechnologie«,
- *IDW PS 330:* »Abschlussprüfung bei Einsatz von Informationstechnologie«

und ersetzen die seinerzeit in der Stellungnahme FAMA 1/1987 definierten »Grundsätze ordnungsgemäßer Buchführung bei computergestützten Verfahren und deren Prüfung«.

Die IDW-Stellungnahmen zur Rechnungslegung

Das Institut der Wirtschaftsprüfer in Deutschland e.V. (IDW) ist seit 1998 stetig dabei, die IFAC-Prüfungsanforderungen in eigene deutsche berufsständische Prüfungsstandards (kurz IDW PS) und Prüfungshinweise (kurz: IDW PH) zu transformieren. Ziel dieser Transformation der ISA und IAPS ist es, durch die vom IDW erstellten Prüfungsstandards und -hinweise die internationalen Prüfungsanforderungen einerseits zu erfüllen und andererseits bestehende zusätzliche deutsche gesetzliche beziehungsweise gesetzesähnliche Anforderungen zu berücksichtigen.

Diese vom IDW definierten Prüfungsstandards und -hinweise lösen die bisherigen fachlichen Stellungnahmen ab und treten an deren Stelle (vgl. Abschnitt 1.4). Folgende Regelungen wurden bereits vom IDW umgesetzt:

ISA	IDW	Bezeichnung
ISA 200	IDW PS 200	Ziele und allgemeine Grundsätze der Durchführung von Abschlussprüfungen
	IDW PS 210	Rechnungslegungs- und Prüfungsgrundsätze für die Abschlussprüfung
ISA 210	IDW PS 220	Beauftragung des Abschlussprüfers
ISA 230	IDW PS 460	Arbeitspapiere des Abschlussprüfers
ISA 240/250	IDW EPS 210	Zur Aufdeckung von Unregelmäßigkeiten im Rahmen der Abschlussprüfung
ISA 260	IDW EPS 470	Grundsätze für die mündliche Berichterstattung des Abschlussprüfers an den Aufsichtsrat
	IDW PS 450	Grundsätze ordnungsmäßiger Berichterstattung bei Abschlussprüfungen
ISA 300	IDW PS 240	Grundsätze der Planung von Abschlussprüfungen
ISA 310	IDW PS 230	Kenntnisse über die Geschäftstätigkeit sowie das wirtschaftliche und rechtliche Umfeld des zu prüfenden Unternehmens im Rahmen der Abschlussprüfung
ISA 320/400	IDW EPS 250	Wesentlichkeit im Rahmen der Jahresabschlussprüfung
ISA 400	IDW PS 260	Das interne Kontrollsystem (IKS) im Rahmen der Abschlussprüfung
ISA 401	IDW PS 330	Abschlussprüfung bei Einsatz von Informationstechnologie
ISA 500	IDW PS 300	Prüfungsnachweise im Rahmen der Abschlussprüfung
ISA 520	IDW PS 312	Analytische Prüfungshandlungen
ISA 530	offen	Stichprobengestützte Prüfungen
ISA 540	IDW PS 314	Die Prüfung von geschätzten Werten in der Rechnungslegung
ISA 560	IDW PS 203	Ereignisse nach dem Abschlussstichtag
ISA 600	IDW PS 320	Verwendung der Arbeit eines anderen externen Prüfers
ISA 610	IDW PS 321	Interne Revision und Abschlussprüfung

Fortsetzung auf Seite 25

ISA	IDW	Bezeichnung
ISA 700	IDW PS 400	Grundsätze für die ordnungsmäßige Erteilung von Bestätigungsvermerken bei Abschlussprüfungen
ISA 710	IDW PS 318	Prüfung von Vergleichsangaben über Vorjahre
ISA 720	IDW PS 202	Die Beurteilung von zusätzlichen Informationen, die von Unternehmen zusammen mit dem Jahresabschluss veröffentlicht werden
ISA 800/920	offen	Grundsätze für die ordnungsmäßige Erteilung von Bescheinigungen
ISA 910	IDW PS 900	Grundsätze für die prüferische Durchsicht von Abschlüssen

Im Hinblick auf die für die Abschlussprüfung relevanten ISA stehen noch folgende Prüfungsstandards aus:

- *ISA 100/120:* zusammenfassender Standard,
- *ISA 402:* Abschlussprüfung bei teilweiser Auslagerung der Rechnungslegung auf Dienstleistungsunternehmen,
- *ISA 530:* stichprobengestützte Prüfung.

2
Die EDV-technischen Möglichkeiten der Datei- und Datenanalyse mit Hilfe von Prüfsoftware

Mit Hilfe einer Prüfsoftware wie IDEA und ACL können Prüfer und Revisoren unternehmens- und rechnungslegungsrelevante Sachverhalte auch für große Datenmengen analysieren. Die in diesen beiden Programmen verfügbaren Werkzeuge ermöglichen es, nach Fehlern (zum Beispiel falschen Berechnungen in Datenfeldern, Datentyp- und Restriktionsverletzungen) zu suchen und Daten nach Strukturen und Auffälligkeiten (zum Beispiel Wertestruktur der Waren auf Lager, Zusammensetzung der Forderungen) zu durchleuchten. Im folgenden Kapitel werden die Möglichkeiten der Datei- und Datenanalyse dargestellt:

- Fehlersuche und Datenprüfung mit Standardprüfverfahren und -methoden,
- Datenübernahme auf den PC und ihre Möglichkeiten,
- statistische Analyse von Massendaten mit Hilfe der Prüfsoftware sowie
- Möglichkeiten der Manipulationssuche und Analyse doloser Handlungen.

Fehlersuche und Datenprüfung mit Standardprüfverfahren und -methoden

Mit den umfangreichen Werkzeugen zur Datei- und Datenanalyse ermöglichen beide Programme Prüfern ein strukturiertes und vor allem qualifiziertes Prüfvorgehen. Wie im nachfolgenden Kapitel dargestellt, verfügen beide Programme grundsätzlich über folgende Prüfmethoden:

- Operationen mit Dateien zur Vorbereitung des Datenmaterials und der Tabellen für die weitere Datenanalyse gliedern sich in die Klasse »Analyse mit Dateien«. Hier können Dateien beziehungsweise Tabellen zusammengeführt werden. Eine weitere Funktion ist die Möglichkeit des

Handbuch IT-gestützte Prüfung und Revision. Erwin Rödler
Copyright © 2006 WILEY-VCH Verlag GmbH & Co. KGaA, Weinheim
ISBN 3-527-50231-9

Exports erzielter Auswertungen in Standardformate zur weiteren Verarbeitung beziehungsweise Analyse.

- Operationen mit Daten zur Überprüfung der korrekten Berechnung beziehungsweise Ausweisung finden sich in der Klasse »Analyse mit Daten«. Hierunter findet sich auch die Funktion zur Extraktion/Filtrierung der Daten nach prüfungsrelevanten Kriterien.
- Die Möglichkeiten der Verdichtung von Daten nach interessanten Kriterien finden sich unter der Kategorie »Gruppierungsfunktionen«, die dem Prüfer Werkzeuge zur Verfügung stellt, mit denen er Teilsummen nach bestimmten Gliederungsobjekten (zum Beispiel Umsätze pro Kunden in einem bestimmten Zeitraum), numerische oder alphanumerische Schichtungen (zum Beispiel Verteilung der Bestände im Lager nach ihrer Werthaltigkeit) oder sogar eine Altersstrukturanalyse (Beispiel: Struktur der Fälligkeit der offenen Posten im Forderungsmanagement) durchführen kann.
- Um die Analyse einer Vielzahl von Daten wirtschaftlich und zweckmäßig zu handhaben, finden sich in der Kategorie »Statistische Analyse« zwei Verfahren zur Planung, Durchführung und Beurteilung von Stichproben. Somit hat der Prüfer die Möglichkeit, bei sehr umfangreichem Zahlen- beziehungsweise Prüfmaterial die Funktionen für eine qualifizierte Stichprobenauswertung zu nutzen.

Diese Funktionen ermöglichen ein methodisches Vorgehen. Voraussetzung für einen erfolgreichen Einsatz der Prüfprogramme ist aber die »Zerlegung« von Prüfaufgaben und -handlungen in Teilaufgaben, die mit Hilfe der in den Programmen verfügbaren Funktionen und Auswertungsmöglichkeiten durchgeführt und dokumentiert werden können. Ein solches Vorgehen demonstriert folgendes Übungsbeispiel:

Als Revisor ist es Ihre Aufgabe, in einem Unternehmen mit verschiedenen Warenlagern an mehreren Standorten zu prüfen, ob diese Lagerstandorte einheitlich gut wirtschaften. Eine hierzu mögliche Kennzahl wäre die so genannte »Lagerquote«, das heißt der durchschnittliche Lagerbestand, welcher, gemessen am Umsatz, in den einzelnen Standorten gehalten wird.

Hierzu haben Sie als Prüfer in der Regel pro Lagerstandort eine Datei, die die Bestände jedes Lagers mit den einzelnen Artikeln führt. In einer solchen Datei sind die verschiedenen Artikel mit ihren Beständen und Bewertungen sowie weitere lagerrelevante Informationen enthalten. Sie können sich damit die einzelnen Lagerinformationen pro Artikel anzeigen lassen.

Die EDV-technischen
Möglichkeiten
der Datei- und
Datenanalyse

Um nun der Frage der »Wirtschaftlichkeit« mit Hilfe der Kennzahl »Lagerquote« zu begegnen, sind folgende Teilaufgaben mit Hilfe der Prüfsoftware durchzuführen:

- Erstellen von zusätzlichen Berechnungsfeldern für die Zwischengrößen »Buchwert« und »Umsatz«. Diese leiten Sie in beiden Programmen aus den vorliegenden Daten beispielsweise mit Hilfe der vorhandenen Datenfelder »Bewertungspreis (BEWERT_PR)«, »Bestandsmenge (BEST_MENGE)«, »Netto-Verkaufspreis (NETTO_VK_PR)« und »Absatzmenge (ABSATZ_MENGE)« ab:

$$BUCHWERT = BEWERT\_PR \times BEST\_MENGE$$

und

$$UMSATZ = NETTO\_VK\_PR \times ABSATZ\_MENGE$$

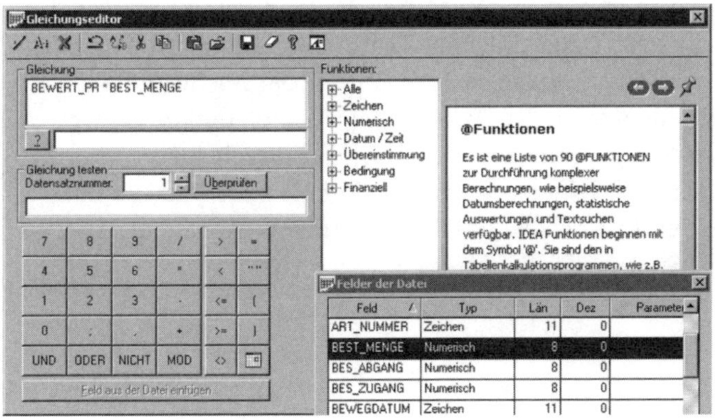

Abb. 1 Erfassung der Gleichung in IDEA

Fehlersuche und
Datenprüfung mit
Standardprüfverfahren
und -methoden

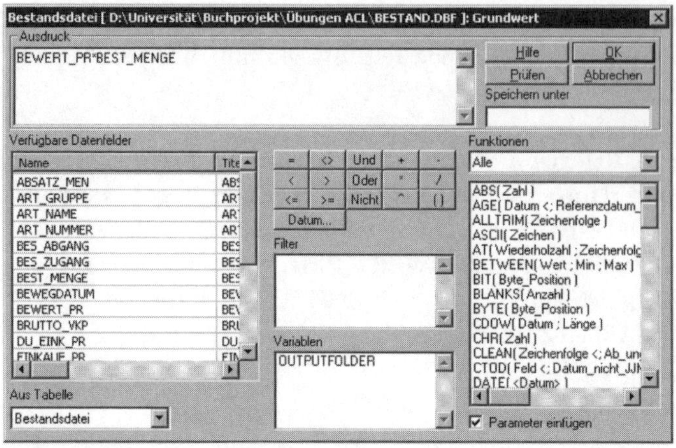

Abb. 2 Erfassung der Gleichung in ACL

- Anschließend sind die Teilsummen für die neu zu berechnenden Felder »Buchwert« und »Umsatz« in den Materialbestandsdateien pro Lager zu ermitteln, so dass pro Datei eine neue Datei in den Programmen erstellt wird. Diese neue Datei weist neben der Summe der Buchwerte und des Umsatzes noch die Anzahl der Datensätze pro Datei und die Lagerbezeichnung beziehungsweise -kennung (Lagerschlüssel) aus.
- Als Nächstes sind alle Teilsummendateien in eine neue Datei zu übernehmen. Diese enthält neben der Lagerkennung die Anzahl der Datensätze sowie die Summe der Buchwerte und der Umsätze.

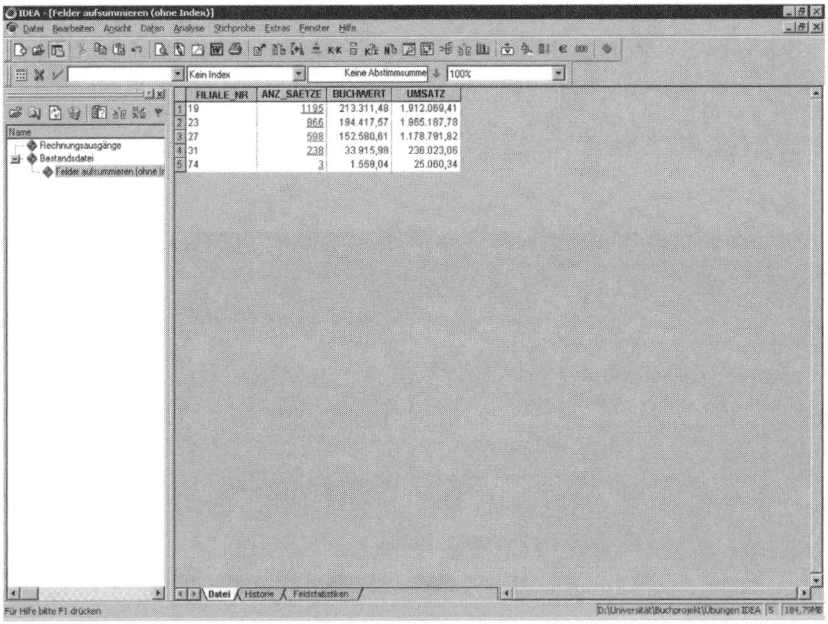

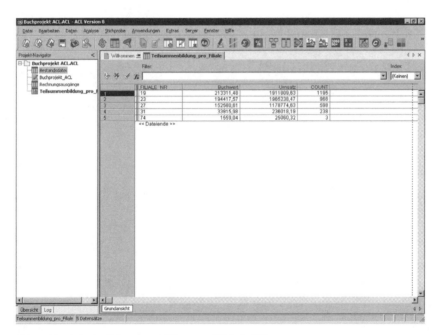

Abb. 3 Ergebnis der Teilsummenbildung pro Filiale in IDEA

Abb. 4 Ergebnis der Teilsummenbildung pro Filiale in ACL

Fehlersuche und
Datenprüfung mit
Standardprüfverfahren
und -methoden

- Um nun die Kennzahl »Lagerquote« zu bilden, haben Sie als Prüfer die Aufgabe, in der neuen Datei ein neu zu berechnendes Feld einzufügen, das die Lagerquote aus dem Quotienten bildet:

$$\text{Lagerquote} = \frac{\text{Buchwert}}{\text{Umsatz}} \times 100$$

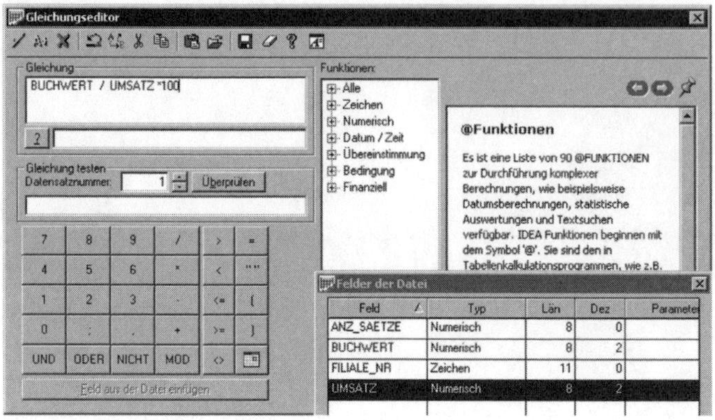

Abb. 5   Definition der Formel für die Lagerquote in IDEA

- Zum Schluss sortieren Sie die neue Datei mit dem neu zu berechnenden Feld »Lagerquote« aufsteigend und können so erkennen, welche Läger wie gut gewirtschaftet haben.

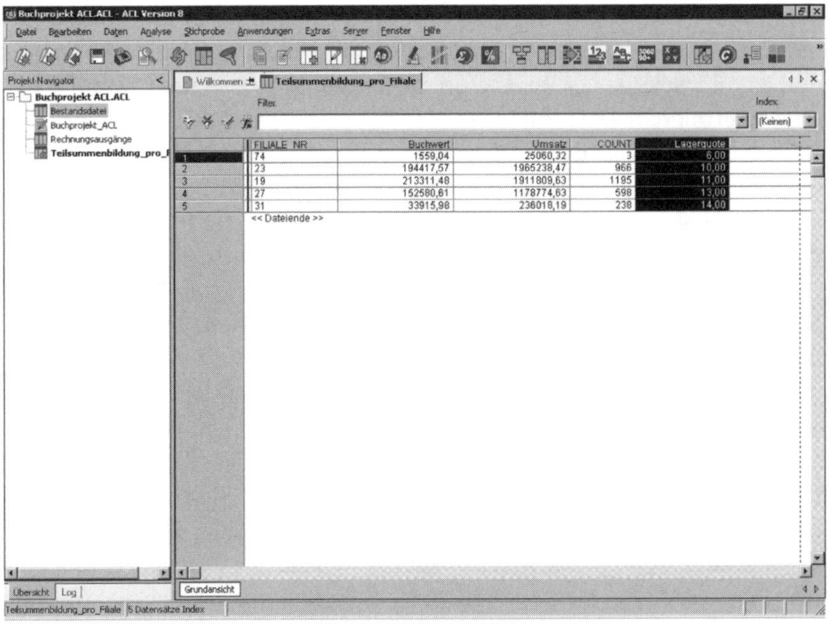

Abb. 6   Definierte Lagerquote aufsteigend sortiert in ACL

An diesem einfachen Beispiel erkennen Sie, dass ein methodisches Vorgehen voraussetzt, die einzelnen Arbeitsschritte im Vorfeld genau zu planen. Hierzu müssen Sie aber wissen, welche Werkzeuge und Auswertungsmöglichkeiten die Prüfprogramme für den Prüfer bereitstellen, was im Folgenden dargestellt wird.

Die Datenübernahme auf den PC und ihre Möglichkeiten

Mit Hilfe beider Programme lassen sich alle gängigen Dateiformate relativ mühelos importieren. Sie verfügen über einen Assistenten, der den Prüfer beim Dateiimport begleitet. Es können undefinierte Dateiformate (wie beispielsweise ASCII-Dateien mit und ohne feste Datensatzlänge, DBase-ähnliche Dateien), definierte Dateiformate (beispielsweise MS Excel, MS Access, XML-Format) sowie Berichts- und Druckdateien importiert werden. Je nach dem Grad der Formatierung der vorliegenden Dateitypen nimmt der Prüfer beim Import die vom Assistenten empfohlenen Handlungen zur Parametrisierung vor. Definierte Dateiformate erfordern nur wenige Ergänzungen. So braucht der Prüfer zum Beispiel beim Import von MS-Excel-Dateien nur noch anzugeben, ob die erste Zeile die Datenfeldbezeichnungen enthält und welches der Register in die Excel-Tabelle importiert werden soll. Bei undefinierten Dateiformaten (wie beispielsweise ASCII-Dateien) kann es vorkommen, dass der Prüfer die vom Assistenten vorgeschlagene Spaltendefinition korrigiert und die einzelnen Datenfelder mit ihren Datentypen selbst definieren muss. Trotz dieser Handlungen ist der Import dieser undefinierten Dateiformate relativ einfach.

Darüber hinaus bieten beide Programme mit Hilfe eines Zusatztools die Möglichkeit, Druck- beziehungsweise Berichtsdateien zu importieren. Dabei ist es wichtig, sich im Vorfeld zu überlegen, welche Informationen aus dem vorliegenden Druckmuster für die Prüfung wichtig sind und welche typischen Kennungen diese bei der Definition des Druckmusters aufweisen.

IDEA hat zusätzlich ein weiteres Tool, das so genannte RDE (Record Data Extraction), in sein Programm integriert, mit dessen Hilfe sogar eine allgemeine Schnittstelle unter Angabe des Datenfeldes, seiner Position und der Typdefinition konfiguriert werden kann. Mit diesem zusätzlichen Tool können Prüfer auf allgemeine Schnittstellen zugreifen (zum Beispiel im Rahmen von Schnittstellenprüfungen verschiedener Anwendungssysteme).

Historisch bedingt bietet ACL die Möglichkeit, sich über ein Interface direkt auf einen Server einzuloggen und online auf die benötigten Daten zuzugreifen. Hierzu hat ACL einen eigenen Menüpunkt »Server«.

Datentransfer undefinierter und definierter Dateiformate via Assistenten

Mit Hilfe des Import-Assistenten (IDEA) beziehungsweise des Assistenten zur Datendefinition (ACL) lassen sich beide Dateiformate zügig und ohne größeren Aufwand importieren. Wichtig ist, dass der Prüfer im Vorfeld seiner Prüfungshandlungen genau weiß, welche Tabellen und insbesondere Datenfelder er benötigt. Hierzu wertet er entsprechende Informationen bei dem Anwender/Benutzer des Programms beziehungsweise aus systemtechnischen Dokumentationen zum Anwendungssystem aus. Nach Festlegung der relevanten Tabellen und Datenfelder kann der Prüfer den Import-Assistenten aufrufen (Menüpunkt »Datei«) und sich von ihm durch den Importvorgang führen lassen. Je nach Dateiformattyp erstellen beide Programme zur Interpretation des Imports eine eigene Importschablone als Datei (zum Beispiel für MS-Excel-Dateien), welche die speziellen Formate zur richtigen Darstellung der Daten enthält. Die einzelnen Schritte des Importvorgangs

Die EDV-technischen
Möglichkeiten
der Datei- und
Datenanalyse

werden dem Prüfer angezeigt und er kann, ohne dass seine bereits getätigten Konfigurierungen verloren gehen, während des Importvorgangs im Assistenten vor- und zurückblättern, um Änderungen vorzunehmen. Erst nach Beendigung des Importvorgangs durch Aktivierung des Buttons »Fertigstellung« sind ein Vor- und Zurückblättern und somit eine Anpassung vorgenommener Konfigurationen nicht mehr möglich. Während bei dem Programm IDEA die Datei erneut importiert werden müsste, falls ein Fehler bei der Konfiguration unterlaufen ist, kann der Prüfer in ACL über einen entsprechenden Menüpunkt »Bearbeiten/Tabellenlayout« nachträglich noch Änderungen in der definierten Importkonfiguration vornehmen.

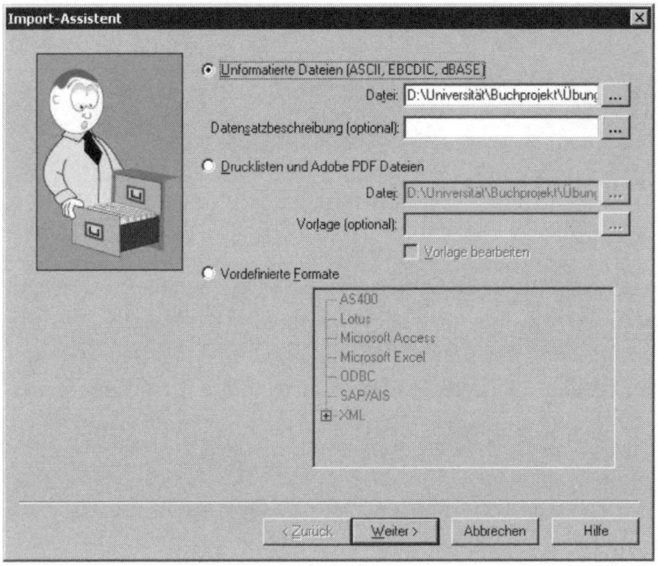

Abb. 7 Import-Assistent bei IDEA

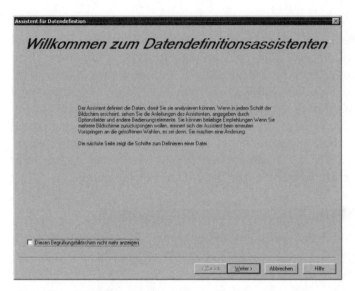

Abb. 8 Datendefinitionsassistent bei ACL

Es empfiehlt sich bei IDEA, die Option »Feldstatistik erstellen« während des Importvorgangs aktiv zu lassen. Automatisch wird dann nach dem Import und der Anzeige der Daten eine Statistik für die numerischen Felder und Datumsfelder erstellt, die dem Prüfer erste wichtige Strukturinformationen liefert.

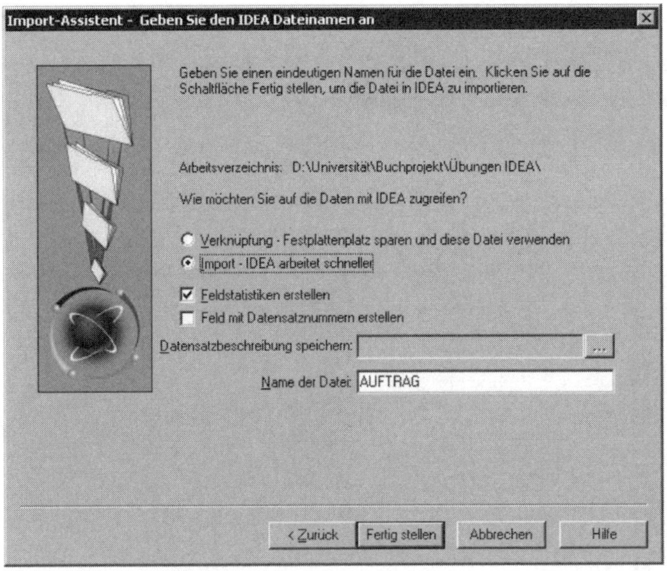

Abb. 9 Assistent-Dialog beim Import in IDEA – Feldstatistik optional
erstellen

Beide Programme schlagen im letzten Importschritt dem Anwender den
Namen der importierten Datei ohne Endung als Defaultwert für die Tabel-
lenbezeichnung vor, die der Prüfer selbst durch Angabe eines Alternativna-
mens ändern kann.

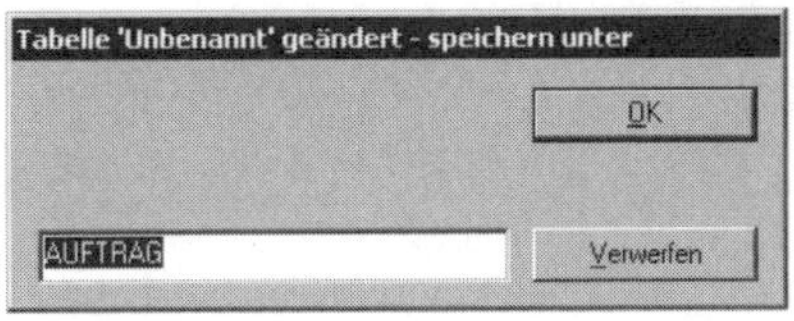

Abb. 10 Vorschlag für den Tabellennamen einer importierten Datei

Nach erfolgtem Import werden in beiden Prüfprogrammen die Daten als
Tabelle mit Datensatznummer und Datenfeldbezeichnung angezeigt. Falls
die Feldstatistik aktiv geschaltet war, werden zur Datenansicht (Register »Datei«) zusätzlich zwei Register (Register »Feldstatistik« und »Historie«) angezeigt. Im Register »Historie« werden alle Prüfungshandlungen, die der
Prüfer in der Tabelle vornimmt, mit Darstellung der Handlung, des Datums
inklusive Uhrzeit und sogar der Terminologie für die eigene Skriptsprache
aufgezeigt. Die Register befinden sich bei IDEA am Fuße des Datenfensters.

37

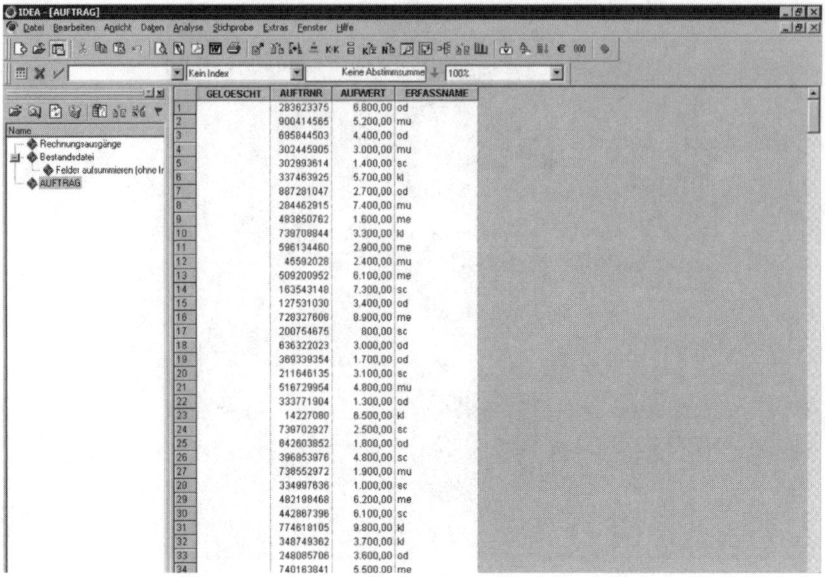

Abb. 11   Datenfenster mit den Registern und dem Dateiexplorer in IDEA

Bei ACL, das die einzelnen Register zu Tabellen am Kopf des Datenfensters anzeigt, wird lediglich ein Register mit dem Namen der Tabelle angezeigt. Während IDEA es zulässt, dass mehrere Tabellen im Dateifenster gleichzeitig geöffnet sind, kann ACL jeweils nur eine Tabelle im Datenfenster anzeigen. Zusätzliche Auswertungen, die der Prüfer über eine Option »Anzeige« erstellen kann, werden über weitere Register zur jeweils aktiv angezeigten Tabelle dargestellt.

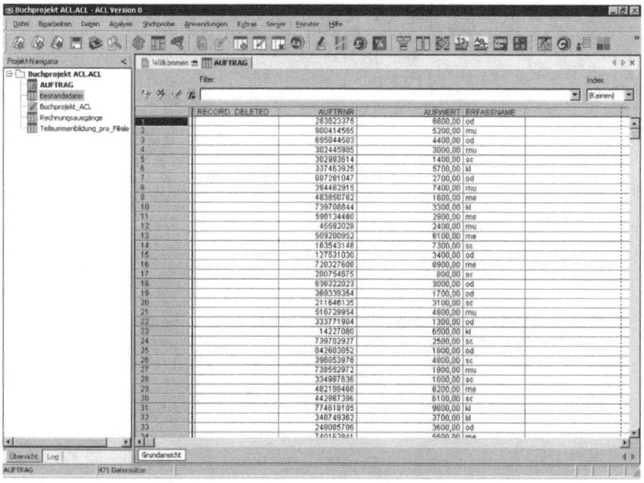

Abb. 12   Datenfenster mit Registerstruktur und Projektnavigator in ACL

Beide Programme verfügen über einen »Explorer« (ACL: »Projektnavigator«; IDEA: »Dateiexplorer«), in dem der Prüfer alle Tabellen findet, die er
importiert beziehungsweise zusätzlich als Auswertung erstellt hat. Beide legen diese Dateien in vom Benutzer vorher zu definierenden Verzeichnissen
(zum Beispiel Bereichslaufwerk der Revision mit Unterverzeichnis der Prüfung) ab. Während diese Dateien bei IDEA die Endung »IMD« haben und
für jede Tabelle eines Projektes eine solche definiert wird, werden die Tabellen in ACL in eine Projektdatei mit der Endung »ACL« abgelegt. Im Explorer von ACL findet sich auch eine Logdatei mit der Historie der Prüfungshandlungen, die der Prüfer durch einfaches Anklicken als Register aufrufen
kann.

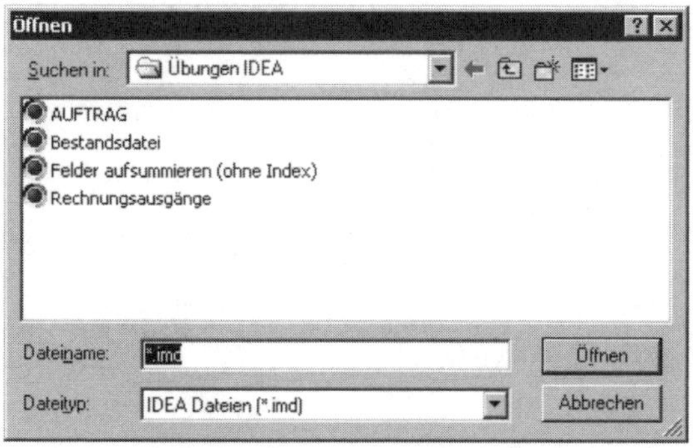

Abb. 13   IDEA-Dateiformat

Die Datenübernahme
auf den PC und ihre
Möglichkeiten

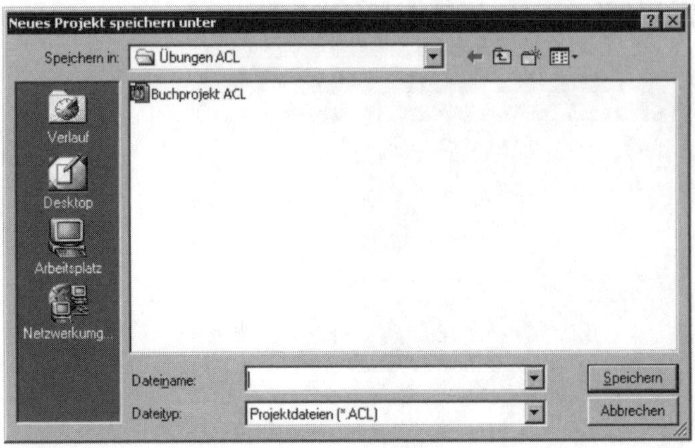

Abb. 14 Projektdateiformat in ACL

Während bei IDEA die logische Struktur (Einstellung: Baumstruktur) der erstellten Tabellen automatisch vom Programm dargestellt wird (zum Beispiel eine aus der Tabelle »Rechnungsausgänge« erstellte Extraktionstabelle mit Rechnungen zu einem bestimmten Monat wird als Verzweigung zur Tabelle angezeigt), ist dies bei ACL nicht der Fall. Hier werden alle Tabellen automatisch auf gleicher Ebene abgelegt, wo sie der Prüfer im Nachhinein durch Anlegen von Verzeichnissen logisch strukturieren kann.

Abb. 15 Baumstruktur in IDEA

Beide Programme verfügen über die Option, die Datenanalyse-Aktivitäten chronologisch anzuzeigen. Während dies bei ACL über die Wahl des Registers »LOG« im Projektexplorer geschieht, kann der Prüfer bei IDEA das Register »Historie« wählen.

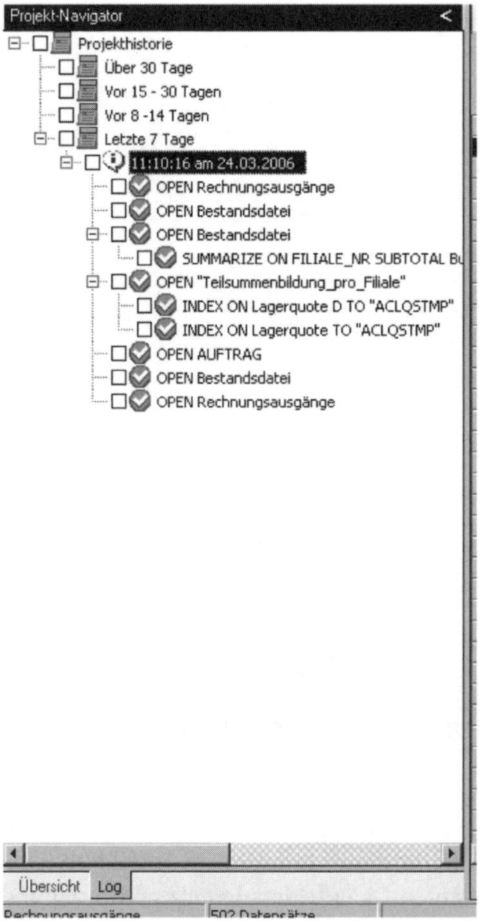

Abb. 16   Projektnavigator bei ACL in der LOG-Sicht

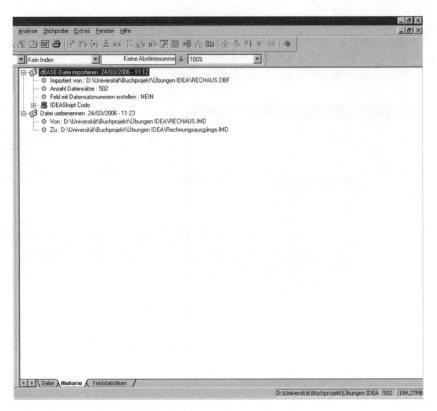

Abb. 17   Register »Historie« bei IDEA

Import von Druck- beziehungsweise Berichtsdateien

Beide Prüfprogramme verfügen über ein Zusatzprogramm, mit dem Druckdateien vom Prüfer aufbereitet und eingelesen werden können. Beim Import von Druckdateien muss der Prüfer sich jedoch im Vorfeld über die in der Druckdatei prüfungsrelevanten Datenfelder, deren Anordnung und unverwechselbare Kennung Klarheit verschaffen.

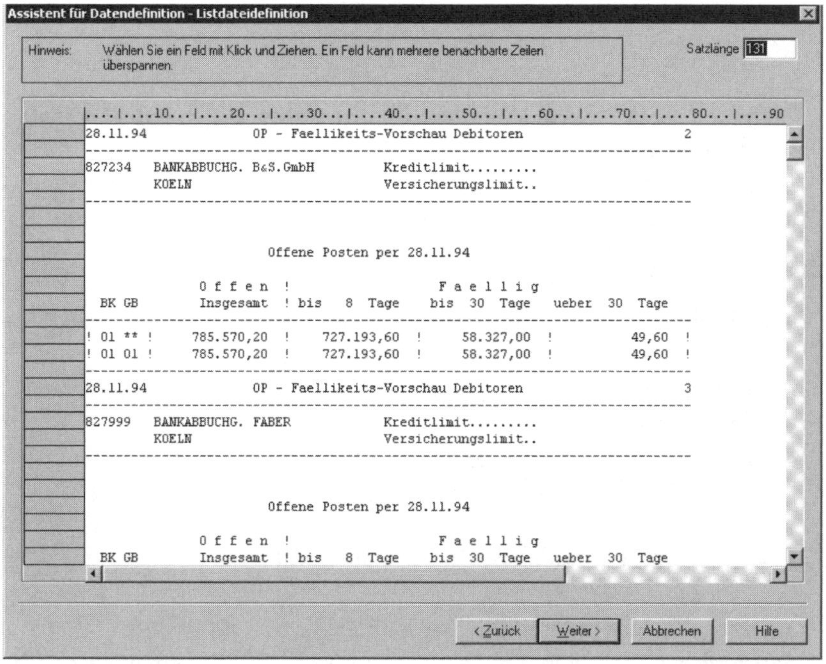

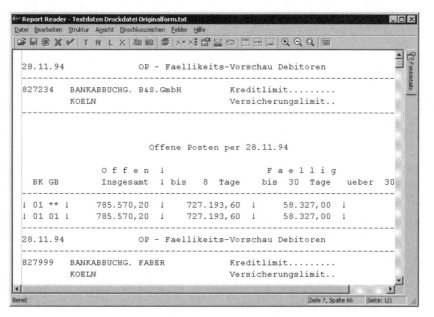

Abb. 18 Listdateidefinitionseditor des Datendefinitions-Assistenten bei ACL

```
Report Reader - Testdaten Druckdatei Originalform.txt                          _ □ X
Datei  Bearbeiten  Struktur  Ansicht  Einschlusszeichen  Felder  Hilfe

28.11.94                 OP - Faellikeits-Vorschau Debitoren
------------------------------------------------------------------------
827234    BANKABBUCHG. B&S.GmbH              Kreditlimit.........
          KOELN                             Versicherungslimit..
------------------------------------------------------------------------


                 Offene Posten per 28.11.94

                 O f f e n  !               F a e l l i g
    BK GB        Insgesamt  ! bis   8  Tage    bis  30  Tage    ueber  30
------------------------------------------------------------------------
 !  01 ** !      785.570,20 !      727.193,60 !      58.327,00 !
 !  01 01 !      785.570,20 !      727.193,60 !      58.327,00 !
------------------------------------------------------------------------
28.11.94                 OP - Faellikeits-Vorschau Debitoren
------------------------------------------------------------------------
827999    BANKABBUCHG. FABER               Kreditlimit.........
          KOELN                            Versicherungslimit..

Bereit                                    Zeile 7, Spalte 66    Seite: 1/1
```

Abb. 19 Report Reader des Import-Assistenten bei IDEA

Die Datenübernahme
auf den PC und ihre
Möglichkeiten

Die Parametrisierung der Druckdateien lässt sich in folgenden Schritten definieren:

- *Definition der prüfrelevanten Datenfelder:* In diesem ersten Arbeitsschritt muss der Prüfer die Struktur der prüfungsrelevanten Datenfelder definieren, damit beide Programme die Informationen gemäß dieser Struktur ablesen und in einer Datei speichern können. Folgende Einzelschritte sind hierfür seitens des Prüfers durchzuführen:

  - Sichtung der Druck-/Berichtsdatei nach ihrem inhaltlichen Aufbau und Erkennen des vorhandenen Druckmusters,
  - Definition der prüfrelevanten Daten und Satzbereiche (Einzeldatensätze) und
  - Definition der »unverwechselbaren« Eigenschaft pro definiertem Satzbereich.

In der oben importierten Druckdatei wäre dies beispielsweise:

- *Satzbereich 1:* einzeilig mit Stichtagsdatum für die OP-Analyse
- *Satzbereich 2:* zweizeilig mit Debitorennummer, Debitorenname und Debitorenort
- *Satzbereich 3:* einzeilig mit Buchungskreis (BK), Gesamt-OP, OP bis acht Tage, OP über acht bis dreißig Tage, OP über dreißig Tage

Die »unverwechselbaren« Eigenschaften könnten folgende sein:

- *Satzbereich 1:* das Stichtagsdatum »28.11.94«
- *Satzbereich 2:* die sechsstellige Debitorennummer
- *Satzbereich 3:* das Aggregationssymbol »**« bei Geschäftsbereich (GB)

Die weitere Bearbeitung der Druckdatei erfolgt mit Hilfe des Import-Assistenten.

- *Import der Druck-/Berichtsdatei mit Hilfe des Import-Assistenten:* Nach Aufruf des Import-Assistenten erkennen beide Programme automatisch, dass es sich um Druckdateien (Berichtsdateien, PDF-Dateien) handelt, und erstellen gegebenenfalls einen Vorschlag zur Datenfelddefinition. Dieser ist vom Prüfer zu sichten und zu deaktivieren, falls er nicht der von ihm gewünschten Definition für die prüfrelevanten Datenfelder entspricht. Nach der Deaktivierung ist die Druckdatei vollkommen frei für die Kennzeichnung der Datenfelder. In beiden Programmen wird die Maus zu einem Stift, mit dessen Hilfe der Prüfer nun die einzelnen Daten kennzeichnen kann.

- *Markieren des ersten Datenfeldes pro Satzbereich und Definition seiner Datenfeldbezeichnung und seines Datentyps:*

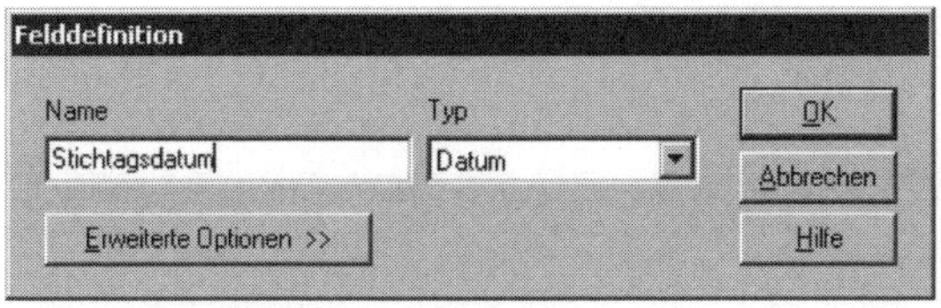

Abb. 20 Definition des Datenfeldes im Satzbereich in ACL

Um nun die einzelnen Satzbereiche mit den darin enthaltenen Datenfeldern für die Programme zu kennzeichnen, definiert der Prüfer pro Satzbereich dessen Spezifika. Hierzu empfiehlt sich folgendes Vorgehen:

- Markieren der Spezifika jedes Satzbereiches per Marker beziehungsweise Mausstift,
- Parametrisierung des Satzbereiches durch Vergeben einer Bezeichnung (zum Beispiel Satzbereichsnummer) und mit Hilfe der Option »Einschließen« oder »Genauer Vergleich« der Spezifika des jeweiligen Datenfeldes (zum Beispiel an der Zeilenposition 4 steht in den nachfolgenden drei Zeichen immer der Wert 400, die letzten drei Zeichen des Satzbereiches sind alphanumerisch).

Abb. 21 Datensatzdefinition in ACL: Definition der Spezifika pro Satzbereich – genauer Vergleich

Abb. 22 Datensatzdefinition in ACL: Definition der Spezifika pro Satzbereich
– numerischer Vergleich

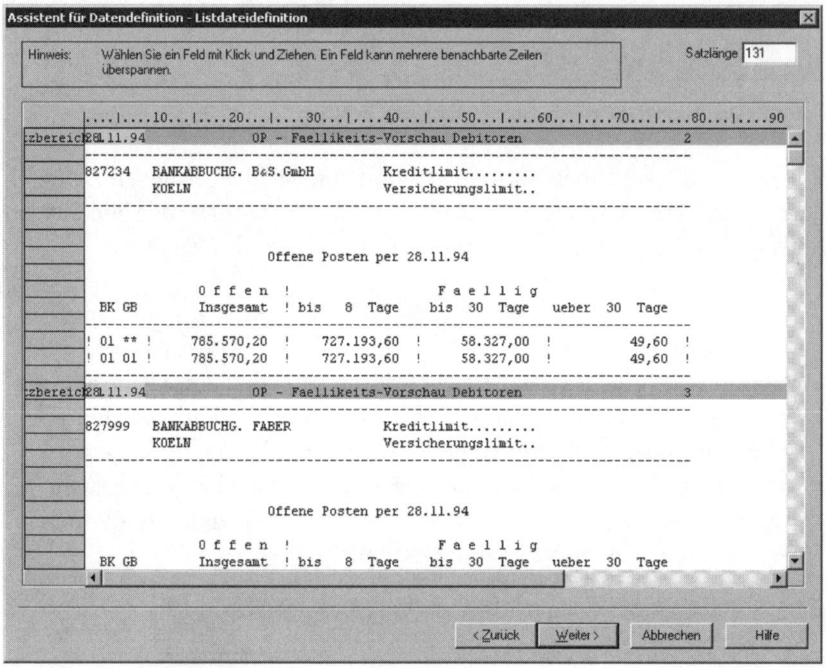

Abb. 23 Erkennung des definierten Satzbereiches in ACL

Anschließend führt der Prüfer den letzten Arbeitsschritt so lange durch, bis alle von ihm definierten Satzbereiche entsprechend konfiguriert sind.

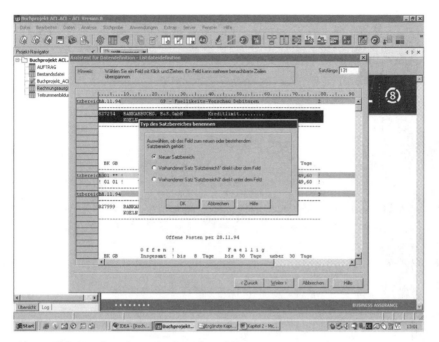

Abb. 24   Definition der weiteren Satzbereiche in ACL

Nach Definition der relevanten Satzbereiche werden diese von beiden Programmen farbig hervorgehoben, so dass sich der Prüfer noch einmal vergewissern kann, ob die von ihm vorgenommene Satzbereichsdefinition korrekt ist.

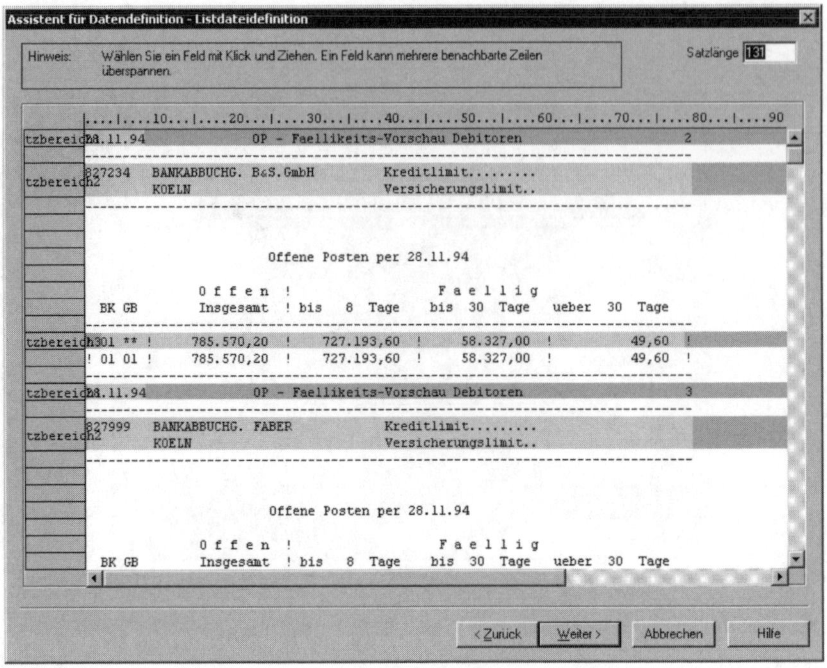

Assistent für Datendefinition - Listdateidefinition

Hinweis: Wählen Sie ein Feld mit Klick und Ziehen. Ein Feld kann mehrere benachbarte Zeilen überspannen.

Satzlänge 131

```
....|....10...|....20...|....30...|....40...|....50...|....60...|....70...|....80...|....90
tzbereich28.11.94          OP - Faellikeits-Vorschau Debitoren              2

tzbereich2827234   BANKABBUCHG. B&S.GmbH          Kreditlimit........
                   KOELN                          Versicherungslimit..


                          Offene Posten per 28.11.94

                      O f f e n !              F a e l l i g
          BK GB    Insgesamt ! bis  8 Tage    bis 30 Tage  ueber 30 Tage

tzbereich301 ** !   785.570,20 !  727.193,60 !  58.327,00 !      49,60 !
          ! 01 01 ! 785.570,20 !  727.193,60 !  58.327,00 !      49,60 !

tzbereich28.11.94          OP - Faellikeits-Vorschau Debitoren              3

tzbereich2827999   BANKABBUCHG. FABER            Kreditlimit........
                   KOELN                          Versicherungslimit..


                          Offene Posten per 28.11.94

                      O f f e n !              F a e l l i g
          BK GB    Insgesamt ! bis  8 Tage    bis 30 Tage  ueber 30 Tage
```

< Zurück   Weiter >   Abbrechen   Hilfe

Abb. 25 Definition aller relevanten Satzbereiche durch den Prüfer in ACL

Im letzten Arbeitsschritt definiert der Prüfer die Aufgaben der übrigen Datenfelder in dem gekennzeichneten Satzbereich.

- *Definition der Datenfelder in den einzelnen Satzbereichen:* Hier werden alle für die Prüfungshandlungen relevanten Felder in den jeweiligen definierten Satzbereichen jeweils nur einmal durch Hinterlegung einer Feldbezeichnung und Wahl des Datentyps definiert.
  - Markieren des prüfrelevanten Datenfeldes mit dem Marker beziehungsweise Mausstift und
  - Definition der Feldbezeichnung und des Datentyps im entsprechenden Dialog.

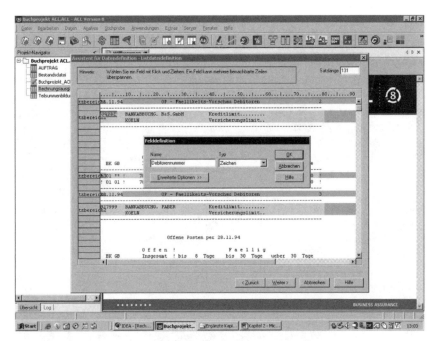

Abb. 26 Definition der weiteren Datenfelder in den Satzbereichen in ACL

Nach der Datenfelddefinition schließt der Prüfer durch Aktivieren des Menüpunktes »Datei/Beenden« das Hilfsprogramm zum Lesen von Druck-dateien und kehrt in das jeweilige Prüfprogramm zurück. Die von ihm de-finierten Datenfelder einschließlich ihrer Datentypdefinition werden ihm im Import-Assistenten noch einmal angezeigt, so dass er im Nachhinein ent-sprechende Änderungen und Korrekturen vornehmen kann. Sind diese in Ordnung, so kann er weitergehen.

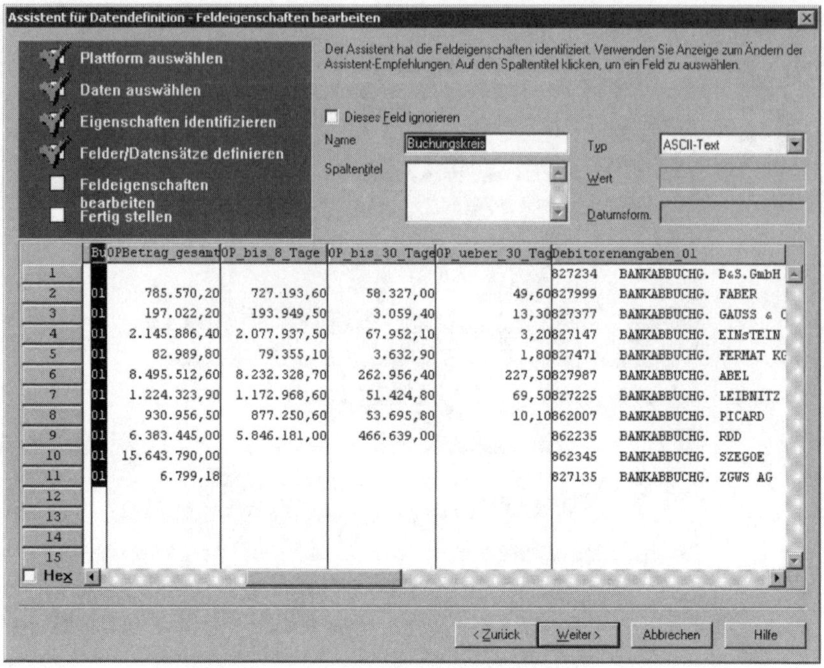

Assistent für Datendefinition - Feldeigenschaften bearbeiten

Plattform auswählen
Daten auswählen
Eigenschaften identifizieren
Felder/Datensätze definieren
Feldeigenschaften bearbeiten
Fertig stellen

Der Assistent hat die Feldeigenschaften identifiziert. Verwenden Sie Anzeige zum Ändern der Assistent-Empfehlungen. Auf den Spaltentitel klicken, um ein Feld zu auswählen.

☐ Dieses Feld ignorieren

Name: Buchungskreis   Typ: ASCII-Text
Spaltentitel: Wert:
                             Datumsform:

	Bu	OPBetrag_gesamt	OP_bis_8_Tage	OP_bis_30_Tage	OP_ueber_30_Tag	Debitorenangaben_01	
1						827234	BANKABBUCHG. B&S.GmbH
2	01	785.570,20	727.193,60	58.327,00	49,60	827999	BANKABBUCHG. FABER
3	01	197.022,20	193.949,50	3.059,40	13,30	827377	BANKABBUCHG. GAUSS & C
4	01	2.145.886,40	2.077.937,50	67.952,10	3,20	827147	BANKABBUCHG. EINsTEIN
5	01	82.989,80	79.355,10	3.632,90	1,80	827471	BANKABBUCHG. FERMAT KC
6	01	8.495.512,60	8.232.328,70	262.956,40	227,50	827987	BANKABBUCHG. ABEL
7	01	1.224.323,90	1.172.968,60	51.424,80	69,50	827225	BANKABBUCHG. LEIBNITZ
8	01	930.956,50	877.250,60	53.695,80	10,10	862007	BANKABBUCHG. PICARD
9	01	6.383.445,00	5.846.181,00	466.639,00		862235	BANKABBUCHG. RDD
10	01	15.643.790,00				862345	BANKABBUCHG. SZEGOE
11	01	6.799,18				827135	BANKABBUCHG. ZGWS AG
12							
13							
14							
15							

☐ Hex

< Zurück   Weiter >   Abbrechen   Hilfe

Abb. 27 Datendefinitions-Assistent – Schritt: Feldeigenschaften bearbeiten

Nach Beendigung des Import-Assistenten werden die von ihm definierten Datenfelder mit ihren Attributen als Einzeldatensätze in beiden Prüfprogrammen angezeigt.

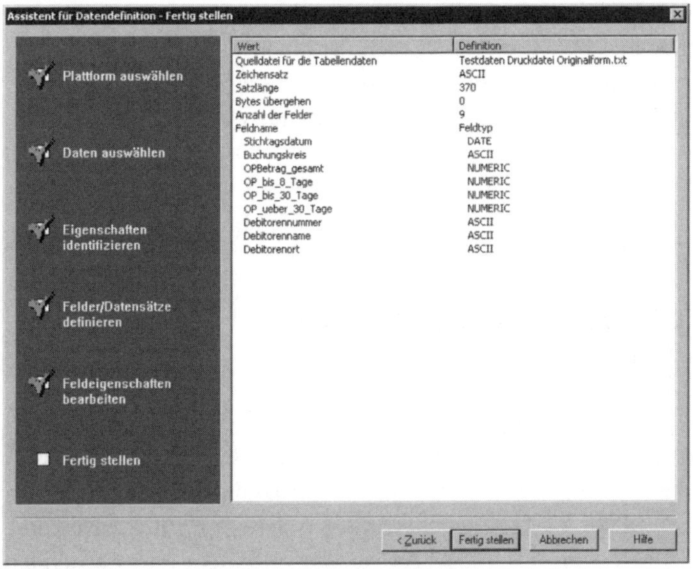

Abb. 28 Anzeige der selektierten Datenfelder der Druckdatei mit den Formaten in ACL

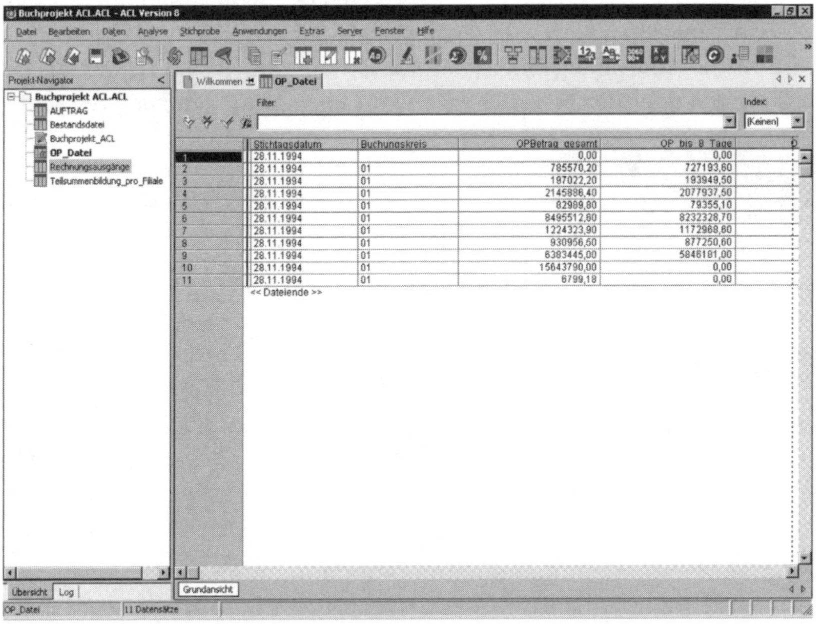

Abb. 29 Datenfenster nach Import der Druckdatei in ACL

Die Datenübernahme
auf den PC und ihre
Möglichkeiten

Dank der Möglichkeit, Druck- beziehungsweise Berichtsdateien einzulesen, können beide Prüfprogramme Daten für die Fehlersuche und Analyse sogar dann in Dateiform bereitstellen, wenn dem Prüfer die benötigten Berichte nur in Papierform vorliegen. Durch das Einscannen solcher in Papierform vorliegenden Berichte könnten die dann erzeugten Druckdateien als solche entsprechend der gerade beschriebenen Vorgehensweise importiert werden.

Direkter Zugriff auf Tabellen von Programmen beziehungsweise Datenbanken

Beide Programme verfügen über die Möglichkeit, über eine ODBC-Schnittstelle direkt auf Tabellen von Datenbanken und Anwendungssytemen zuzugreifen. Je nach Typ der zugrunde liegenden Datenbank müssen entsprechende ODBC-Treiber installiert werden. Ist ein solcher vorhanden, so kann der Prüfer ihn im Import-Assistenten in einem entsprechenden Unterdialog auswählen und aktivieren. Danach kann er auf die Tabellen mit den prüfrelevanten Datenfeldern zugreifen und sie in das jeweilige Prüfprogramm importieren.

ACL verfügt zusätzlich über einen eigens definierten Menüpunkt »Server«, mit dessen Hilfe sich der Prüfer direkt auf dem Server über eine entsprechende Anmeldung einloggen und von dort die für ihn relevanten Tabellen auf Datenbankebene sichten und für seine Analyse importieren kann.

Abb. 30   Möglichkeit des direkten Serverzugriffs in ACL

Statistische Analyse von Massendaten mit Hilfe der Prüfsoftware

Aus Wirtschaftlichkeits- und Zweckmäßigkeitsgründen kann es notwendig sein, Prüfungen ausschließlich mit Hilfe von Stichproben durchzuführen, da eine Vollerhebung (Prüfung aller Sachverhalte des zu prüfenden Zeitraums) aufgrund vorgegebener und begrenzter zeitlicher und/oder finanzieller Budgets nicht möglich ist. Dem Prüfer stehen hier grundsätzlich zwei Verfahren für die Durchführung einer Stichprobe zur Verfügung:

- Verwendung von mathematisch-statistischen Auswahlverfahren oder
- Verwendung einer bewussten Auswahl, das heißt Konzentration auf besonders fehleranfällige oder werthaltige Elemente des zu prüfenden Sachverhaltes (zum Beispiel Einzelfallprüfung bei Waren im Lager, die einen hohen Bewertungspreis haben).

Während im zweiten Fall der Prüfer aufgrund definierter Vorgaben beziehungsweise Erkenntnisse aus Interviews und Unterlagen die Auswahl trifft und diese für seine Prüfung sichtet, nutzen die mathematisch-statistischen Auswahlverfahren Testverfahren, die es dem Prüfer unter Berücksichtigung einer akzeptierten Irrtumswahrscheinlichkeit (Prüferfehler oder auch β-Fehler) ermöglichen, den in der Gesamtheit zu erwartenden Fehler aufgrund des Stichprobenergebnisses hochzurechnen. Beide Programme bieten zwei Verfahren für die Durchführung von Stichproben mittels mathematisch-statistischer Verfahren an:

- die Attributsstichprobe für die Ermittlung von Stichproben bei Prüfungen, deren Gütekriterium (In Ordnung/Nicht in Ordnung) sich an einer Anteilsrechnung orientiert,
- das Monetary-Unit-Verfahren (Monetary Unit Sampling – MUS) für die Ermittlung von Stichproben bei Prüfungen, deren Gütekriterium (Höhe der Fehlbuchungen, Höher fehlerhafter Rechnungen et cetera) sich an einer Wertberechnung orientiert.

Für beide Verfahren bieten die Prüfprogramme dem Prüfer Unterstützung bei der Planung, Durchführung und Beurteilung von Stichproben und deren Ergebnissen.

Für die Durchführung von Stichproben für Massendaten können außer den zu Beginn genannten Wirtschaftlichkeitsgründen auch folgende Aspekte eine Rolle spielen:

- Fehleranfälligkeit der Prüfungshandlungen mit wachsendem Umfang der zu prüfenden Sachverhalte durch Verzählungen, mangelnde Zuarbeit der Geprüften und Konzentrationsschwächen sowie
- fehlende exakte Definition der tatsächlichen Grundgesamtheit des Prüfsachverhaltes. So kommt es häufig vor, dass die vom Prüfer definierte Grundgesamtheit in Wirklichkeit nur ein Ausschnitt eines für die Güte des zu prüfenden Prozesses beziehungsweise Sachverhaltes ist (zum Beispiel Prüfung von Buchungsfehlern im Programm der Finanzbuchhaltung, die in ihrer Gesamtheit seit Einführung des entsprechenden Softwaresystems zu berücksichtigen wären), so dass der Prüfer auch bei Auswertung aller ihm vorliegenden Daten nur eine Stichprobe prüft.

Vorgaben des Prüfers

Damit der Prüfer im Falle der Anwendung mathematisch-statistischer Auswahlverfahren keinen Fehler begeht, muss er sich mit grundsätzlichen Vorgaben und Erkenntnissen zu diesem Thema auseinander setzen und diese mit seinem Vorgesetzten beziehungsweise seinem Auftraggeber besprechen:

- Die Auseinandersetzung des Prüfers mit der Grundgesamtheit ist notwendig, um eine realistische Prüfungsaussage zu treffen. Hier muss sich der Prüfer im Vorfeld seiner Stichprobenerhebung fragen, was die Grundgesamtheit ausmacht, über deren Ordnungsmäßigkeit beziehungsweise Richtigkeit er eine Aussage trifft.
- Stichprobenverfahren alleine können keine zutreffende Aussage über ein gesamtes Verfahren bei Prozessprüfungen machen, sondern in einem solchen Fall sind ergänzende Betrachtungen zur Beurteilung eines funktionierenden internen Kontrollsystems notwendig.
- Bei hinreichend großem Stichprobenumfang sind die Werte aus einer Stichprobe – weitgehend unabhängig von der Gestalt der Grundgesamtheit – normalverteilt (Gauß-Verteilung). Dies lässt sich statistisch mit Hilfe des Zentralen Grenzwertsatzes (ZGWS) zeigen. Aufgrund dieser Erkenntnis verwenden die statistischen Hochrechnungsverfahren die Normalverteilung.
- Der in den Programmen über die Funktion »Statistik« beziehungsweise »Feldstatistik« angezeigte Durchschnittswert (arithmetisches Mittel bei numerischen Werten) ist als Lagemaß unzureichend, um die Grundgesamtheit und die Stichprobe qualifiziert zu beschreiben und ein Ergeb-

nis letztendlich zu bewerten. Hierzu wird eine weitere Maßzahl benötigt, die Standardabweichung (Streuung). Mit Hilfe des Durchschnittswertes und der Standardabweichung lassen sich auch für Schichtungen geeignete Wertklassen definieren.

- Der Prüfer muss sich der »Kausalitäten« zwischen Stichprobe und Grundgesamtheit bewusst sein, um traditionelle Fehlurteile und Denkfallen zu vermeiden. Hierbei sollte er Folgendes beachten:
  - Was für eine Stichprobe zutrifft, ist für eine Grundgesamtheit nur annähernd (berechenbar) richtig.
  - Schlüsse aus einer Stichprobe auf eine Grundgesamtheit können vollständig (jedoch berechenbar) falsch sein (Ungewissheit, Irrtum).
  - Wahl der richtigen theoretischen Verteilung (Muster) für die Fragestellung und der dazu notwendigen Stichprobenparameter.
  - Fragen zur Signifikanz im Hinblick auf den notwendigen Stichprobenumfang:
    - Umfang der Grundgesamtheit – marginal niedrig,
    - Streuung beziehungsweise Standardabweichung – sehr hoch,
    - Vertrauens-/Sicherheits- beziehungsweise Konfidenzbereich – sehr hoch,
    - Sicherheitsgrad – sehr hoch.
  - Mit dem Ziehen einer Attributsstichprobe aus einer unbekannten Grundgesamtheit ist eine Transformation in die Normalverteilung (ZGWS) verbunden.
  - Die Transformation in die Normalverteilung bei der Attributsstichprobe setzt einen genügend großen Stichprobenumfang voraus, wobei die notwendige Anzahl der Stichprobenelemente von 30 an aufwärts in verschiedenen Werken und Lehrbüchern unterschiedlich diskutiert wird.

Während bei der Attributsstichprobe, die ACL auch als Datensatzstichprobe bezeichnet, eine Anteilsrechnung im Hinblick auf die Gütefeststellung durch Ermittlung des Fehleranteils in einer Grundgesamtheit (zum Beispiel Anteil fehlerhafter Buchungsbelege) erfolgt, werden beim MUS-Verfahren die einzelnen Betragseinheiten (zum Beispiel Geldeinheiten) betrachtet und eine Wertberechnung zur Hochrechnung des wertmäßigen Fehlers genutzt (welchen Wert haben Fehlbuchungen zum Gesamtwert aller Buchungen im Prüfungszeitraum zur Folge?).

Da der Prüfer beziehungsweise Revisor von dem Ergebnis der Stichprobe auf die Grundgesamtheit schließen muss, ist die »Gesetzmäßigkeit« des Verhaltens der Zufallsvariable, die das Prüfungsobjekt definiert, maßgeb-

55

lich für den Erfolg der Prüfung. Diese »Gesetzmäßigkeit« des Verhaltens der Zufallsvariable, die durch die Prüfungshandlung/-feststellung einzelner Prüfobjekte gegeben ist, wird durch ihre Verteilung definiert. Ihre Kenntnis hilft dem Prüfer beziehungsweise Revisor, Aussagen über die Zufallsvariable von der Stichprobe auf die Grundgesamtheit hochzurechnen.

Exkurs: Statistische Grundlagen

Bei den Stichprobenverfahren bestimmen die vom Prüfer zu untersuchenden Objekte (Belege, Buchungspositionen, Prozesskontrollen) die modelltheoretische Zufallsvariable. Je nach Art und Ausprägung dieser Zufallsvariablen ergeben sich die unterschiedlichen Stichprobenverfahren, das heißt, hiernach entscheidet sich, ob beispielsweise die Attributsstichprobe oder das MUS-Verfahren verwendet werden muss. Im Folgenden gehen wir kurz auf die statistischen Grundlagen ein.

Der Wertebereich einer Zufallsvariablen definiert die Auswahl an Verteilungen, die in Frage kommen. Handelt es sich bei einer Zufallsvariablen um eine so genannte diskrete Zufallsvariable, die abzählbare Zustände annimmt, so kommen für diese Zufallsvariable nur diskrete Verteilungen in Frage, die gemeinsam Bezug auf das so genannte Zählmaß nehmen. Im anderen Fall, nämlich wenn der Wertebereich kontinuierlich ist (zum Beispiel bei Rechnungspositionen), handelt es sich um eine stetige Zufallsvariable. Für diese Kategorie von Zufallsvariablen gelten die stetigen Verteilungen, deren gemeinsamer Bezug das stetige Lebesquemaß ist.

Folgende gängigen Verteilungen kommen generell bei Prüfungshandlungen in Betracht:

- *Diskrete Verteilungen:*
  - Binomialverteilung (Verteilung für das Ziehen mit Zurücklegen),
  - hypergeometrische Verteilung (Verteilung für das Ziehen ohne Zurücklegen),
  - Poisson-Verteilung (Verteilung der seltenen Ereignisse).
- *Stetige Verteilungen:*
  - Exponentialverteilung (Verteilung bei Lebensdauermodellen),
  - Normalverteilung (Verteilung natürlicher Prozesse).

Jede Verteilung wird durch entsprechende Parameter genau bestimmt. Bei manchen Verteilungen – zum Beispiel der Binomialverteilung (Erfolgswahrscheinlichkeit p), der Poisson-Verteilung (erwartete Ausfallrate λ) und der Exponentialverteilung (Kehrwert der durchschnittlichen Lebensdauer λ) – genügt ein Parameter zur Spezifikation der Verteilung, während bei anderen Verteilungen mehrere Parameter zur Spezifikation benötigt werden, wie zum Beispiel bei der Normalverteilung (der Mittelwert μ und die Varianz δ^2).

Jede Verteilung verfügt über entsprechende so genannte Maßzahlen, die Informationen zur Struktur der Verteilung liefern, und zwar:

- Erwartungswert (Durchschnitt, Mittelwert, 1. Moment der Verteilung) für den mittleren Wert der Zufallsvariable,
- Varianz (Quadrat der Standardabweichung, 2. Moment der Verteilung) für das Streuverhalten der Werte um den ermittelten Mittelwert,
- Kurtosis (Wölbung, 3. Moment der Verteilung) für das Maß des Anstiegs (flach oder spitz),
- Schiefe (4. Moment der Verteilung) für die Richtung der Werteverteilung (zum Beispiel linkssteile Schiefe mit vielen kleinen und wenig großen Werten).

Diese Informationen helfen dem Prüfer beziehungsweise Revisor, sich im Rahmen seiner Analyse vorab über die Struktur der ihm vorliegenden Daten (Lage, Streuverhalten) einen Überblick zu verschaffen. Bei IDEA stehen diese Informationen im Register »Feldstatistik« dem Prüfer bei den numerischen Werten zur Verfügung, bei ACL kann der Prüfer sie sich über den Menüpunkt »Statistik/Statistik für« erstellen lassen. In den aktuellen Versionen beider Programme werden nur noch das 1. und 2. Moment der Verteilung für die numerischen Werte angezeigt.

Im Folgenden werden die bekanntesten Verteilungen kurz dargestellt:

- Die *hypergeometrische Verteilung* (Verteilung für das Ziehen ohne Zurücklegen) ist das exakte Modell, wenn der Prüfer im vorliegenden Fall als Zufallsvariable die Ordnungsmäßigkeit und Korrektheit des i-ten Prüfungsobjektes, zum Beispiel Belegprüfung (korrekte und vollständige Belege), Vertragsprüfung (= korrekte und vollständige Verträge), untersucht. Ein Problem bei dieser Anwendung könnte allerdings daraus resultieren, dass die Grundgesamtheit in ihrer Größe und Struktur nicht bekannt ist, aber dennoch in die Berechnungsformel einfließt. Darüber hinaus ist die Berechnung aufgrund von Fakultäten mühsam und muss gegebenenfalls bei großen Werten über

Näherungsformeln erfolgen. Hier hilft eine Näherungsberechnung der Verteilung mit der Binomialverteilung.

- Die *Binomialverteilung* ist das richtige Modell für einander ausschließende Ereignisse und wird für das so genannte »Ziehen mit Zurücklegen«, das heißt mit der Fiktion einer unendlich großen Grundgesamtheit, herangezogen. Der Vorteil bei dieser Verteilung liegt darin, dass die Grundgesamtheit in der Berechnungsformel nicht berücksichtigt werden muss. Das vereinfacht den Rechenvorgang erheblich. Zwar entspricht das »Ziehen mit Zurücklegen« nicht der Arbeit des Revisors, jedoch weichen bei größerem Stichprobenumfang die Werte der Binomialverteilung kaum von denen der hypergeometrischen Verteilung ab. Darüber hinaus können die Zahlen der Binomialverteilung mit einer so genannten Endlichkeitskorrektur auch bei kleineren Stichprobenumfängen weitgehend an die Werte der hypergeometrischen Verteilung angenähert werden. Dies führt dazu, in der Praxis anstelle der hypergeometrischen Verteilung die Binomialverteilung zu verwenden.

- Die Normalverteilung ist die in der Natur am häufigsten vorkommende Verteilung für stetige Zufallsvariablen (zum Beispiel Prüfungen auf Richtigkeit der Rechnungsbeträge). Die Verteilung wird durch die beiden Momente »Erwartungswert« (symbolisch auch μ bezeichnet) und »Varianz« (symbolisch auch δ^2 bezeichnet) eindeutig beschrieben (symbolisch $N(\mu, \delta^2)$). Durch eine einfache lineare Transformation der Form

$$z = \frac{x - \mu}{\delta}$$

lässt sich jede Normalverteilung $N(\mu, \delta^2)$ auf die Standard-Normalverteilung beziehungsweise Standard-Gauß-Verteilung ($\rightarrow$ symbolisch $N(0,1)$), die den Erwartungswert 0 und die Varianz 1 hat, transferieren. Diese Verteilung ist in jedem statistischen Lehrbuch vertafelt beziehungsweise die meisten Kalkulationsprogramme bieten Prozeduren, die entsprechende Quantile und Wahrscheinlichkeiten dieser Verteilung berechnen.

Aufgrund des Zentralen Grenzwertsatzes (symbolisch ZGWS), nach dem sich die meisten Verteilungen bei genügend großer Stichprobe sehr gut durch die Normalverteilung näherungsweise beschreiben lassen, spielt diese Verteilung eine zentrale Rolle. Die Verteilungsfunktion der Standard-Normalverteilung $N(0,1)$ ist die bekannte Gauß'sche Glockenkurve.

Die EDV-technischen
Möglichkeiten
der Datei- und
Datenanalyse

Die genannten Verteilungen spielen bei der Attributsstichprobe eine wichtige Rolle, da die Zufallsvariable durch den »Zieh«-Vorgang von diskreter Natur ist. Weil die Grundgesamtheit bei den durchzuführenden Attributsstichproben in der Regel sehr groß sind, wird bei der Bewertung von Stichproben der Zentrale Grenzwertsatz angewendet.

Beim MUS-Verfahren spielt dagegen die Poisson-Verteilung eine zentrale Rolle. Die Poisson-Verteilung ist eine diskrete Verteilung, die für selten eintretende Ereignisse (zum Beispiel Anzahl der pro Zeiteinheit emittierten α-Teilchen einer radioaktiven Substanz) verwendet wird und deshalb auch »Verteilung der seltenen Ereignisse« genannt wird. Diese Verteilung beschreibt endliche diskrete Wahrscheinlichkeitsverteilungen approximativ recht gut und wird deshalb in der Praxis zur Näherungsberechnung genutzt. Bei einer kleinen Erfolgswahrscheinlichkeit (p), also der Beschreibung eines seltenen Ereignisses, und großem Stichprobenumfang (n) bietet sie eine gute Näherung an die Binomialverteilung.

Beim MUS-Verfahren werden die ermittelten relativen Fehleranteile jeder fehlerhaften Finanzposition, die sich aus dem Verhältnis des Differenzbetrages zum korrekten Buchwert (Fehlbetrag/Buchwert) ergeben und als so genannter »Verschmutzungsgrad« definiert sind, als seltene Ereignisse betrachtet und sortiert.

Um sich die Vorgehensweise plausibel zu machen, welche die Anwendung der Stichprobenverfahren in beiden Prüfprogrammen rechtfertigt, sollte der Prüfer beziehungsweise Revisor Folgendes bei seinen Überlegungen beachten:

- Als Erstes stellt sich bei der Anwendung eines zu wählenden Stichprobenverfahrens die Frage, welche Verteilung bei der Erhebung einer qualifizierten Stichprobe für das konkrete Prüffeld beziehungsweise Prüfobjekt zu wählen ist.
- Unter der Annahme, dass die Stichprobe bei den meisten Attributsstichproben genügend groß ist, wird auch in der Revision der Zentrale Grenzwertsatz angewendet, so dass man die Frage nach der Verteilung durch die approximative Berechnung mittels Normalverteilung beantwortet.
- Beide Programme wenden bei ihrer Berechnung von Stichproben im Falle der Attributsstichprobe den ZGWS an, so dass die Frage nach der Verteilung durch die Software gelöst wird.
- Als Nächstes stellt sich nun die Frage nach der Parametrisierung der Verteilung.

- Da die Normalverteilung zur Anwendung kommt, benötigt man die beiden Maßzahlen »Erwartungswert (μ)« und »Varianz (δ^2)«, die empirisch zu schätzen sind. Diese liefern beide Programme.
- Beim MUS-Verfahren erfolgt die Parametrisierung der festgestellten Fehleranteile bei den fehlerhaften Finanzpositionen dialoggesteuert durch den Prüfer.

Attributsstichprobe beziehungsweise Datensatzstichprobe

Bei der Verwendung dieses Verfahrens muss sich der Revisor über die jeweilige Aufgabe seiner Stichprobenziehung bewusst werden. Bei der Anteilsberechnung handelt es sich statistisch um einen Mittelwerttest im Hinblick auf den Parameter Anteilswert. Die für dieses Verfahren zu definierende Zufallsvariable lässt sich durch den einzelnen Datensatz mit seiner entsprechenden Ausprägung (zum Beispiel i-ter Rechnungsbetrag, j-te Buchungs- beziehungsweise Belegposition) in zwei Zustände kategorisieren:

- fehlerhaft oder nicht in Ordnung und
- richtig oder in Ordnung.

Die Gütefeststellung richtet sich anhand des Anteils der fehlerhaften beziehungsweise nicht in Ordnung ermittelten Prüfsachverhalte. Dies kann zum Beispiel der Anteil fehlerhafter Belege und/oder Rechnungen sein.

Mit dieser Art der Stichprobenprüfung möchte der Revisor bei seiner Prüfung feststellen, ob sich der Anteil der fehlerhaften Feststellungen (zum Beispiel fehlerhafte Buchungsbelege in der Finanzbuchhaltung) seit seiner letzten Prüfung aufgrund geforderter Maßnahmen verbessert hat.

Monetary Unit Sampling (MUS)

Hintergrund dieses Verfahrens ist die Verwendung geeigneter modelltheoretischer Verteilungen zu einer wertbasierten Hochrechnung. Ausgangspunkt ist der Gedanke, dass jede Geldeinheit (Euro, Dollar) einer Finanzposition (Forderungs-/Rechnungsposition) Gegenstand der Untersuchung ist und die Wahrscheinlichkeit jeder Einheit, in die Stichprobe einzufließen, berechenbar und gleich ist.

Im Hinblick auf den Prüfungsauftrag erfolgt hier eine Einteilung in »richtige« und »falsche« Geldeinheiten (Attribute). Der Prüfer beurteilt dabei nicht die einzelne Geldeinheit, sondern betrachtet sie repräsentativ für die gesamten zu prüfenden Positionen (zum Beispiel Forderungspositionen). Deshalb wird bei diesem Verfahren der Stichprobenumfang nicht durch die Anzahl der Positionen definiert, sondern mittels eines Auswahlintervalls bestimmt, welche Positionen mit welcher Häufigkeit in die Stichprobe gelangen. Zwar kann man fakultativ einen Stichprobenumfang (Anzahl der Stichprobenelemente) aus der Grundgesamtheit, die durch die Summe der Beträge aller zu prüfenden Positionen definiert ist, und dem ermittelten Auswahlintervall durch Division errechnen. Wichtig für die Definition und Auswahl der Stichprobenelemente bleibt jedoch das Auswahlintervall, das angibt, in welchem Intervallschritt die einzelnen Positionen in die Stichprobe einfließen.

Da hier die wertproportionale Auswahl der Stichprobenelemente vorausgesetzt wird, werden somit Forderungen, hier speziell Forderungen der Revision an eine Berücksichtigung besonders werthaltiger Positionen, die Minimierung der Gefahr von Überbewertungen und der Wunsch nach kleinen Stichprobenumfängen berücksichtigt.

Die Auswahl der Stichprobenelemente entspricht in besonderem Maße der praktischen Vorgehensweise des Abschlussprüfers, da höherwertige Vermögensgegenstände mit einer höheren Wahrscheinlichkeit für die Stichprobe ausgewählt werden. Darüber hinaus trägt die wertproportionale Auswahl der besonderen Beachtung des Prüferrisikos (β-Risiko) Rechnung, da bei großen im Gegensatz zu kleineren Beträgen eher Fehlermöglichkeiten bestehen.

Das Monetary Unit Sampling beruht auf der modelltheoretischen Annahme, dass die fehlerhaften Geldeinheiten im Prüffeld Poisson-verteilt sind. Gesucht ist hierbei diejenige Fehlerintensität λ, für die in $(100 - \alpha)$ Prozent der Fälle mehr als x fehlerhafte Elemente in einer Stichprobe vom Umfang n beobachtet werden. Die Poisson-Verteilung als Verteilung der »seltenen Ereignisse« wird deshalb angenommen, da man ihre gute Approximationseigenschaft für die Binomialverteilung nutzt. Dabei stellt die Binomialverteilung – wie im Falle der Attributsstichprobe – ebenfalls eine Näherungslösung dar, die sich den korrespondierenden und aufgrund der Modellannahme zutreffenden Werten der hypergeometrischen Verteilung sehr gut annähert. Die Fehlerintensität lässt sich dabei aufgrund der beschriebenen Approximationseigenschaft der Poisson-Verteilung für die Binomialverteilung aus dem Produkt von Stichprobenumfang n und der Fehlerwahrscheinlichkeit p der korrespondierenden Binomialverteilung ermitteln und ist durch folgende Gleichung determiniert:

$$P(X \leq x) = \sum_{i=0}^{x} \frac{\lambda_{x;\alpha}^{i}}{i!} \cdot e^{-\lambda_{x;\alpha}} = \alpha$$

X entspricht als Zufallsvariable der Anzahl der in der Stichprobe gefundenen »falschen« Geldeinheiten und x dem maximal akzeptierten Fehlbetrag in der Stichprobe. Das Risiko α ist vom Prüfer vorzugeben und liegt in der Regel bei 5 Prozent. Der Parameter $\lambda_{x;\alpha}$ der Poisson-Verteilung wird als obere Fehlerintensität bezeichnet und liegt in tabellierter Form für die verschiedenen Konstellationen von x und α vor.

Auch bei diesem Verfahren erfolgt aufgrund der in der Stichprobe ermittelten Fehler eine Hochrechnung der im Prüffeld zu erwartenden Fehlerwahrscheinlichkeit.

Beobachtet ein Prüfer in einer Stichprobe vom Umfang n eine Anzahl von x fehlerhaften Elementen, liest er das definierte Risiko α anhand der entsprechenden Tabelle mit dem Parameterpaar (x;α) die zugehörige Fehlerintensität $\lambda_{x;\alpha}$ ab. Berücksichtigt man die Approximationseigenschaft, so stellt das Produkt aus der Fehlerwahrscheinlichkeit p und Stichprobenumfang n den Wert $\lambda_{x;\alpha}$ dar, so dass aus dem Verhältnis von Fehlerintensität $\lambda_{x;\alpha}$ und dem Stichprobenumfang n sich diejenige Fehlerwahrscheinlichkeit errechnet, die mit einer Wahrscheinlichkeit von (100 – α) Prozent nicht überschritten wird. In der Grundform des MUS-Verfahrens ergibt das Produkt dieser ermittelten Fehlerwahrscheinlichkeit p mit dem Buchwert des Prüffeldes schließlich den maximal zu erwartenden Fehler im Prüffeld.

In den beiden folgenden Abschnitten möchte ich sowohl für die Attributsstichprobe als auch für das MUS-Verfahren die notwendigen Schritte skizzieren, um dem Prüfer einen Einblick in die verantwortlichen Parameter, deren Einfluss sowie das den Verfahren zugrunde liegende Gedanken- und Wertegerüst zu gewähren.

Skizzierung des Verfahrens bei der Attritbutsstichprobe

Bei der Attributs- beziehungsweise Datensatzstichprobe führt der Prüfer folgende Schritte durch:

- Als Erstes wird eine vorläufige Stichprobe mit einem vom Prüfer beliebig gewählten Stichprobenumfang n ausgewertet und die in der Stichprobe vorhandene Fehleranzahl x ermittelt.
- Anschließend berechnet der Prüfer mittels Quotientenbildung x/n die erwartete Fehlerrate in der Stichprobe:

$$\bar{x} = \frac{x}{n}.$$

Die EDV-technischen
Möglichkeiten
der Datei- und
Datenanalyse

- Unter der Vorgabe
  - des definierten Risikos α,
  - der Anzahl der vorliegenden Positionen N und
  - der aufgrund des Prüfauftrages als akzeptabel angesehenen Fehlertoleranz p

  ermittelt der Prüfer im nächsten Schritt den Stichprobenumfang approximativ unter Zuhilfenahme des Zentralen Grenzwertsatzes durch

$$n = \frac{1}{2 \cdot p} \cdot \left(2 \cdot x + u_\alpha^2 (1-p) + \sqrt{4 \cdot x \cdot u_\alpha^2 \cdot (1-p) + u_\alpha^2 \cdot (1-p)^2} \right)$$

  wobei u_α das entsprechende α-Quantil der Standard-Normalverteilung ist und aus der N(0,1)-Vertafelung der Quantilsfunktion abgelesen werden kann.
- Nach Ermittlung des Stichprobenumfangs n führt der Prüfer nun die eigentliche Stichprobe durch und zählt hierbei die Anzahl der fehlerhaften Prüfobjekte x, zum Beispiel fehlerhafte Belege, ($1 \le x \le n$).
- Mit Hilfe der festgestellten Anzahl fehlerhafter Elemente x berechnet der Prüfer unter Verwendung des Stichprobenumfangs n und der akzeptablen Fehlertoleranz p folgende statistische Funktion T:

$$T = \frac{\frac{x}{n} - p}{\sqrt{p \cdot (1-p)}} \cdot \sqrt{n}$$

- Zum Schluss vergleicht der Prüfer den Wert der statistischen Funktion T mit dem u_α-Quantil. Liegt der Wert unter diesem, so ist es unter Berücksichtigung der getroffenen Annahmen hinreichend sicher, dass im Prüffeld der maximal zu erwartende Fehler unterhalb der Fehlertoleranz liegt. Ist dies nicht der Fall, so gibt es für den Prüfer zwei Alternativen:

  - erneute Ermittlung des Stichprobenumfangs, der die beobachtete Fehlerhäufigkeit berücksichtigt, oder
  - Ermittlung eines mit der beobachteten Fehlerhäufigkeit korrespondierenden α-Risikos beziehungsweise ($1-\alpha$)-Konfidenzintervalls, das von Seiten des Prüfers als noch ausreichend sicher angesehen wird.

Skizzierung des Verfahrens bei der Grundform des Monetary Unit Sampling

Die einfachste Grundform des MUS-Verfahrens lässt sich in folgende Schritte gliedern:

- Als Erstes wird eine vorläufige Stichprobe mit einem vom Prüfer beliebig gewählten Stichprobenumfang n ausgewertet und die in der Stichprobe festgestellte Fehleranzahl x ermittelt.
- Unter der Vorgabe des definierten Risikos α liest der Prüfer aufgrund der vorliegenden Wertekonstellation x;α in der entsprechenden Poisson-Verteilungstabelle die dazugehörige »obere« Fehlerintensität $\lambda_{x;\alpha}$ ab.
- Die ermittelte »obere« Fehlerintensität $\lambda_{x;\alpha}$ wird anschließend durch den Stichprobenumfang n dividiert, um somit die Fehlerwahrscheinlichkeit p zu erhalten, das heißt

$$p = \frac{\lambda_{x;\alpha}}{n}$$

- Dieser aus der Stichprobe ermittelte Fehleranteil wird dann als Fehleranteil des Prüffeldes interpretiert, das heißt, der maximal im gesamten Prüffeld zu erwartende Fehler ergibt sich somit aus dem Produkt der Fehlerwahrscheinlichkeit p mit dem Buchwert (BW) des Prüffeldes, also

Fehler $= p \cdot BW$

Ausgehend von dieser einfachen Überlegung kann der Prüfer als Erstes einen angemessenen Stichprobenumfang festlegen. Um der Forderung der Berücksichtigung werthaltiger Positionen nachzukommen, benötigt der Prüfer in einem weiteren Schritt die für das Prüffeld als angemessen angesehene individuelle Materiality (Wesentlichkeitsbetrag), die ihm als Barriere für die Prüfung einzelner Geldpositionen im Prüffeld dient. Grundgedanke dieser Materiality-Grenze M ist es, dass Fehler in der Größenordnung dieser Grenze M mit dem vorgegebenen Risiko α nicht unentdeckt bleiben, da sie auf jeden Fall geprüft werden. Aufgrund der Definition der zusätzlichen Größe M nimmt diese auf den Stichprobenumfang wie folgt Einfluss:

$$M \geq \frac{\lambda_{x;\alpha}}{n} \cdot BW \text{ und somit } n \geq \lambda_{x;\alpha} \cdot \frac{BW}{M}$$

Der Prüfer ermittelt nun den Stichprobenumfang unter Berücksichtigung des Risikos α, der Fehlerintensität $\lambda_{x;\alpha}$, die aus den in der vorläufigen Stichprobe entdeckten Fehlern x und dem vom Prüfer vorgegebenen Risiko α determiniert wird, und der von ihm vorgegebenen Materiality-Grenze M und geht wie folgt dabei vor:

- Der Prüfer zieht unter Berücksichtigung der Parameter α und M sowie der in der Vorabstichprobe, die auch seine subjektive Fehlererwartung aufgrund erster Prüfungshandlungen (Befragung, Begehung vor Ort) sein kann, eine Stichprobe im Umfang n und stellt die Anzahl der darin enthaltenen Fehler fest.

Grundsätzlich lassen sich bei der Ziehung der Stichprobe folgende drei Varianten unterscheiden, die allesamt zulässig sind:

– Zufallsauswahl,
– Methode der fixen Intervallziehung sowie
– Methode der variablen Intervallziehung.

Bei der reinen Zufallsauswahl werden aus der Gesamtheit der Elemente der Geldeinheiten – das heißt der Anzahl der Geldeinheiten im Prüffeld (zum Beispiel Summe der Forderungen bei einer Vorsteuerprüfung) – rein zufällig n Geldeinheiten bestimmt. Die n Positionen, welche die ausgewählten Geldeinheiten darstellen, gelangen dann in die Stichprobe. Bei dieser Form der Stichprobenziehung kann es deshalb vorkommen, dass die Stichprobenelemente ungleichmäßig aus der Grundgesamtheit gezogen wurden. Um eine gleichmäßige Verteilung der Stichprobenelemente zu erreichen, stehen dem Prüfer die Methode der fixen und variablen Intervallziehung zur Verfügung. Bei der Methode der fixen Intervallziehung (Fixed Interval Sampling) wird das gesamte Prüffeld mit einem Gesamtbuchwert von Y Geldeinheiten entsprechend dem zuvor fixierten Stichprobenumfang n über Gleichung J = Y/n in J Intervalle unterteilt, die man als Auswahlintervalle bezeichnet. Aus dem ersten Intervall wird nun eine Zufallszahl a bestimmt (hierbei gilt $1 \leq a \leq J$). In die Stichprobe mit dem Umfang n gelangen nun diejenigen Positionen des Prüffeldes, die die Geldeinheiten a, a+J, a+2*J, ... a+(n-1)*J umfassen. Dabei kann es je nach Höhe der jeweiligen Position vorkommen, dass eine Position mehrfach in die Stichprobe einfließt. Da mit einer einzigen Zufallszahl a aus dem Auswahlintervall J begonnen wird und sich alle anderen Elemente linear hieraus ermitteln lassen, schränkt ein solches Vorgehen die Zufälligkeit der Ziehung der Stichprobenelemente ein. Hierzu lässt sich eine weitere Variante der Intervallziehung definieren, die man als Methode der variablen Intervallziehung (Variable Interval Sampling) bezeichnet. Hier erfolgt anstelle der Auswahl einer Zufallszahl aus dem Intervall J eine Wahl n verschiedener Zufallszahlen aus dem Intervall J, das heißt, es werden a_1, a_2, ..., a_n Zufallszahlen ermittelt (wobei für alle a_i ($1 \leq i \leq n$): $1 \leq a_i \leq J$ gilt). Mit Hilfe dieser n Zufallszahlen werden anschließend die Positionen des Prüffeldes in der Stichprobe bestimmt. Dabei werden die Positionen ausgewählt, welche die Geldeinheiten a_1, a_2+J, a_3+2*J, ...a_n+(n-1)*J enthalten.

- Hieraus ermittelt der Prüfer wie bereits bei der Vorabstichprobe die Fehlerintensität $\lambda_{x;\alpha}$ und die Fehlerrate $\hat{\rho}$.

Der Prüfer wertet die vorläufige Stichprobe im Umfang n aus und ermittelt die Anzahl x der beobachteten falsch bewerteten Geldpositionen. Anschließend errechnet er für jede der festgestellten »falschen« Positionen die durchschnittliche Fehlerrate (auch Verschmutzungsgrad genannt) durch folgende Quotientenbildung

$$t_i = \frac{BW_i - Istwert_i}{BW_i} \ (1 \leq i \leq x)$$

als Abweichungsgrad der fehlerhaften Position i im Prüffeld. Im nächsten Schritt ermittelt er eine durchschnittliche Fehlerrate aus

$$\hat{\rho} = \frac{1}{x} \sum_{i=1}^{x} t_i$$

- Anschließend wird durch das Produkt der Fehlerwahrscheinlichkeit $\hat{\rho}$ mit dem Buchwert (BW) des Prüffeldes erneut der maximal im Prüffeld zu erwartende Fehler berechnet.

Bei der Bestimmung des maximal zu erwartenden Fehlers gibt es in der Praxis drei Methoden:
- Maximalfehlermethode,
- Durchschnittsfehlermethode und
- Fehlerreihungsmethode.

Bei der Maximalfehlermethode geht der Prüfer davon aus, dass eine als fehlerhaft gefundene Position vollständig fehlerhaft bewertet wurde. Entsprechend entnimmt der Prüfer zur Ermittlung des maximal zu erwartenden Fehlers aus der Poisson-Tabelle unter Berücksichtigung des für ihn relevanten Parameterpaares x;α die »obere« Fehlerintensität $\lambda_{x;\alpha}$ und führt folgende Berechnung durch:

$$F_{max} = \frac{\lambda_{x;\alpha}}{n} \cdot BW$$

Die EDV-technischen
Möglichkeiten
der Datei- und
Datenanalyse

Durch diese Berechnung wird implizit unterstellt, dass eine fehlerhafte Position im Prüffeld vollständig fehlbewertet ist, das heißt, dass die durchschnittliche Fehlerrate beziehungsweise der Verschmutzungsgrad t_i ($1 \le i \le x$) für alle fehlerhaften Positionen 100 Prozent beträgt. Eine Annahme, die in der Regel nicht der Realität entspricht. Durch die einfache Modifikation der obigen Berechnung, indem man also zu dem Produkt die durchschnittliche Fehlerrate $\hat{\rho}$ als Faktor hinzunimmt, das heißt

$$F_\emptyset = \frac{\lambda_{x;\alpha}}{n} \cdot BW \cdot \hat{\rho}$$

berechnet, erhält der Prüfer die Durchschnittsfehlermethode. Dabei werden die beobachteten Fehlerraten t_i in der Schätzung des maximalen Fehlers im Prüffeld berücksichtigt.

Diese Durchschnittsbildung der beobachteten Fehlerraten t_i führt jedoch in einigen Fällen zu nicht plausiblen Schätzungen. Da man durch die Multiplikation der durchschnittlichen Fehlerrate $\hat{\rho}$ mit der Fehlerintensität $\lambda_{x;\alpha}$ implizit einen linearen Zusammenhang zwischen beiden Größen unterstellt, der jedoch nicht zutreffend ist, kann es vorkommen, dass ein fehlerfreies Prüffeld bei dieser Methode zu einem höheren geschätzten maximalen Fehler führt als ein mit Fehlern behaftetes Prüffeld. Um diesen Fehler zu verhindern, werden anstelle der einen Fehlerintensität $\lambda_{x;\alpha}$ für alle gefundenen Fehlerraten t_i im Prüffeld diese mit ihren korrespondierenden Fehlerintensitäten der Reihenfolge nach gekoppelt. Bei dieser Fehlerreihungsmethode sortiert der Prüfer als Erstes die x beobachteten Fehlerraten t_i absteigend, das heißt $t_1 \ge t_2 \ge \ldots \ge t_n$, um anschließend aus diesen über folgenden Term den maximal zu erwartenden Fehler zu ermitteln:

$$F_{FRM} = BW \cdot \left(\frac{\lambda_{0;\alpha}}{n} + \sum_{i=1}^{x} \frac{\lambda_{i;\alpha} - \lambda_{i-1;\alpha}}{n} \cdot t_i \right)$$

Durch diese Berechnung wird sichergestellt, dass der geschätzte Maximalfehler F für ein fehlerhaftes Prüffeld über dem eines fehlerfreien Prüffeldes liegt, ohne jedoch die beobachteten Fehleranteile außer Acht zu lassen.

- Zum Schluss entscheidet der Prüfer, ob die aus der Stichprobe hochgerechnete Feststellung hinreichend sicher und genau im Hinblick auf seinen Prüfauftrag ist.

Da der Prüfer bei der Dimensionierung der Stichprobe von einem gewissen Fehleranteil in der vorläufigen Stichprobe ausgeht, ist der auf-

Statistische Analyse
von Massendaten mit
Hilfe der Prüfsoftware

grund des MUS-Verfahrens ermittelte Fehler nur dann hinreichend sicher, wenn diese Fehleranzahl in der Stichprobe nicht überschritten wurde. Ist dies nicht der Fall, so gibt es für den Prüfer folgende zwei Alternativen:

– Erneute Ermittlung des Stichprobenumfangs, der die beobachtete Fehlerhäufigkeit berücksichtigt, oder
– Ermittlung eines mit der beobachteten Fehlerhäufigkeit korrespondierenden α-Risikos beziehungsweise (1-α)-Konfidenzintervalls, das von Seiten des Prüfers noch als ausreichend angesehen wird.

Möglichkeiten der Manipulationssuche und Analyse doloser Handlungen

Mit den in beiden Prüfprogrammen vorhandenen Funktionen kann der Prüfer auch nach Strukturen und Auffälligkeiten suchen, die es ihm ermöglichen, im Falle gezielter Datenmanipulation und möglicher doloser Handlungen brauchbare und zur Überführung verwertbare Feststellungen zu machen.

Neben der Benford-Analyse, die im dritten Kapitel dargestellt ist und dem Prüfer in beiden Programmen zur Verfügung steht, lassen sich weitere Prüfungshandlungen darstellen, die sich mit den in den Programmen verfügbaren Werkzeugen und Funktionen relativ leicht konstruieren lassen. Hierzu zählen beispielsweise folgende Analysen, die der Prüfer sogar als eigene automatische Auswertungen in den Programmen erstellen kann:

- ABC-Analyse für numerische Felder,
- Differenzfaktor für numerische Felder,
- Analyse mit Hilfe des Rundungsfaktors,
- Bestimmung kritischer Texte,
- Transaktionen an ausgewählten Tagen,
- Analyse mit Hilfe des Vollmachtsfaktors,
- Benford-Analyse.

Alle diese Analysen liefern dem Prüfer Hilfestellung bei der Frage, ob es in den vorliegenden Daten mögliche Strukturen gibt, die für einen normalen »natürlichen« Geschäftsprozess nicht plausibel erscheinen beziehungsweise von einem solchen Prozess stark abweichen. Die dabei festgestellten Abweichungen oder Unregelmäßigkeiten können in der Praxis als Systemfehler, falsche Erkenntnisse über die zugrunde liegenden Geschäftsvorgänge, Bearbeitungsfehler oder mögliche Manipulationen interpretiert werden.

Die in den folgenden Abschnitten dargestellten Analysetechniken bieten dem Prüfer ein breites Anwendungsspektrum und sind bei der Analyse und Aufhellung vielfältiger Sachverhalte hilfreich.

ABC-Analyse für numerische Felder

In der Regel lassen sich numerische Felder (Positionen), die sich aus Geschäftsprozessen ergeben, wie beispielsweise Materialbestandswerte oder Kundenumsätze, bezüglich der Merkmale Häufigkeit und Wert nach dem Grad der wirtschaftlichen Bedeutung klassifizieren. Dabei gelten die so genannten A-Positionen als diejenigen Positionen, die wirtschaftlich von hoher Bedeutung sind, da sie trotz geringer Häufigkeit einen hohen Wertanteil an der Gesamtsumme der Positionen ausmachen. Im Gegensatz hierzu bilden die C-Positionen zwar mengenmäßig einen hohen Anteil, machen jedoch wertmäßig nur einen kleinen Bruchteil des Gesamtwertes der Positionen aus.

Liegt eine solche Struktur vor, die auf eine nicht homogene Verteilung der Werthaltigkeit der Positionen zurückzuführen ist und häufig bei natürlichen Geschäftsprozessen im Vorrats- und Lagermanagement sowie dem Forderungsmanagement zu finden ist, spricht man von einer klassischen ABC-Analyse.

Mit Hilfe der Lorenzkurve lässt sich dieses Häufigkeit-Wert-Verhältnis der Positionen aufzeigen. Je größer die Wölbung diese Kurve zur winkelhalbierenden Geraden im entsprechenden Koordinatensystem ist, umso stärker liegt eine klassische ABC-Struktur vor. In einem solchen Fall sind die Positionen heterogen bezüglich ihrer Werthaltigkeit verteilt.

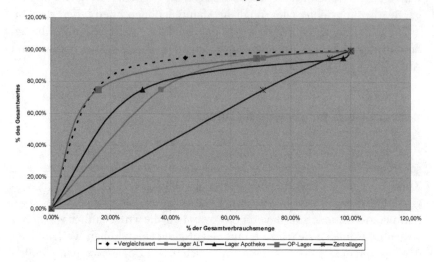

Abb. 31 Lorenzkurve bei einer ABC-Analyse

Eine homogene Verteilung der Positionen bedeutet entweder, dass eine differenzierte Analyse des Datenbestandes aufgrund seiner Bedeutung nicht notwendig oder dass eine Stichprobenanalyse durchzuführen ist, während eine Verteilung gemäß klassischer ABC-Struktur eine näher gehende Analyse insbesondere der A-Zahlen nahe legt.

In beiden Prüfprogrammen kann der Prüfer mit hierzu eigens definierten Menüpunkten eine numerische Schichtung der Positionen durchführen. In IDEA erstellt der Prüfer eine solche Analyse über den Menüpunkt »Analyse/Datei schichten/Numerisch«, während er dies in ACL über den Menüpunkt »Analyse/Stratifizieren« beziehungsweise »Analyse/Verteilung für« vornehmen kann. In beiden Programmen hat der Prüfer eine entsprechende Klassifizierung der Positionen in Schichten vorzunehmen.

Falls eine solche Klassifizierung nicht vorgegeben ist, empfiehlt es sich, folgende auf der Annahme der Gültigkeit der Normalverteilung (δ-Intervalle) beruhende Schichtenbildung vorzunehmen. In einem solchen Fall hat der Prüfer maximal acht Klassen, deren Verteilung er sich anzeigen lassen kann. Bevor er diese bildet, muss er sich über die Feldstatisik für die Position das Maximum (MAX), das Minimum (MIN), den Mittelwert (MW) und die Standardabweichung (STD) anzeigen lassen, mit deren Hilfe die Klassenbildung erfolgt.

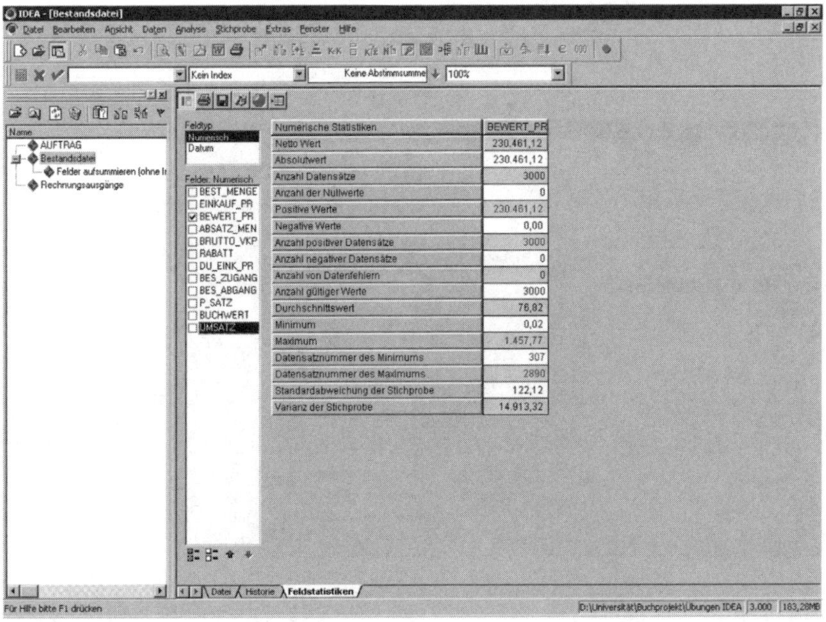

Abb. 32 Feldstatistik für das Datenfeld »Bewertungspreis« mit Durchschnittswert und Standardabweichung in IDEA

Schichteinteilung:

1. Schicht:]MW-STD;MW]
2. Schicht:]MW;MW+STD]
3. Schicht: Falls MW-2*STD > MIN:]MW-2*STD;MW-STD]
4. Schicht: Falls MW+2*STD < MAX:]MW+STD;MW+2*STD]
5. Schicht: Falls MW-3*STD > MIN:]MW-3*STD;MW-2*STD]
6. Schicht: Falls MW+3*STD < MAX:]MW+2*STD;MW+3*STD]
7. Schicht:]MIN;MW-3*STD]
8. Schicht:]MW+3*STD;MAX]

In unserem vorigen Beispiel aus der Bestandsdatei mit dem Durchschnittswert 76,82 (gerundet 77) und der Standardabweichung 122,12 (gerundet 122) wären geeignete Intervalle zur Schichtenbildung:

1. Schicht:]0;77] da das Minimum (0,02) größer als MW-STD = –45 ist
2. Schicht:]77;199]
3. Schicht: da MW+2*STD < MAX:]199;321]
4. Schicht: da MW+3*STD < MAX:]321;443]

5. Schicht:]443;1458]

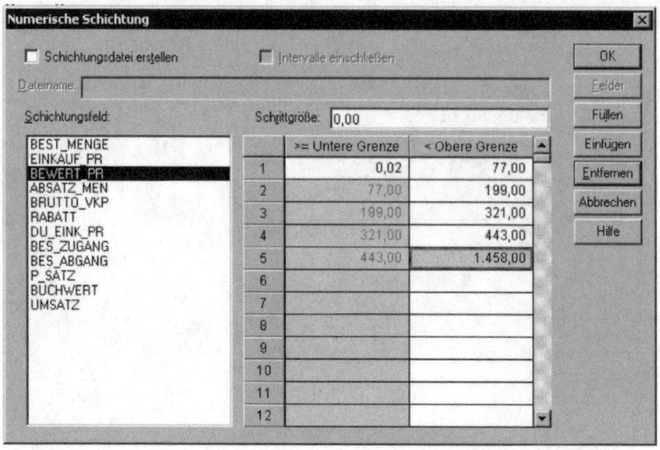

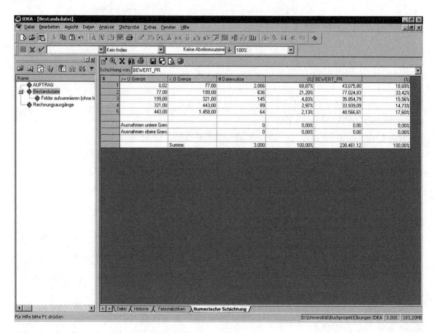

Abb. 33 Dialog »Numerische Schichtung« in IDEA: Definition der Schichtungsintervalle

Abb. 34 Ergebnis der Schichtung in IDEA

Die EDV-technischen
Möglichkeiten
der Datei- und
Datenanalyse

Differenzfaktor für numerische Felder

Dieses Verfahren beschäftigt sich mit der Harmonie von Zahlen, beispielsweise in den Rechnungseingängen eines Lieferanten. Um eine solche Analyse zu erstellen, muss der Prüfer als Erstes die Positionen (Artikel, Rechnungen) bezüglich eines Gruppenmerkmals (Artikelnummer, Rechnungsnummer) gruppieren und anschließend auf das numerische Feld (Rechnungsbeträge) beziehen und absteigend sortieren. Hiernach wird die Differenz zu der jeweils zugehörigen, vorstehenden größeren Rechnungsposition ermittelt und prozentual dargestellt.

Keines der beiden Prüfprogramme verfügt über einen eigens zur Ermittlung des Differenzfaktors definierten Menüpunkt. Darüber hinaus kann der Prüfer im Gegensatz zu üblichen Tabellenkalkulationsprogrammen nicht via Relativbezug auf einzelne Felder zugreifen, so dass eine direkt auf Zellenbasis beruhende Eingabe einer Formel zur Berechnung der Veränderungswerte nicht möglich ist. Jedoch lässt sich das Verfahren mit Hilfe der in den Programmen verfügbaren Funktionen in folgenden Arbeitsschritten durchführen:

- Die Gruppierung der Positionen bezüglich eines Gruppenmerkmals (Kundennummern bei Rechungspositionen) erfolgt über den in den Programmen verfügbaren Menüpunkt zur Erstellung einer sortierten Datei (IDEA: »Daten/Sortieren«; ACL: »Datensätze sortieren ...«), indem der Prüfer als Sortierungsschlüssel in erster Instanz das Gruppierungsmerkmal (Kundennummer) und als zweite Instanz das numerische Feld (Rechnungsbetrag) wählt. Es empfiehlt sich, sich bei der Erstellung der Datei nur die notwendigen Datenfelder ausgeben zu lassen, dies sind vor allem das Datenfeld mit dem Gruppierungsmerkmal und das numerische Feld.

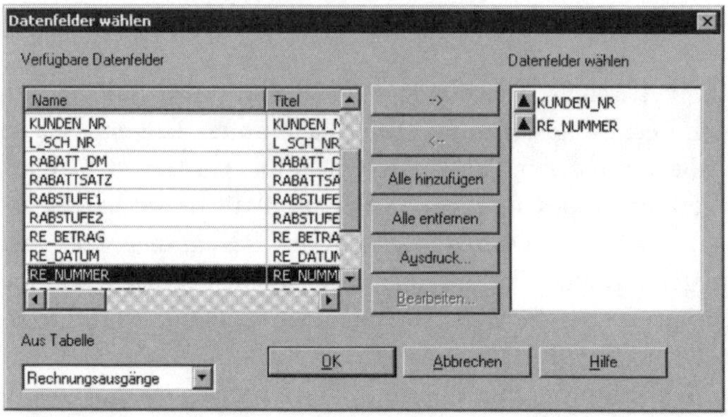

Abb. 35 Datensätze sortieren in ACL – Definition des Sortierschlüssels

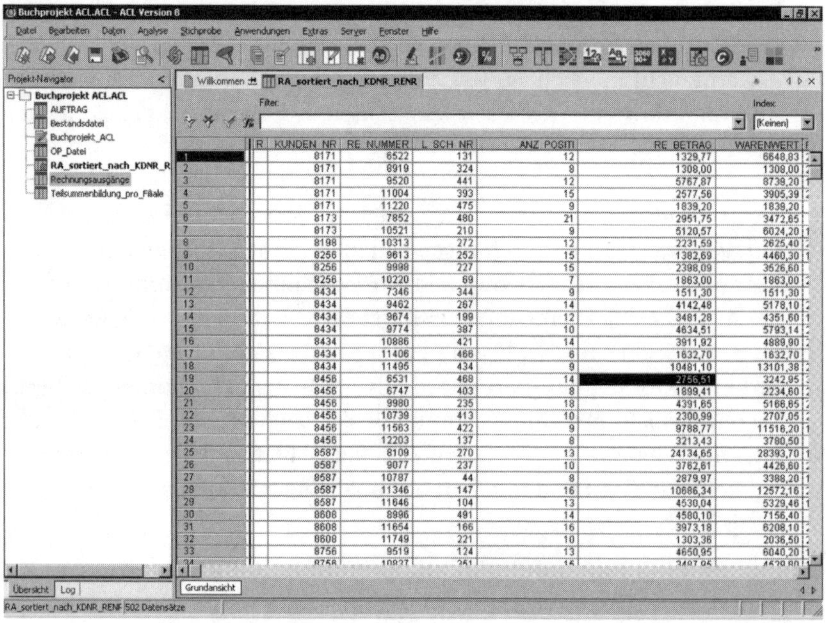

Abb. 36 Sortierte Datei in ACL

● Im nächsten Schritt definiert der Prüfer in beiden Programmen zwei neu zu berechnende Felder, die folgende Aufgabe haben:

   – Anzeige der physikalischen Datensatznummer eines jeden Datensatzes (IDEA: Funktion @recno(); ACL: RECNO()),

– Anzeige der um »1« erhöhten Datensatznummer eines jeden Datensatzes (vorherige Funktion + 1).

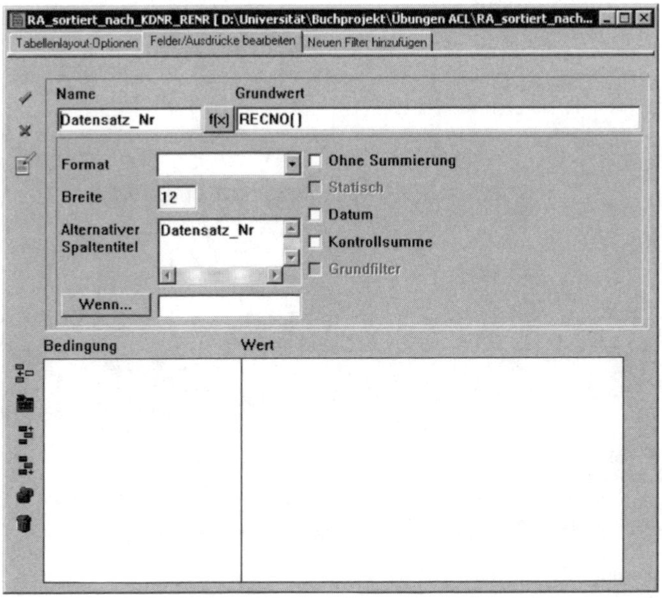

Abb. 37 Definition des berechnenden Feldes mit der Anzeige der Datensatznummer in ACL

• Aus der neuen Datei werden nun zwei weitere Dateien durch Extraktion
  (IDEA: »Daten/Extraktion«; ACL: »Daten/Daten extrahieren ...«) wie
  folgt definiert:

– *1. Datei:* Enthält das Gruppierungsmerkmal, das numerische Feld und
  das Datenfeld mit der physikalischen Datensatznummer.
– *2. Datei:* Enthält das Gruppierungsmerkmal, das numerische Feld
  und das Datenfeld mit der um »1« erhöhten Datensatznummer.

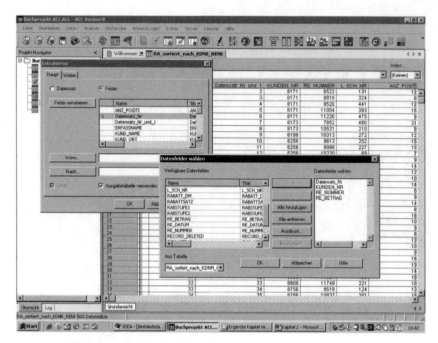

Abb. 38 Wahl der zu extrahierenden Felder in ACL

- Sobald beide Dateien vorliegen, muss der Prüfer diese physikalisch in eine neue Datei zusammenführen (IDEA: »Datei/Dateien verbinden«;
  ACL: »Daten/Tabellen zusammenführen ...«). Hierzu wählt er als
  »Schlüssel« das jeweilige Feld mit der Datensatznummer beziehungsweise die um »1« erhöhte Datensatznummer und als anzuzeigende Felder:

  - Gruppierungsmerkmal aus der 1. Datei,
  - Gruppierungsmerkmal aus der 2. Datei,
  - Rechnungsbetrag aus der 1. Datei,
  - Rechnungsbetrag aus der 2. Datei.

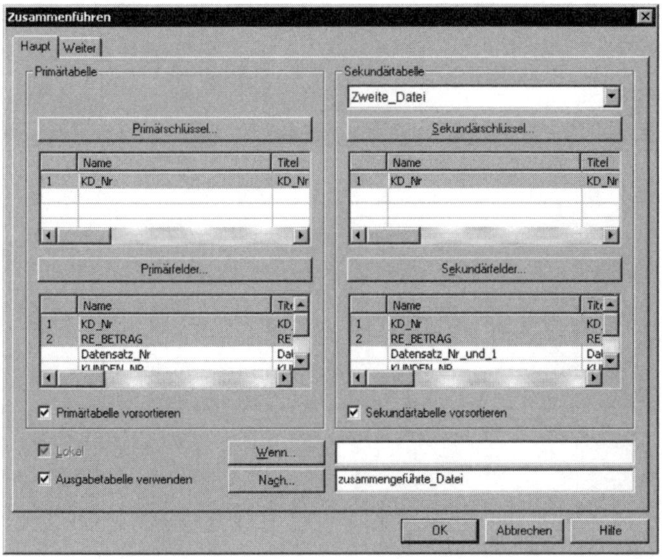

Zusammenführen

Haupt | Weiter |

Primärtabelle

Primärschlüssel...

	Name	Titel
1	KD_Nr	KD_Nr

Primärfelder...

	Name	Titi
1	KD_Nr	KD
2	RE_BETRAG	RE
	Datensatz_Nr	Dal
	KUNDEN_NR	KI

☑ Primärtabelle vorsortieren

☑ Lokal
☑ Ausgabetabelle verwenden

Sekundärtabelle

Zweite_Datei

Sekundärschlüssel...

	Name	Titel
1	KD_Nr	KD_Nr

Sekundärfelder...

	Name	Titi
1	KD_Nr	KD
2	RE_BETRAG	RE
	Datensatz_Nr_und_1	Dat
	KUNDEN_NR	KI

☑ Sekundärtabelle vorsortieren

Wenn...
Nach...   zusammengeführte_Datei

OK   Abbrechen   Hilfe

Abb. 39   Zusammenführen der beiden neuen Dateien in ACL

- Die neu erstellte Datei enthält nun jeweils in einem Datensatz das Gruppierungsmerkmal der ersten [DFELD1] und das der zweiten Datei [DFELD2], den zum ersten Gruppierungsmerkmal zugehörigen Rechnungsbetrag [DFELD3] und den der nachfolgenden Position [DFELD4].

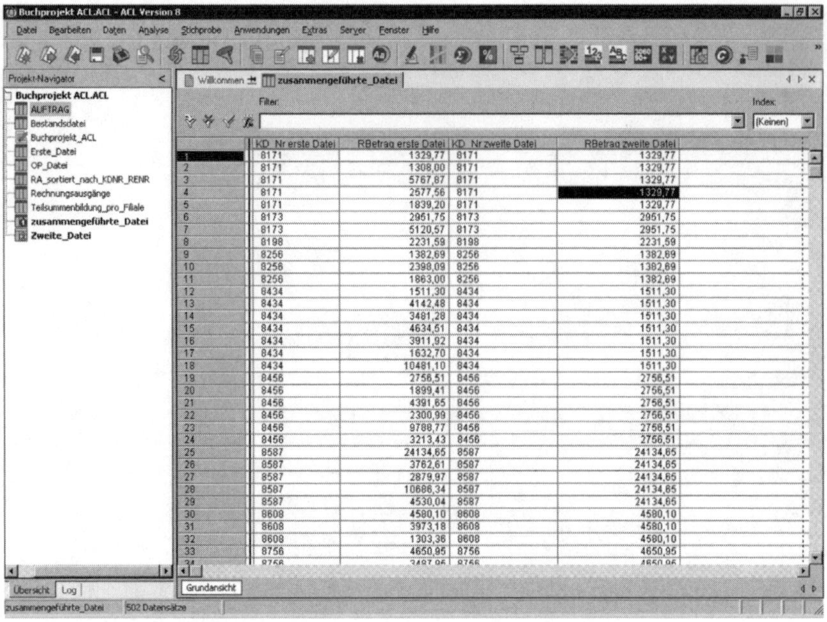

Abb. 40 Zusammengeführte Datei im Datenfenster in ACL

- In dieser neuen Datei muss der Prüfer nun folgende zu berechnenden Felder definieren:

  - Ermittlung der Differenz zwischen dem Rechnungsbetrag (DFELD3) und dem Rechnungsbetrag der nachfolgenden Position [DFELD4], falls die Gruppierungsmerkmale [DFELD1, DFELD2] übereinstimmen:

    (IDEA: @if(DFELD1=DFELD2;DFELD3-DFELD4;0); in ACL über den Menüpunkt »Bearbeiten/Tabellenlayout« und dort als Grundform DFELD3-DFELD4 und als Bedingungsklausel (Bedingungsteil: DFELD1<>DFELD2; Werteteil: 0) wählen.

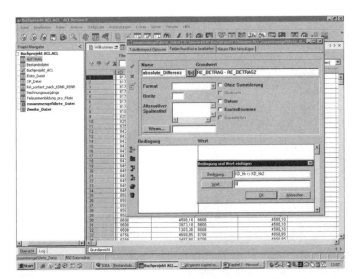

Abb. 41 Erfassung der »bedingten Formel« in ACL

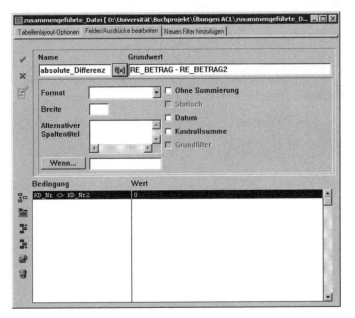

Abb. 42 Definierte Formel in ACL

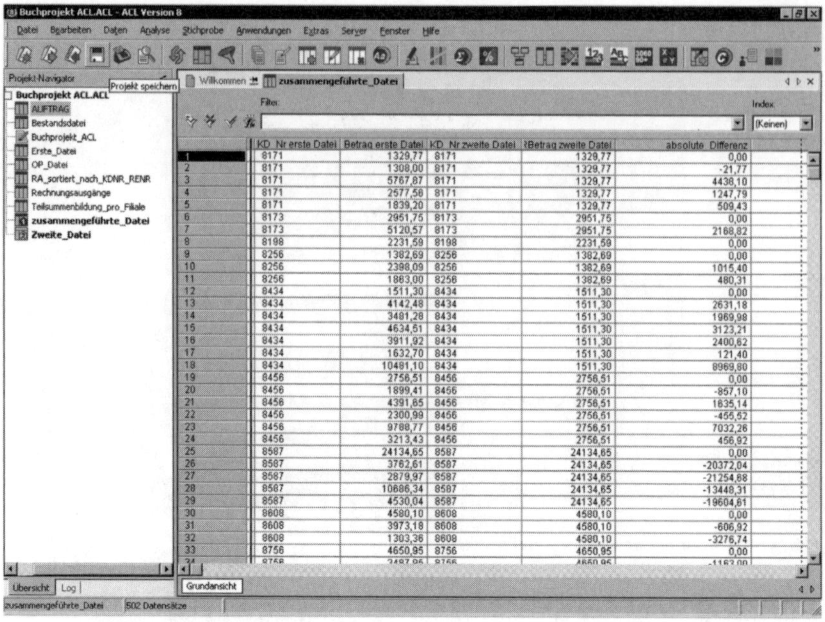

Abb. 43 Ergebnis der Differenzbildung in ACL

– Ermittlung der relativen Abweichung für die Datensätze, deren Differenz größer Null ist (das heißt DFELD3-DFELD4 < 0) durch:

$$\text{rel. Abweichung} = \frac{\text{DIFFERENZ}}{\text{DFELD4}}$$

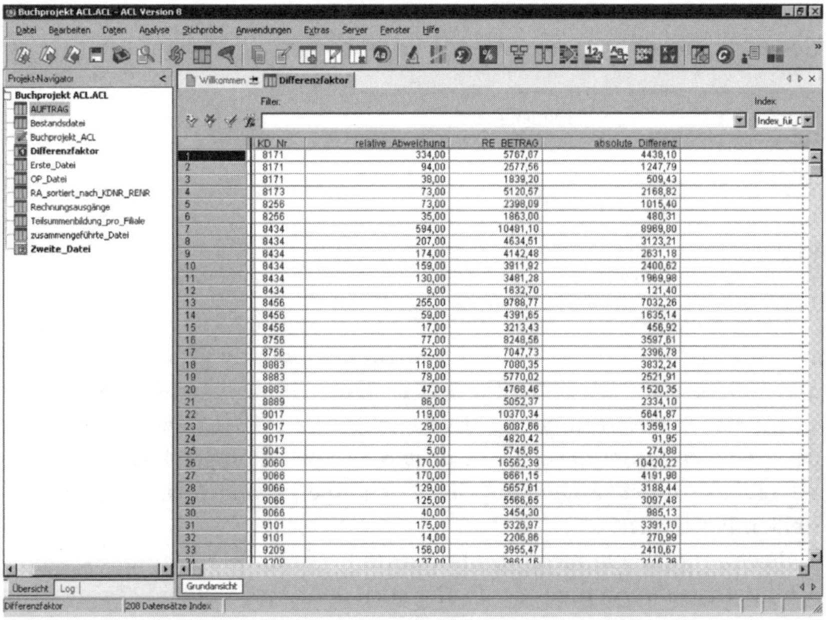

Abb. 44 In ACL erstellte Datei mit den relativen Differenzen absteigend sortiert

Sehr hohe, absolute und prozentuale Differenzen zwischen dem höchsten und dem nächsthöheren Zahlungsbetrag können somit festgestellt werden. Anschließend kann der Prüfer den Ursachen für die hohe Abweichung nachgehen. Werte mit einem besonders hohen absoluten beziehungsweise prozentualen Differenzbetrag bieten sich für eine Überprüfung der zugrunde liegenden Geschäftsvorfälle an.

Analyse mit Hilfe des Rundungsfaktors

Das häufige Vorkommen gerundeter Beträge in einem hierfür nicht geeigneten Geschäftsfeld kann ebenfalls auf Auffälligkeiten hindeuten, bei denen es sich lohnt, eine zusätzliche manuelle Prüfung durchzuführen.

Dies kann beispielsweise für Versicherungen von Interesse sein, die häufig Abschlagszahlungen leisten, welche in der Regel gerundet werden. Auf diese Weise kann der Revisor prüfen, ob Versicherte die Abschlagszahlung unberechtigterweise mehr als einmal erhalten haben.

Möglichkeiten der
Manipulationssuche und
Analyse doloser
Handlungen

Untersuchungen bezüglich des Rundungsaufkommens bei natürlichen Geschäftsprozessen haben folgende Verteilungsstruktur geliefert.

Rundungsfaktor	empir. Anteil
10	10 %
25	4 %
100	1 %
1000	0,1 %

Die Anzahl der ermittelten relativen Rundungsbeträge wird der obigen, aus empirischer Untersuchung ermittelten Verteilung gerundeter Beträge gegenübergestellt. Die Differenz bezüglich des empirischen Anteils und der ermittelten relativen Rundungsbeträge hilft dem Prüfer festzustellen, ob es bei speziellen Rundungsfaktoren zu starken Abweichungen kommt. Bei signifikanten Abweichungen empfiehlt sich eine genaue Analyse der festgestellten Positionen.

Beide Programme bieten keine direkte Funktion zur Ermittlung gerundeter Beträge. Somit muss der Prüfer auch in diesem Fall seine Analyse mit Hilfe der in den Programmen verfügbaren Funktionen abbilden:

- Als Erstes hat der Prüfer für jeden relevanten Rundungsfaktor (RF) (10, 25, 100, 1000) einen Datenextrakt (Datenfilter: IDEA: »Daten/ Extraktion«; ACL: »Daten/Daten extrahieren...«) zu definieren, welcher folgende Abfrage enthält:

$$BETRAG/RF = INT(BETRAG/RF)$$

Der Einfachheit halber ist als Spaltenname für das numerische Feld, welches nach gerundeten Beträgen analysiert wird, in obiger Formel der Name »Betrag« gewählt worden.

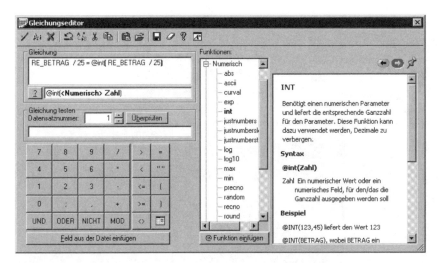

Abb. 45 Erfassung der Formel zur Filtration für den Rundungsfaktor 25 in IDEA

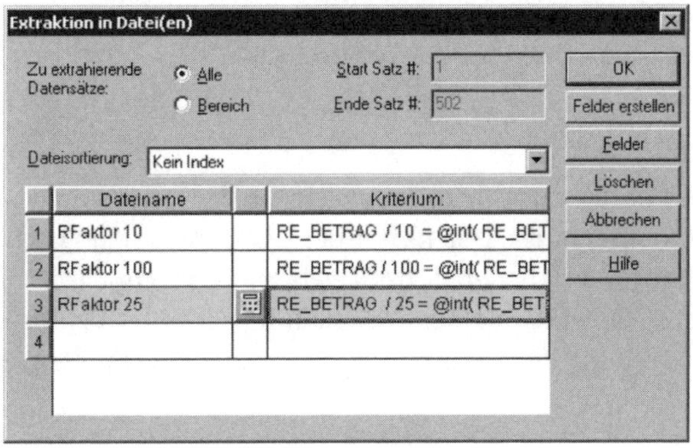

Abb. 46 Liste der Dateiextrakte zur Feststellung des Rundungsaufkommens in IDEA

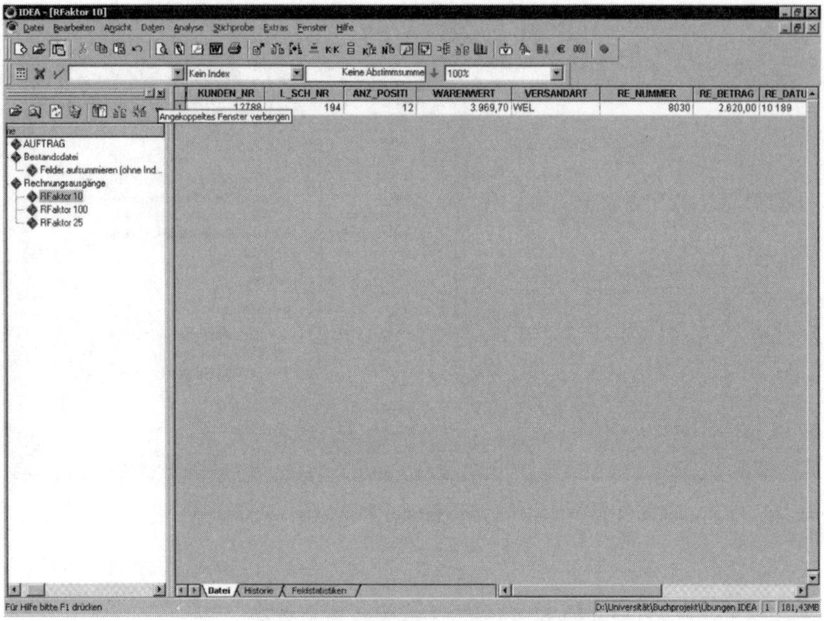

Abb. 47 Erstellte Datei in IDEA mit den Datensätzen, deren Rechungsbetrag ohne Rest durch 10 teilbar ist

• Anschließend dividiert er die Anzahl der Datensätze in der jeweils extrahierten Datei durch die Anzahl der Datensätze der ursprünglichen Datei und ermittelt den relativen Anteil, den er in Beziehung zum empirisch vorliegenden Wert setzt. Bei einer starken Abweichung sollte der Prüfer anschließend zur Feststellung der Ursachen in die Detailanalyse gehen.

Bestimmung kritischer Texte

Ansätze für eine nachfolgende und Erfolg versprechende Suche nach unterschlagungsrelevanten Faktoren können sich aus der Suche nach kritischen Inhalten in Textfeldern (innerhalb eines Buchungsjournals) ergeben. Verschleierungshandlungen werden in der Regel dadurch verdeckt, dass Buchungen auf häufig frequentierte, unübersichtliche und selten abgestimmte Konten übertragen werden.

Für ein Buchungsjournal können so zum Beispiel Begriffe wie Fehler, Storno, Umkehr, Error, Gutschrift, Test, Ausbuchung oder Berichtigung

Die EDV-technischen
Möglichkeiten
der Datei- und
Datenanalyse

interessant sein. Je nach Prüfungsgegenstand und -auftrag können dies auch Mitarbeiter- oder Firmennamen sein.

Dieses Verfahren ist in beiden Programmen nicht als eigener Menüpunkt definiert, jedoch sind in den Funktionsbibliotheken beider Programme Funktionen vorhanden, mit deren Hilfe der Prüfer eine solche Analyse relativ mühelos durchführen kann (IDEA: @ISIN(), ACL: FIND()).

Folgende Vorgehensweise sollte der Prüfer bei der Bestimmung kritischer Texte wählen:

- Erstellung einer Liste mit den als »kritisch« angesehenen Begriffe beziehungsweise Texten. Mögliche kritische Buchungstexte können unter anderem sein:
  - Fehler,
  - Test,
  - Storno.
- Erstellung eines Datenextraktes mit den in der Liste aufgeführten Texten. Hierzu erstellt der Prüfer eine neue Datei, welche die Daten mit den gewünschten Textteilen enthält (IDEA: »Daten/Extraktion«; ACL: »Daten/Daten extrahieren ...«). Als Filterbedingung ist folgender Term definiert, wobei die Funktion »@ISIN« stellvertretend sowohl für die IDEA-Funktion @ISIN als auch für die entsprechende ACL-Funktion FIND steht.

@ISIN("kritischerBegriff1";LOWER(Datenfeld))

Hierbei steht die in IDEA wie auch in ACL verfügbare Funktion LOWER() für die Kleinschreibung des gewählten Datenfeldes, das heißt, alle Textteile im Datenfeld werden als kleingeschrieben interpretiert. Somit kann der Prüfer die kritischen Texte und Begriffe in Kleinbuchstaben erfassen.

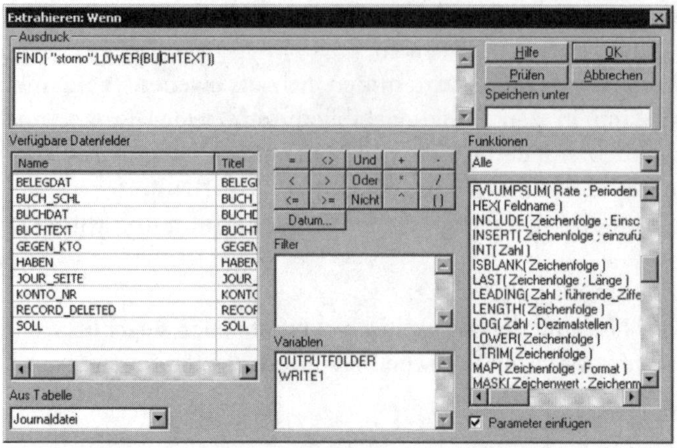

Abb. 48 Ausdruckseditor in ACL zur Erfassung der Extraktionsformel

- Anschließend verknüpft er mit der in beiden Programmen verfügbaren »Oder«-Verknüpfung alle weiteren Begriffe und Texte, die er analog zu obiger Formel eingibt.

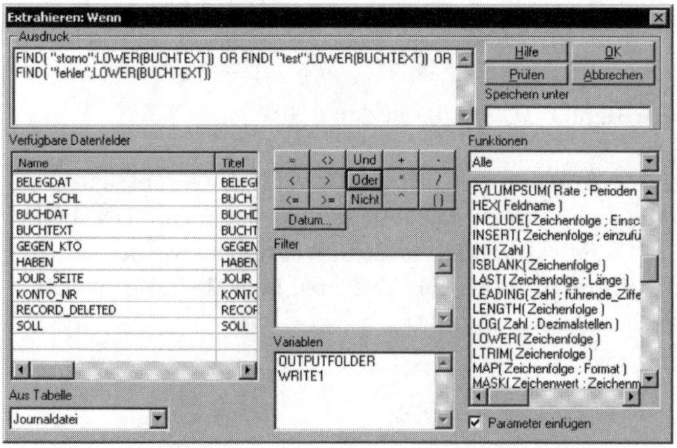

Abb. 49 Oder-Verknüpfung zur Erstellung der Liste kritischer Texte in ACL

Als Ergebnis erhält der Prüfer eine neue Datei, die alle im Hinblick auf die als »kritisch« angesehenen Texte im gewählten Datenfeld enthält. Sollte diese Datei übermäßig viele Datensätze enthalten, empfiehlt sich an dieser Stelle, diese durch weitere Auswertungen (nach ungewöhnlichen Buchungsschlüsseln, Konto-/Gegenkonto-Konstellationen, Buchungsbeträgen oder Belegnummern) genauer zu analysieren.

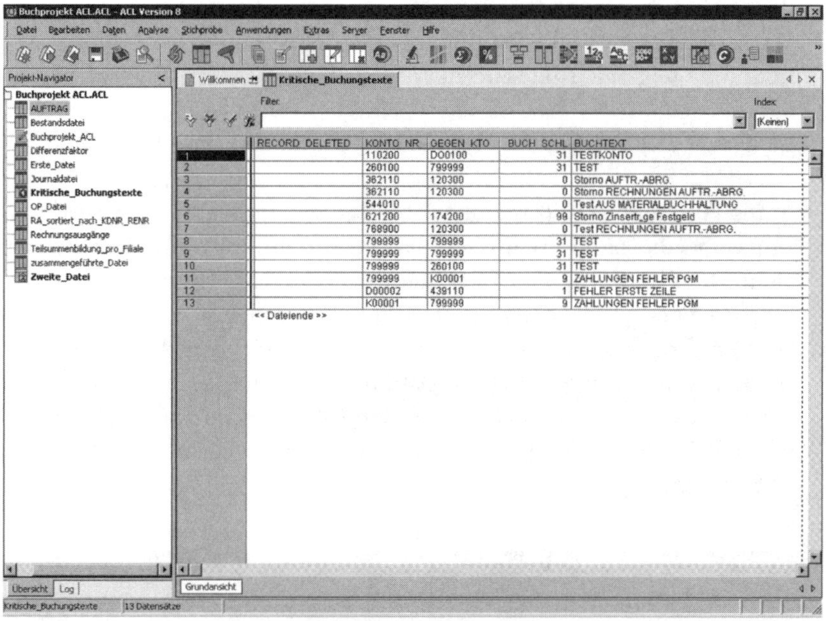

RECORD DELETED	KONTO NR.	GEGEN KTO	BUCH SCHL	BUCHTEXT
1	110200	D00100	31	TESTKONTO
2	260100	799999	31	TEST
3	362110	120300	0	Storno AUFTR.-ABRG.
4	362110	120300	0	Storno RECHNUNGEN AUFTR.-ABRG.
5	544010		0	Test AUS MATERIALBUCHHALTUNG
6	621200	174200	99	Storno Zinsertr.ge Festgeld
7	768900	120300	0	Test RECHNUNGEN AUFTR.-ABRG.
8	799999	799999	31	TEST
9	799999	799999	31	TEST
10	799999	260100	31	TEST
11	799999	K00001	9	ZAHLUNGEN FEHLER PGM
12	D00002	439110	1	FEHLER ERSTE ZEILE
13	K00001	799999	9	ZAHLUNGEN FEHLER PGM

<< Dateiende >>

Abb. 50 Datei mit den kritischen Buchungstexten im Datenfenster bei ACL

Transaktionen an ausgewählten Tagen

Eine weitere wirkungsvolle und interessante Analyse bezieht sich darauf, ob auffällige Transaktionen wie beispielsweise Buchungen im Zahlungsverkehr oder das Generieren von Bestellungen an Wochenenden und Feiertagen erfolgen.

Dieses Verfahren ist ebenfalls in beiden Programmen nicht als eigener Menüpunkt definiert, jedoch sind auch hier in den Funktionsbibliotheken beider Programme Funktionen vorhanden, mit denen der Prüfer eine solche Analyse relativ mühelos durchführen kann (IDEA: @DOW, ACL: DOW()).

Folgende Vorgehensweise sollte der Prüfer bei Analyse der Feststellung auffälliger Transaktionen an ausgewählten Tagen beachten:

- Erstellung einer Liste aller nicht an einem Wochenende liegenden gesetzlichen Feiertage in Prüfungszeitraum.

Möglichkeiten der
Manipulationssuche und
Analyse doloser
Handlungen

- Festlegung des Datumfeldes [Datum], welches für die gewählten Transaktionen bestimmend ist (Buchungsdatum bei einer Buchungsdatei).
- Erstellung eines Datenextraktes mit Hilfe des Datumfeldes und der in der Liste aufgeführten Feiertage. Hierzu erstellt der Prüfer eine neue Datei, indem er als Filterbedingung unter Verwendung der »Oder«-Verknüpfung folgenden Term definiert:

DOW(DATUM) = 1 ODER DOW(DATUM) = 7 ODER DATUM = FEIERTAG

Die Funktion DOW() wandelt dabei das Datum in einen Wochentag um, wobei die Ziffer »1« für Sonntag und die Ziffer »7« für Samstag steht. Der Platzhalter »Feiertag« steht stellvertretend für eine Datumseingabe eines gesetzlichen Feiertages (zum Beispiel 25.12.200x) und ist vom Prüfer gemäß der von ihm definierten Liste einzugeben. Hierbei ist zu beachten, dass in ACL die Datumsangabe in »accent grave (`)« zu setzen ist, während bei IDEA die doppelten Anführungszeichen zu verwenden sind. Beide Programme verwenden als Datumsmaske »YYYYMMDD«.

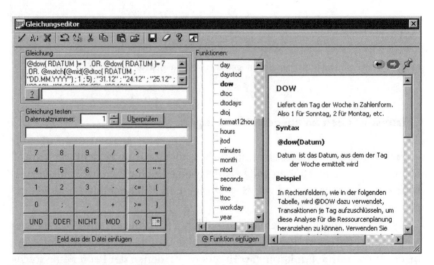

Abb. 51 Gleichungseditor in IDEA mit der Formel zur Filtrierung der Wochenendtage und Feiertage

Das Ergebnis ist eine gefilterte Liste, in der alle Datensätze stehen, welche an Wochenenden und Feiertagen generiert wurden.

	KD_NR	DEBITOR_KTO	PLZ	ORT	RDATUM	RBETRAG	BID	FDATUM	
1	107457852	4306737	72555	Stuttgart	21.01.1995	32.046,09	6	21.06.1995	E
2	117457855	4340652	80785	München	28.01.1995	33.116,28	6	28.06.1995	B
3	157457857	4323634	82305	München	29.04.1995	22.514,17	3	29.06.1995	R
4	107457861	4328731	20851	Hamburg	31.12.1995	35.312,41	0	0000000000	Z
5	127457862	4322713	81317	München	16.04.1995	14.229,89	3	16.08.1995	H
6	157457863	4331399	82283	München	26.11.1995	797,65	0	0000000000	H
7	137457864	4314858	30550	Hannover	18.02.1995	27.000,88	5	19.06.1995	J
8	167457865	4315833	31433	Hannover	18.03.1995	25.823,49	4	17.06.1995	K
9	167457868	4348990	30205	Hannover	08.04.1995	1.367,79	3	08.06.1995	W
10	127457870	4349392	71313	Stuttgart	25.06.1995	8.384,26	0	0000000000	M
11	157457871	4309356	10643	Berlin	08.07.1995	52.415,17	0	0000000000	M
12	127457872	4337000	62034	Frankfurt	18.11.1995	22.796,58	0	0000000000	Ir
13	157457877	4311829	40106	Lübeck	03.10.1995	10.986,62	0	0000000000	A
14	137457879	4365494	40381	Lübeck	30.09.1995	1.286,66	0	0000000000	P
15	157457880	4328188	41888	Lübeck	22.01.1995	2.700,28	6	22.06.1995	P
16	107457881	4340032	21520	Hamburg	21.10.1995	29.169,15	0	0000000000	P
17	147457886	4339317	22055	Hamburg	10.06.1995	45.707,34	1	25.06.1995	L
18	117457893	4364226	61440	Frankfurt	25.12.1995	15.294,94	0	0000000000	Ir
19	147457896	4357051	42427	Lübeck	18.06.1995	32.901,83	0	0000000000	C
20	177457899	4307052	10541	Berlin	23.07.1995	47.663,53	0	0000000000	H
21	167457900	4364850	72245	Stuttgart	11.03.1995	43.507,35	4	10.06.1995	H
22	167457901	4352010	10878	Berlin	23.04.1995	59.356,59	3	23.06.1995	S
23	177457909	4316356	30868	Hannover	01.04.1995	51.733,79	4	01.07.1995	P
24	127457913	4315639	32021	Hannover	25.12.1995	55.914,74	0	0000000000	P
25	147457915	4354301	40588	Lübeck	18.03.1995	1.873,32	4	17.06.1995	M
26	107457918	4348958	20276	Hamburg	07.05.1995	51.336,64	2	07.06.1995	V
27	147457920	4315581	81818	München	18.11.1995	59.301,76	0	0000000000	E
28	147457922	4341075	30055	Hannover	08.04.1995	33.327,53	3	08.06.1995	T
29	107457924	4304723	20532	Hamburg	25.11.1995	29.660,19	0	0000000000	M
30	117457926	4323949	10582	Berlin	20.05.1995	20.996,01	2	20.06.1995	M
31	167457927	4365230	30574	Hannover	16.07.1995	55.751,76	0	0000000000	H
32	147457929	4309057	21023	Hamburg	26.02.1995	52.868,44	5	27.06.1995	B
33	117457930	4304829	10047	Berlin	04.11.1995	27.449,87	0	0000000000	P
34	147457931	4308391	62477	Frankfurt	14.01.1995	59.986,99	6	14.06.1995	R
35	157457934	4307263	41873	Lübeck	16.07.1995	34.728,86	0	0000000000	C

Tree: AUFTRAG / Bestandsdatei / Felder aufsummieren (ohne Ind... / Rechnungsausgänge / RFaktor 10 / RFaktor 100 / RFaktor 25 / Forderungen / Transaktionen an ausgewählt... / Forderungen_FehlerhafteDaten

Abb. 52 Datei in IDEA mit den extrahierten Buchungen

Wurden beispielsweise sehr hohe Rechnungspositionen an einem Sonntag generiert, so ist dies gegebenenfalls ein zusätzlicher Anhaltspunkt, diesen Transaktionen besondere Aufmerksamkeit zuzuwenden.

Analyse mit Hilfe des Vollmachtfaktors

Wirtschaftskriminelle Handlungen gehen häufig mit dem Splitting von Rechnungen oder Aufträgen einher, um eine formal vorgegebene Unterschriftsvollmacht einzuhalten. Entsprechende Signale aus einem großen Datenbestand können mit Hilfe des Vollmachtfaktors ermittelt werden.

Steigen Zahlungen kurz unterhalb einer Unterschriftsgrenze (90 % $\Leftarrow$ VF $\Leftarrow$ 100 %) signifikant an, so lohnt es sich, folgende Analyse vorzunehmen und entsprechende Transaktionen im Einzelnen zu kontrollieren.

Keins der beiden Prüfprogramme verfügt über einen zur Ermittlung des Vollmachtfaktors definierten Menüpunkt. Jedoch lässt sich das Verfahren mit den in den Programmen verfügbaren Funktionen in folgenden Arbeitsschritten durchführen:

89

Möglichkeiten der
Manipulationssuche und
Analyse doloser
Handlungen

- Der Prüfer fügt ein neues Datenfeld hinzu, in dem er die Unterschrifts-grenze aufnimmt. Im einfachsten Fall gibt er im entsprechenden Aus-druckseditor (ACL) beziehungsweise Gleichungseditor (IDEA) nur den numerischen Wert dieser Unterschriftsgrenze ein. Als Ergebnis erhält er eine neue Spalte [USGRENZE], die den eingegeben Betrag in allen Da-tensätzen anzeigt.
- Anschließend erstellt der Prüfer aus den in der Datei befindlichen Da-tenfeldern Rechnungsbetrag [RBetrag] und der neuen Spalte [USGrenze] ein weiteres Datenfeld, indem er den Quotienten aus dem Rechungsbe-trag und der neuen Spalte errechnet, das heißt

$$\frac{\text{RBETRAG}}{\text{USGRENZE}}.$$

Dieser Quotient definiert den so genannten Vollmachtsfaktor.

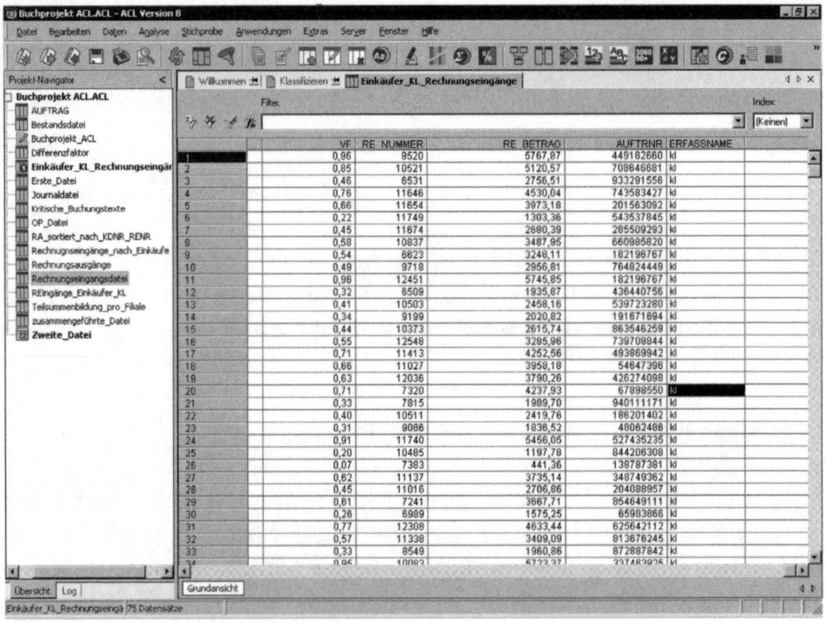

Abb. 53 Erstellte Datei in ACL mit dem errechneten Vollmachtsfaktor (VF) als neue Spalte

- Zum Schluss filtert der Prüfer die Datei nach den Positionen, deren Vollmachtsfaktor größer oder gleich 90 Prozent ist (das heißt VF ≥ 0,9), in dem er über den entsprechenden Menüpunkt einen Datenextrakt als neue Datei erstellt (IDEA: »Daten/Extraktion«; ACL: »Daten/Daten extrahieren …«). Ebenso kann er sich über eine Schichtung (IDEA: »Analyse/Dateien schichten/Numerisch«; ACL: »Analyse/Stratifizieren(Verteilung)«) die Werteverteilung des Vollmachtsfaktors anzeigen lassen. In diesem Fall ist es sinnvoll, als Schichtungsintervall] 0; 0,9] und 1 zu definieren.

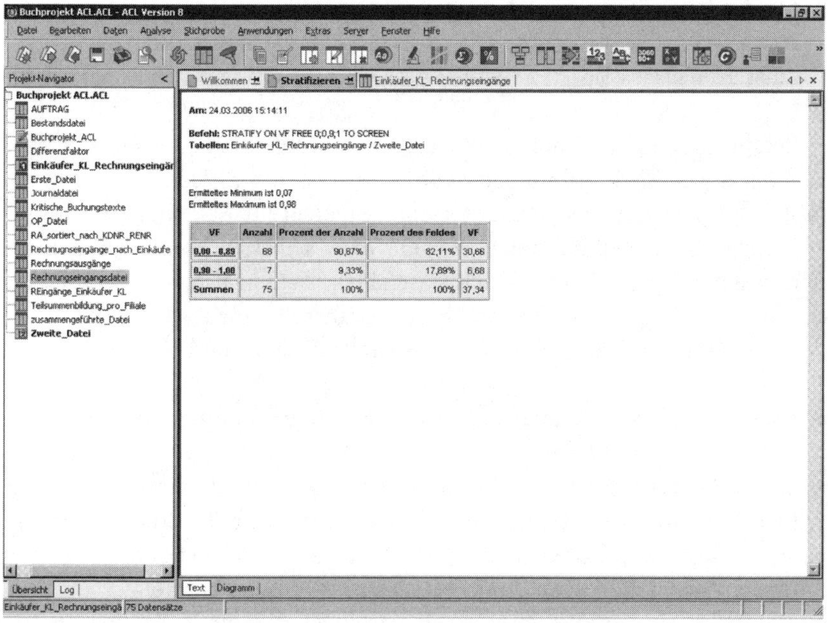

Abb. 54 Ergebnis der Schichtung in ACL mit dem Schichtungsintervall 0 – 0,9 und 0,9 – 1

Sollte in dieser neu erstellten Datei eine Vielzahl von Datensätzen im Intervall] 0; 0,9] stehen, ist es ratsam, eine weitere Detailanalyse der einzelnen Vorgänge vorzunehmen.

Benford-Analyse

Zusätzlich bieten beide Programme die Möglichkeit der Benford-Analyse numerischer Felder an. Diese überprüft, ob sich die Verteilung führender

Möglichkeiten der
Manipulationssuche und
Analyse doloser
Handlungen

Ziffern gemäß der von Franklin Benford ermittelten Verteilung verhält, und stellt eine festgestellte Abweichung grafisch dar.

Ausgangspunkt dieser Analyse ist die Erkenntnis, dass – natürliche Wachstums- und Geschäftsprozesse vorausgesetzt – kleine Vorgänge in einer berechenbaren Größenordnung häufiger als größere Vorgänge anzutreffen sind. Hieraus hat der amerikanische Physiker Frank Benford eine Häufigkeitsverteilung der Ziffern evaluiert, die sich für die erste Ziffer einer Zahl zum Beispiel wie folgt definieren lässt:

$$\text{Ziffernhäufigkeit} = \log_{10}(1 + \frac{1}{\text{jeweilige Ziffer}})$$

Entsprechende Kombinationen lassen sich für die zweite, dritte oder vierte Ziffer sowie für Kombinationen der ersten beiden Ziffern einer Zahl ermitteln, ohne dass jedoch die Unterschiede gleichermaßen signifikant sind.

Empirische Untersuchungen zeigen, dass selbst in kleinen Organisationseinheiten (zum Beispiel eine Geschäftsstelle, ein Konto) eine entsprechende Verteilung der Ziffern mit großer Wahrscheinlichkeit auftritt.

Voraussetzungen zum Einsatz der Benford-Analyse sind:

- eine einheitliche Grundlage des zu analysierenden Zahlenbestandes (Mengen, Werte et cetera),
- die Zahlen repräsentieren eine Größenordnung und dienen nicht der Identifikation (wie beispielsweise Kundennummern, Telefonnummern),
- die Zahlen weisen keine definierten Ober- und Untergrenzen auf (häufig bei Provisionen, Gebühren, Mindestbestellungen et cetera),
- die Zahlen sind »natürlich« verteilt, das heißt mit einer größeren Anzahl kleiner als großer Vorgänge.

Interpretation wesentlicher Abweichungen bei der Benford-Analyse

Wesentliche Abweichungen von der Benford-Verteilung werden in der Praxis als Systemfehler, falsche Erkenntnisse über die zugrunde liegenden Geschäftsvorgänge, Bearbeitungsfehler oder mögliche Manipulationen interpretiert.

Die Benford-Verteilung erfreut sich in letzter Zeit einer wachsenden Beliebtheit, da sie bei einem Beschluss des Finanzgerichtes Münster im November 2003 mit verantwortlich für die Urteilsfindung war.

Beide Prüfprogramme ermöglichen die Benford-Analyse für die führenden Ziffern, wobei mit zunehmender Anzahl der führenden Ziffern die Aussagekraft und Interpretierbarkeit der angezeigten Verteilung aufgrund der Kombinationsvielfalt der erzielbaren Auswertungen an Bedeutung verliert.

Eine Benford-Analyse endender Ziffern beziehungsweise der Nachkomma-stellen ergibt im Allgemeinen keinen Sinn, da hier aufgrund bewusster Preispolitik und von Preisbewusstseinsbarrieren beim Käufer entsprechende Ziffernpaare (Preisendungen auf 49 oder 99 Cent) naturgemäß häufiger vorkommen als andere und somit die Voraussetzung für die Anwendbarkeit der Benford-Analyse nicht gegeben ist.

Standardmäßig erstellen beide Programme für den Benutzer eine grafi-sche Darstellung der Ist-/Sollverteilung der numerischen Werte aufgrund der Benford-Verteilung. Falls der Prüfer bei der Parametrisierung der Ben-ford-Verteilung im entsprechenden Dialog zusätzlich auswählt, dass die Ober- und Untergrenze angezeigt werden sollen, so erhält er eine Darstel-lung mit entsprechenden Bandbreiten. Neben dieser grafischen Darstellung liefern beide Prüfprogramme auch eine tabellarische Darstellung der empi-risch festgestellten und aufgrund der Benford-Verteilung ermittelten theo-retischen Verteilung mit ihren Unter- und Obergrenzen.

Bei beiden Programmen findet sich die Benford-Analyse unter dem Menüpunkt »Analyse«.

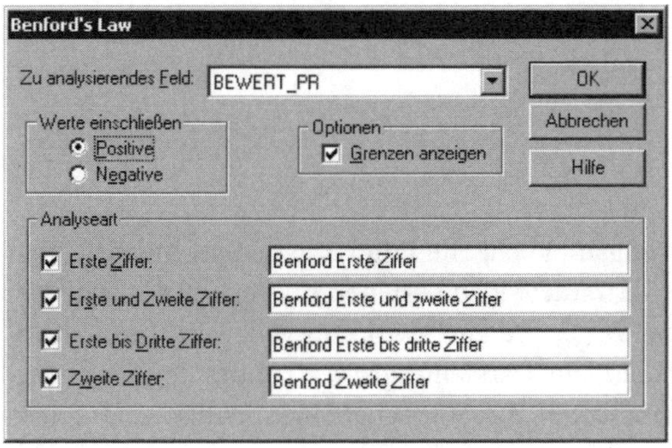

Abb. 55 Auswahldialog zur Benford-Analyse in IDEA

Möglichkeiten der
Manipulationssuche und
Analyse doloser
Handlungen

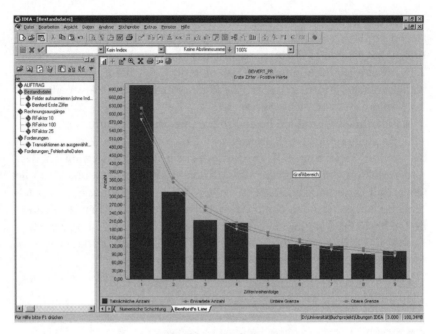

Abb. 56 Ergebnis einer in IDEA durchgeführten Benford-Analyse

Resümee

Mit einzelnen Auswertungsmöglichkeiten und -methoden sind viele Prüfer und Revisoren bereits vertraut, jedoch bestehen im Bereich der Deliktrevision Schwierigkeiten bei der Suche nach wirkungsvollen Prüfungsansätzen und Verfahrensmethoden zur Darstellung von strukturellen Besonderheiten oder sogar Abnormalitäten. Da Wirtschaftskriminalität und dolose Handlungen eine weite Bandbreite aufweisen, ist es notwendig, sich mit Hilfe verschiedener Auswertungsverfahren dem eigentlichen Problem zu nähern.

Die in diesem Abschnitt dargestellten Beispiele der Manipulationssuche sind nur als Anregung für weitere Analysen und Auswertungen zu verstehen, die dem Prüfer dabei helfen, den »Fingerabdruck« eines Defraudanten im Daten- und Zahlenwerk eines Unternehmens zu erkennen.

Die Anwendungsbereiche sind vielschichtig und branchenübergreifend. Mögliche strukturelle Besonderheiten, die mit den hier vorgestellten Techniken untersucht werden können, sind beispielsweise:

- Doppel- oder Mehrfachzahlungen,
- Splitting von Aufträgen und Zahlungen,
- großzügig aufgerundete Zahlungen beziehungsweise Buchungen,
- häufige Buchungskorrekturen und/oder gefälschte Belege,
- wiederkehrende Gutschriften und Testvorgänge in Buchungsjournalen,
- großzügige und ungerechtfertigte Kundenkonditionen,
- Konzentration gleich lautender Zahlungen und Bestellungen auf Lieferanten sowie
- Manipulationen bei Reisekostenbelegen.

3
Die Funktionen und Verfahren der Prüfsoftwaresysteme für den Prüfalltag

Die Prüfsoftwaresysteme ACL und IDEA bieten grundsätzlich die gleichen Funktionen zur methodischen Analyse von Prüfsachverhalten an. Sie sind als eine Art Werkzeugkasten zu verstehen, dessen einzelne Werkzeuge in verschiedener Weise und Anordnung angewandt werden können, um somit vielfältige Prüfziele und -aufgaben systematisch zu behandeln. Grundsätzlich lassen sich diese Funktionen in folgende vier Prüfmethoden einteilen, die entsprechend als eigene Menüpunkte bei beiden Programmen zu finden sind:

- Analyse von Dateien,
- Analyse von Daten,
- Gruppierungsfunktionen und
- statistische Analyse.

Diese vier genannten Prüfmethoden und -verfahren ermöglichen es dem Prüfer, eine Vielzahl von Fragestellungen aus vorliegenden Datenbeständen schnell und einfach zu beantworten.

Klassifizierung der Prüfmethoden und -verfahren

Die vier Prüfmethoden sind in beiden Systemen mit einer fast identischen Auswahl an Werkzeugen ausgestattet, die sich nur marginal durch ihre Bezeichnung unterscheiden. Grundsätzlich sind die vier Klassen von Prüfmethoden wie folgt definiert:

- Operationen mit Dateien zur Vorbereitung des Datenmaterials und der Tabellen für die weitere Datenanalyse bilden die Klasse »Analyse mit Dateien«. Hier können Dateien beziehungsweise Tabellen zusammengeführt werden. Eine weitere Funktion ist der Export erzielter Auswertungen in Standardformate zur weiteren Verarbeitung beziehungsweise Analyse.

- Operationen mit Daten zur Überprüfung der korrekten Berechnung beziehungsweise Ausweisung finden sich in der Klasse der »Analyse mit Daten«. Hierunter findet sich auch die Funktion zur Extraktion/Filtrierung der Daten nach prüfungsrelevanten Kriterien.
- Die Möglichkeiten der Verdichtung von Daten nach interessanten Kriterien finden sich unter der Kategorie »Gruppierungsfunktionen«, die dem Prüfer Werkzeuge zur Verfügung stellt, mit denen er Teilsummen nach bestimmten Gliederungsobjekten (Beispiel: Umsätze pro Kunden in einem bestimmten Zeitraum), numerische oder alphanumerische Schichtungen (Beispiel: Verteilung der Bestände im Lager nach ihrer Werthaltigkeit) oder sogar eine Altersstrukturanalyse (Beispiel: Struktur der Fälligkeit der offenen Posten im Forderungsmanagement) durchführen kann.
- Um die Analyse einer Vielzahl von Daten wirtschaftlich und zweckmäßig zu handhaben, finden sich in der Kategorie »Statistische Analyse« zwei Verfahren zur Planung, Durchführung und Beurteilung von Stichproben. Somit kann der Prüfer bei sehr umfänglichem Zahlen- beziehungsweise Prüfmaterial die Funktionen für eine qualifizierte Stichprobenauswertung nutzen.

Die Funktionen in den vier Kategorien sind nahezu identisch und unterschieden sich zum Teil nur durch ihre Bezeichnungen, die im folgenden Kapitel dargestellt werden. Die Zuordnung dieser Prüfmethodenkategorien zu entsprechenden Menüpunkten in den beiden Programmen unterscheidet sich ebenso nur geringfügig.

- *Zuordnungsübersicht bei der Prüfsoftware ACL:* Die Funktionen zu der Klasse »Operationen mit Dateien« finden sich bei ACL unter dem Menüpunkt »Daten«. Unter diesem Menüpunkt finden sich auch Funktionen der Kategorie »Operationen mit Daten«. Zur Erstellung berechnender Spalten zur Verifizierung von Berechnungsformeln und -werten muss der Benutzer den Menüpunkt »Bearbeiten« und dort den Untermenüpunkt »Tabellenlayout« auswählen. Unter dem Menüpunkt »Analyse« finden sich alle Gruppierungsfunktionen der Prüfsoftware und unter dem Menüpunkt »Stichprobe« kann der Benutzer alle Hilfsmittel zur Stichprobenanalyse nutzen.
- *Zuordnungsübersicht bei der Prüfsoftware IDEA:* Bei IDEA ist die Zuordnung der Kategorien etwas konsequenter. Hier finden sich unter dem

Die Funktionen und
Verfahren der
Prüfsoftwaresysteme
für den Prüfalltag

Menüpunkt »Datei« alle Funktionen zur Klasse »Operationen mit Dateien«, während unter dem Menüpunkt »Daten« alle Funktionen der Kategorie »Operationen mit Daten« zusammengefasst sind. Unter dem Menüpunkt »Analyse« finden sich alle Gruppierungsfunktionen der Prüfsoftware. Der Menüpunkt »Stichprobe« enthält die gleichen Stichprobenfunktionen wie ACL.

In den folgenden vier Abschnitten werden die Funktionen der einzelnen Prüfmethodenkategorien vorgestellt. Hierbei werden das Wesen (Was liefert mir die Funktion im Rahmen meiner Prüfungshandlungen?) und die Möglichkeiten (Wie kann ich diese zur Datenanalyse anwenden und parametrisieren?) der Funktionen dargestellt. Bei der Darstellung der Funktionen wird auf die entsprechenden programmspezifischen Besonderheiten bei ACL beziehungsweise IDEA sowie deren Bezeichnung verwiesen.

Die Möglichkeit der Analyse von Dateien

Beide Programme bieten dem Prüfer die Möglichkeit, Dateien in den Programmen zur weiteren Datenanalyse nach erfolgtem Datenimport zusammenzuführen, um somit datensatz- und tabellenübergreifende Auswertungen durchzuführen, die bislang außerhalb der jeweiligen Prüfsoftware durch IT-Mitarbeiter erfolgen mussten. Somit kann der Prüfer die potenzielle Gefahr eines möglichen Datenverlustes bei der Zusammenführung durch Dritte ausschließen. Dies setzt jedoch voraus, dass er die Tabellen und deren Struktur beziehungsweise Beziehung zueinander kennt, die es ihm ermöglicht, die Tabellen korrekt und sinnvoll zu verknüpfen.

Folgende Möglichkeiten bieten beide Programme im Hinblick auf die Zusammenführung von Dateien an:

- identische Dateien zum Zweck einer Gesamtanalyse zusammenzuführen und
- Dateien im Hinblick auf tabellenübergreifende Auswertungen miteinander zu verknüpfen.

Identische Dateien zusammenführen

Möchte der Prüfer/Revisor eine konzernweite Analyse erstellen, bei der er auf entsprechende Auswertungsdateien der Tochtergesellschaften zurückgreift, die alle identisch strukturiert sind (zum Beispiel da alle angeschlossenen Tochtergesellschaften mit der gleichen Finanzbuchhaltungssoftware arbeiten), so kann er die Dateien der einzelnen Töchter mit Hilfe einer in beiden Programmen vorliegenden Funktion zusammenbringen. Voraussetzung ist, dass diese bezüglich der Datenfeld- und Datenfeldtypdefinition identisch sind. In beiden Programmen wird physikalisch eine neue Datei erstellt, die sich durch das Zusammenreihen der Datensätze ergibt. Ein weiterer Anwendungsfall liegt vor, wenn der Prüfer eine Auswertung über einen Zeitraum (zum Beispiel quartalsmäßige Journalauswertung) erstellen möchte, wozu er für einzelne Zeitabschnitte die Daten in Tabellenform vorliegen hat (zum Beispiel Wochenjournale).

In IDEA kann der Prüfer über die Menüfolge »Datei/Dateien anhängen« die identischen Dateien miteinander verknüpfen, während er dies in ACL über den Menüpunkt »Daten/Tabellen mischen« steuert. Im Gegensatz zu IDEA, wo der Prüfer in einem Arbeitsschritt via Dateiexplorer gleiche mehrere identische Dateien zusammenbringen kann, bietet ACL hier nur eine »paarweise« Verknüpfung von Dateien. Der Prüfer kann in ACL die Dateien nur schrittweise miteinander verknüpfen, wie beispielsweise Wochenjournale.

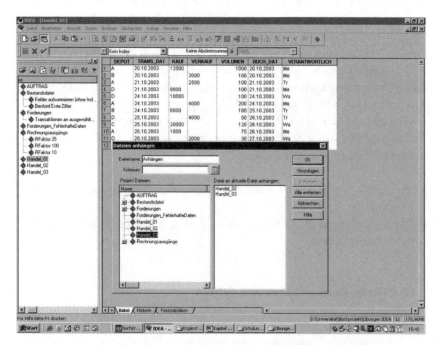

Abb. 57 Menüpunkt »Datei/Dateien anhängen« in IDEA mit dem Dateiexplorer zur Auswahl der Dateien

Die Funktionen und
Verfahren der
Prüfsoftwaresysteme
für den Prüfalltag

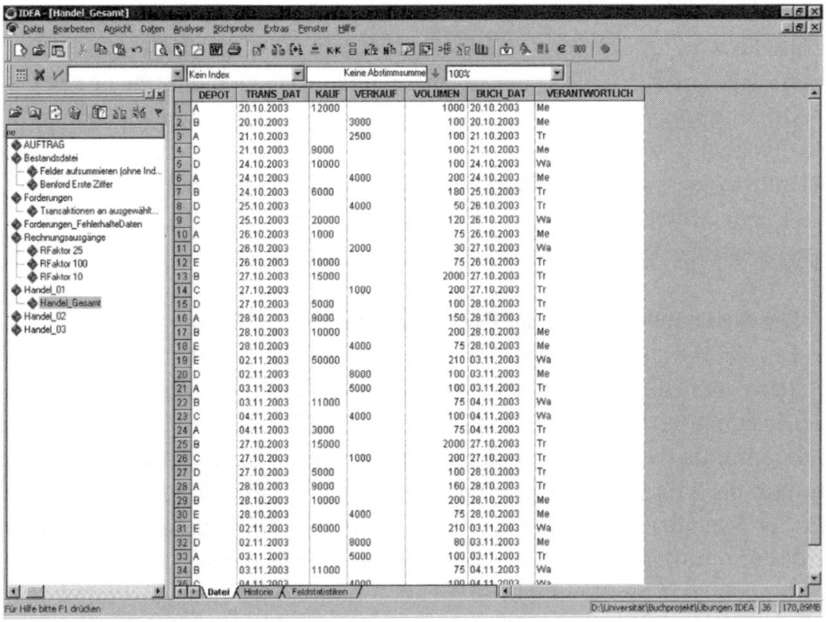

Abb. 58 Ergebnis des Zusammenbringens der identischen Dateien in eine neue Datei in IDEA

Dateien im Hinblick auf tabellenübergreifende Auswertungen miteinander verknüpfen

Häufig sind die DV-Systeme, mit denen heute unternehmens- und rechnungslegungsrelevante Sachverhalte verwaltet werden, auf Datenbankebene relational aufgebaut, so dass sich die einzelnen Sachverhalte in Objekttabellen (zum Beispiel Debitorentabellen, Rechnungsausgangstabellen) und Beziehungstabellen, welche die Objekttabellen miteinander verknüpfen, wiederfinden. Anstelle einer mühsamen Zusammenführung der Objektinformationen auf Datenbankebene durch entsprechende Abfragen in einer Tabelle, die der Revisor alleine oder mit externen Experten zu erstellen hätte, kann er nun in beiden Programmen die entsprechenden Tabellen nach ihrem Import sinnvoll verknüpfen. Hierzu bedarf es natürlich der Kenntnis, welche Objekttabellen für den Prüfsachverhalt wichtig sind und über welche Beziehungstabellen und -attribute sie im Datenmodell miteinander kommunizieren. Die Verknüpfung der Dateien erfolgt über entsprechende Schlüssel, die der Prüfer im Rahmen der Verknüpfung spezifizieren und

101

auswählen muss. Wichtig bei der Verknüpfung über die Schlüssel ist es, dass diese in ihrer Datentypdefinition identisch sind, ihre Bezeichnung kann dagegen durchaus in den entsprechenden Tabellen differenzieren.

Beide Programme bieten zwei Formen der Verknüpfung an, die sich in ihren Möglichkeiten, Ergebnissen und der Handhabung unterscheiden. Dies ist zum einen die Verknüpfung der Dateien in eine physikalisch neue Datei und zum anderen die virtuelle Verknüpfung der Dateien für eine tabellenübergreifende Auswertung.

Die Zusammenführung der Dateien zu einer neuen Datei

Der Prüfer hat die Möglichkeit, aus den Dateien physikalisch eine neue Datei zu erstellen. Hierzu definiert er im Vorfeld das Beziehungsgeflecht der informationsrelevanten Tabellen und spezifiziert die hierzu als Schlüssel kommunizierenden Datenfelder in den einzelnen Tabellen. Nach dem Import der informationsrelevanten Tabellen in die Prüfprogramme hat der Prüfer nun die Aufgabe, iterativ die Tabellen über die Schlüssel zusammenzuführen. In IDEA steht dem Prüfer hierzu der Menüpunkt »Datei/Dateien verbinden« zur Verfügung, in ACL kann er die Zusammenführung in eine neue Datei mittels »Daten/Tabellen zusammenführen« erreichen. Er beginnt mit der ersten Tabelle, die auch als Primärtabelle in den Programmen bezeichnet wird, wählt den kommunizierenden Schlüssel (Primärschlüssel) aus und markiert die Datenfelder der Primärtabelle, die für die neue Tabelle relevant sind. Anschließend spezifiziert er durch Auswahl der im Projektnavigator (ACL) beziehungsweise Datei-Explorer (IDEA) befindlichen Tabellen die entsprechende zweite Tabelle (auch Sekundärtabelle genannt). Hier werden ebenso wie in der Primärtabelle der kommunizierende Schlüssel und die als relevant erachteten Datenfelder definiert.

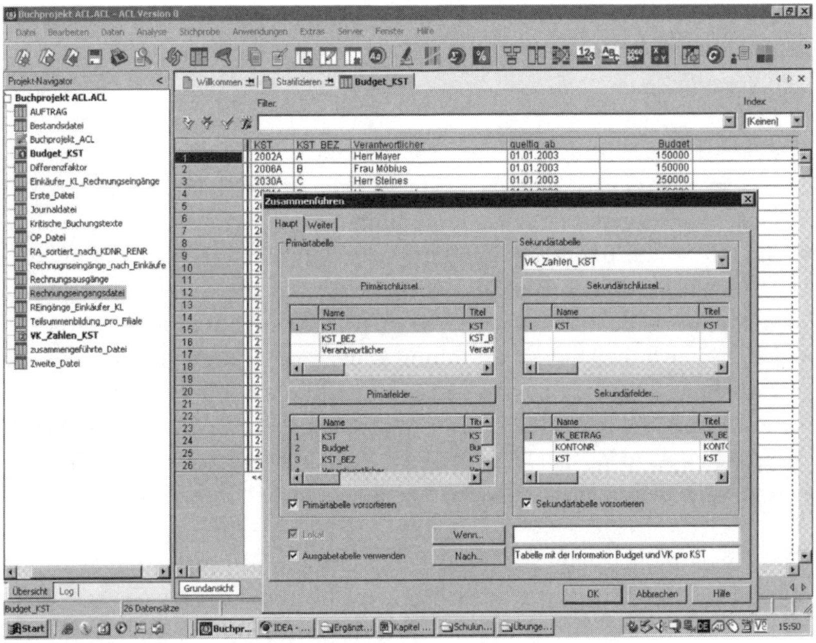

Abb. 59 ACL-Menü zum Zusammenführen von Dateien über Schlüssel in eine
neue Datei

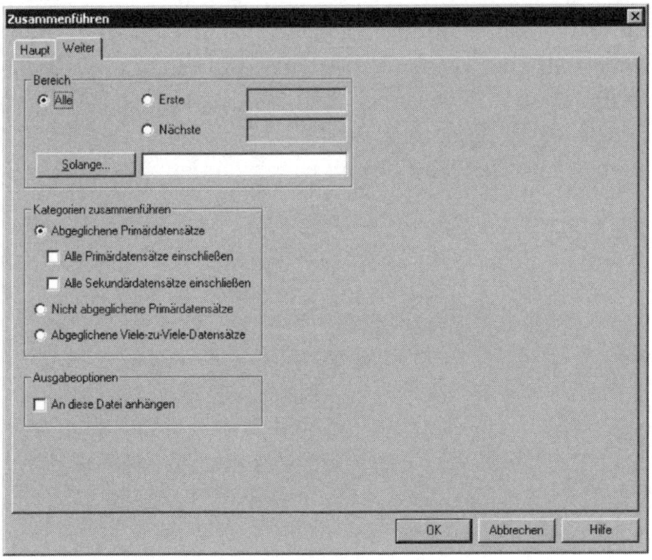

Abb. 60 Auswahlfenster zur Spezifikation der Zusammenführungsoption in
ACL

Die Möglichkeit der
Analyse von Dateien

Bevor er nun für die neue Datei einen Namen vergibt, hat der Prüfer folgende Zusammenführungsoptionen, die je nach Prüfsachverhalt relevant sein können:

- Datensätze aus beiden Dateien, die bezüglich der Schlüssel in beiden Dateien übereinstimmen (auch abgeglichene Primärdatensätze ohne Zusatzoption genannt), zusammenführen,
- alle Datensätze der ersten Datei mit oder ohne entsprechenden Eintrag in der zweiten Datei (auch abgeglichene Primärdatensätze mit der Zusatzoption »Alle Primärdatensätze einschließen«) zusammenführen,
- Datensätze ohne Übereinstimmung in der zweiten Datei (auch nicht abgeglichene Primärdatensätze) zusammenführen oder
- alle Datensätze in beiden Dateien (auch abgeglichene Primärdatensätze mit den beiden Zusatzoptionen »Alle Primärdatensätze einschließen« und »Alle Sekundärdatensätze einschließen«) zusammenführen.

Darüber hinaus liefert IDEA als Zusammenführungsoption noch die Möglichkeit, die Datensätze anzuzeigen, die nicht mit der ersten Datei übereinstimmen. Diese Auswahloption lässt sich mit Hilfe der Option »Datensätze ohne Übereinstimmung in zweiter Datei« erzielen, wenn man die Reihenfolge der Primär- und Sekundärtabelle vertauscht. ACL bietet zusätzlich die Auswahloption »Abgeglichene Viele-zu-Viele Datensätze« an, mit deren Hilfe sich der Prüfer die Datensätze anzeigen lassen kann, die bezüglich des Schlüssels in mindestens einer der beiden Dateien mindestens zwei Einträge aufweist. So kann er zum Beispiel bei einer Verknüpfung von Debitor- (als Primärdatei) und Rechnungsausgangsdatei (als Sekundärdatei) feststellen, welche Debitoren mehrfach Waren beim Unternehmen gekauft haben.

Die Funktionen und
Verfahren der
Prüfsoftwaresysteme
für den Prüfalltag

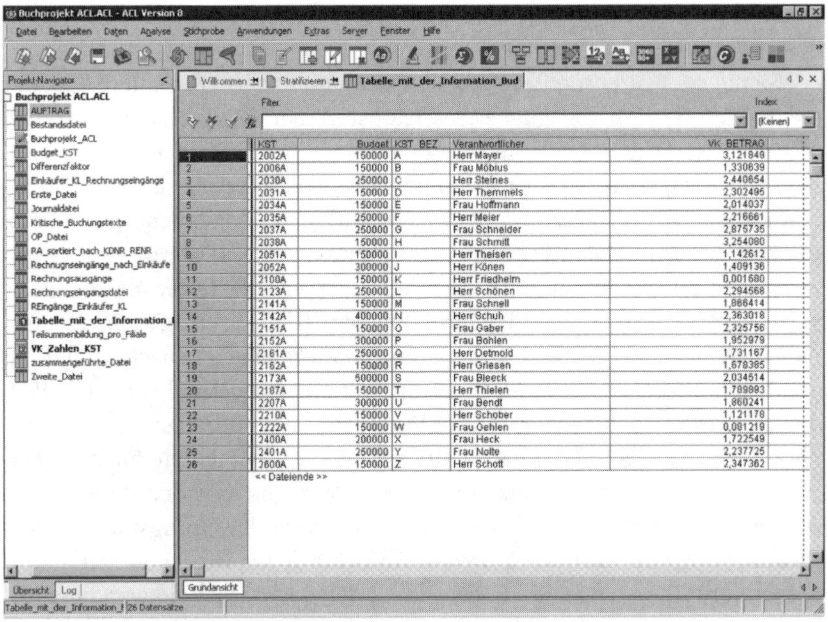

	KST	Budget	KST_BEZ	Verantwortlicher	VK_BETRAG
1	2002A	150000	A	Herr Mayer	3,121849
2	2006A	150000	B	Frau Möbius	1,330639
3	2030A	250000	C	Herr Steines	2,440654
4	2031A	150000	D	Herr Themmels	2,302495
5	2034A	150000	E	Frau Hoffmann	2,014037
6	2035A	250000	F	Herr Meier	2,216661
7	2037A	250000	G	Frau Schneider	2,875735
8	2038A	150000	H	Frau Schmitt	3,254080
9	2051A	150000	I	Herr Theisen	1,142612
10	2052A	300000	J	Herr Könen	1,409136
11	2100A	150000	K	Herr Friedhelm	0,001680
12	2123A	250000	L	Herr Schönen	2,294568
13	2141A	150000	M	Frau Schnell	1,866414
14	2142A	400000	N	Herr Schuh	2,363018
15	2151A	150000	O	Frau Gaber	2,325756
16	2152A	300000	P	Frau Bohlen	1,952979
17	2161A	250000	Q	Herr Detmold	1,731167
18	2162A	150000	R	Herr Griesen	1,678385
19	2173A	500000	S	Frau Bleeck	2,034514
20	2187A	150000	T	Herr Thielen	1,789893
21	2207A	300000	U	Frau Bendt	1,860241
22	2210A	150000	V	Herr Schober	1,121178
23	2222A	150000	W	Frau Oehlen	0,081219
24	2400A	200000	X	Frau Heck	1,722549
25	2401A	250000	Y	Frau Nolte	2,237725
26	2600A	150000	Z	Herr Schott	2,347362

Abb. 61 Ergebnis der Zusammenführung in ACL – Tabelle mit den Informationen Budget und Anzahl Vollkräfte (VK-Zahl) pro Kostenstelle (KST)

Nach der Spezifikation der Auswahloption und der Vergabe eines Tabellennamens für die neue Datei erstellen beide Prüfprogramme physikalisch eine neue Tabelle, mit welcher der Prüfer nun in die weitere Analyse einsteigen kann. Müssen mehr als zwei Tabellen zur Analyse des Prüfsachverhaltes verknüpft werden, so kann der Prüfer die gerade neu erstellte Tabelle mit weiteren Tabellen gemäß des zugrunde liegenden Beziehungsgeflechtes und gemäß der eben beschriebenen Vorgehensweise iterativ miteinander verknüpfen. Das heißt: um fünf miteinander kommunizierende Tabellen zu verknüpfen, führt der Prüfer viermal die gerade beschriebene Vorgehensweise zur Verknüpfung durch, wobei er in jedem weiteren Schritt das Ergebnis des vorherigen Schrittes, das in Form einer neuen Tabelle vorliegt und als Primärtabelle zu spezifizieren ist, mit einer weiteren Tabelle verknüpft.

Die virtuelle Verknüpfung von Dateien zur tabellenübergreifenden Auswertung

Möchte der Prüfer mehrere Tabellen so miteinander verknüpfen, dass nur die in allen Dateien abgeglichenen Datensätze zur Analyse genutzt werden sollen, so kann er anstelle des iterativen Vorgehens die in Beziehung stehenden Tabellen virtuell über ein entsprechendes Interface via Drag & Drop zusammenführen. Hierzu wählt er nach Aufruf des entsprechenden Menüpunktes (IDEA: »Datei/Visuelle Verbindung«; ACL: »Daten/Tabellen verknüpfen«) im sich öffnenden Unterdialog aus einer Liste der im Projektnavigator (ACL) beziehungsweise Datei-Explorer (IDEA) verfügbaren Tabellen diejenigen aus, die er miteinander verknüpfen möchte. Danach schließt er die Auswahlliste und verknüpft die im Unterdialog befindlichen Tabellen, die in Form von Tableaus mit ihren Datenfeldern zu sehen sind, durch Anklicken des Schlüsseldatenfeldes einer Tabelle und »Ziehen« bis zum korrespondierenden Schlüsseldatenfeld der kommunizierenden Tabelle. Anschließend zeigt der Unterdialog eine schwarze Verknüpfungslinie, die der Prüfer durch Anklicken bearbeiten oder löschen kann. Diesen Vorgang führt der Prüfer nun so lange durch, bis alle für den Sachverhalt notwendigen Beziehungen zwischen den Tabellen erstellt sind.

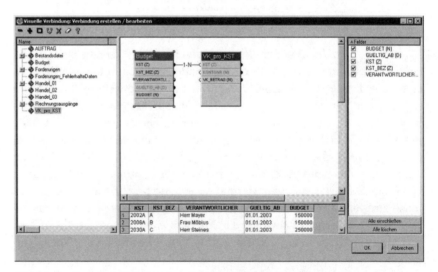

Abb. 62 Konfigurations-Editor zur Erstellung der Tabellenverknüpfung in IDEA

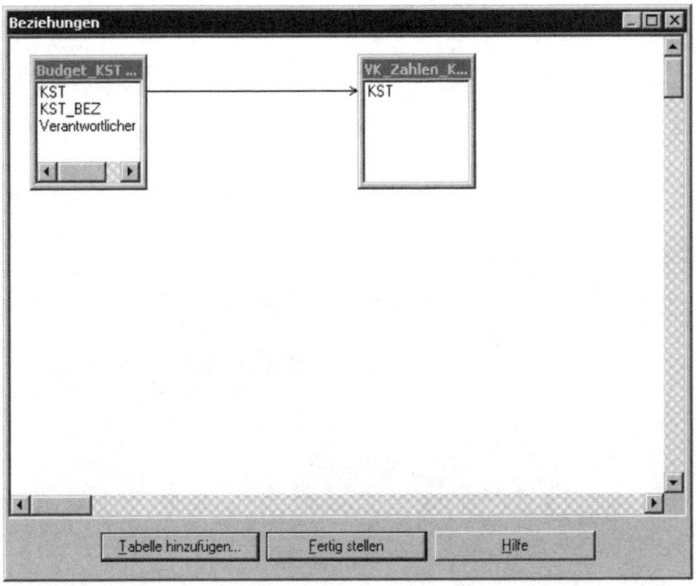

Abb. 63   Konfigurations-Editor zur Erstellung der Tabellenverknüpfung in ACL

Da die Verknüpfung via Maus nur durch Auswahl eines entsprechenden Datenfeldes in den Tabellen funktioniert, können auf diese Weise keine Tabellen mit datenfeldübergreifenden Schlüsseln direkt verknüpft werden. Möchte man dennoch eine Verknüpfung für diesen Fall erstellen, muss im Vorfeld in den Tabellen aus den schlüsseldefinierenden Datenfeldern ein neues Datenfeld erzeugt werden, das dann als Schlüssel fungieren kann.

Das Ergebnis dieser Form der Zusammenführung ist in ACL keine neue Tabelle, sondern ein Beziehungsgeflecht, das derjenigen Tabelle hinterlegt ist, die als Ausgangstabelle (auch Haupt-/Mastertabelle) spezifiziert ist. In IDEA wird eine neue Tabelle erstellt.

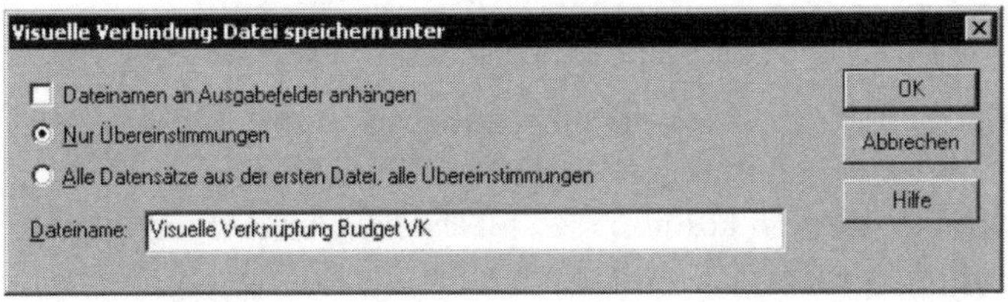

Abb. 64   Zusammenführungsoption bei der visuellen Verknüpfung in IDEA

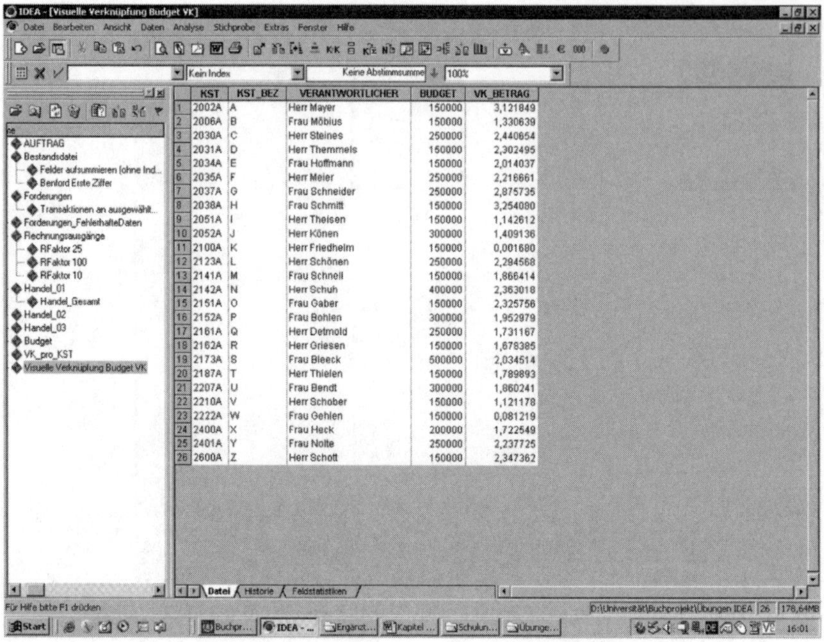

Abb. 65 Ergebnis der Verknüpfung in IDEA

Der Export von Tabellen in bekannte Standardformate

Die beiden Prüfprogramme ermöglichen es, jede im Projekt-Navigator (ACL) beziehungsweise Datei-Explorer (IDEA) verfügbare Tabelle in bekannte Standardformate zu exportieren wie beispielsweise

- txt-Format,
- csv-Format,
- XML-Format und
- MS-Office-Formate wie MS Excel, MS Word,

so dass die im Rahmen der Prüfung erstellten Auswertungen und Analysen auch von anderen Personen, die keinen Zugriff auf diese Programme haben, gelesen und bearbeitet werden können (beispielsweise zur Rückverfolgung von fehlenden und/oder mehrfach vorkommenden Rechnungsnummern in einer Rechnungsausgangsdatei). In ACL startet der Prüfer den Export über die Menüfolge »Daten/In andere Anwendungen exportieren ...«, in IDEA ruft er hierzu den Menüpunkt »Datei/Export« auf.

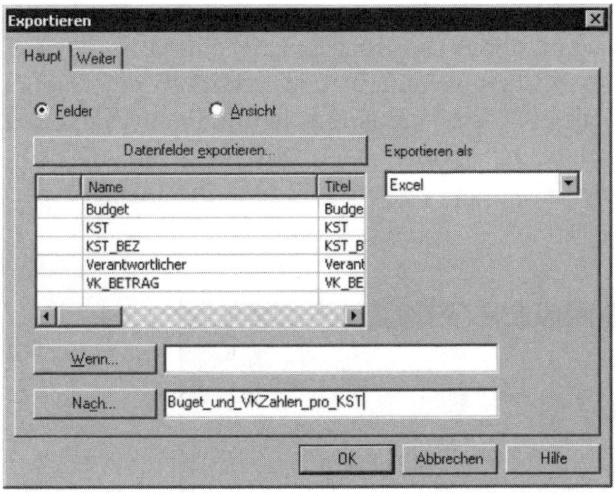

Abb. 66 Auswahldialog in ACL zum Export von Tabellen in Standardformate

Beim Export der Daten aus einer Tabelle hat der Prüfer folgende generelle Optionen, die er je nach Bedarfsfall nutzen kann: Er kann entweder alle Daten der Tabelle in eine Standardanwendung exportieren oder nach bestimmten Kriterien ausgewählte Datensätze exportieren (zum Beispiel alle Rechnungen des Monats Dezember). In diesem Fall ruft der Prüfer den Ausdrucks- beziehungsweise Gleichungseditor auf, um das Kriterium zu spezifizieren (IDEA: Aufruf des Eingabefeldes »Exportkriterium« im Dialog »Datei exportieren«; ACL: Aufruf des Buttons »Wenn« im Dialog »Exportieren«).

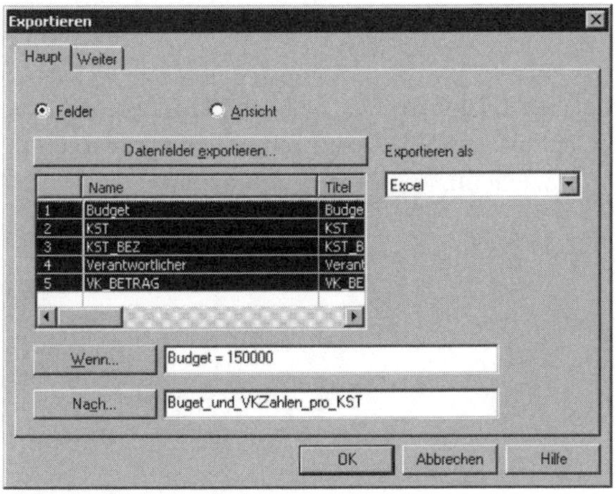

Abb. 67 Dialog zur Spezifikation des Dateiexportes in ACL

Außerdem kann er nur bestimmte Datenfelder der vorliegenden Tabelle exportieren (zum Beispiel nur die Personalstammdaten einer Personaldatei ohne Angaben zur entgeltlichen Vergütung und Versicherung). Hierzu wählt er in IDEA im Dialog »Datei/Exportieren« den Button »Felder« und spezifiziert die gewünschten zu exportierenden Datenfelder, in ACL definiert er dagegen die Datenfelder direkt oder via Button »Datenfelder exportieren« im Dialog »Exportieren«.

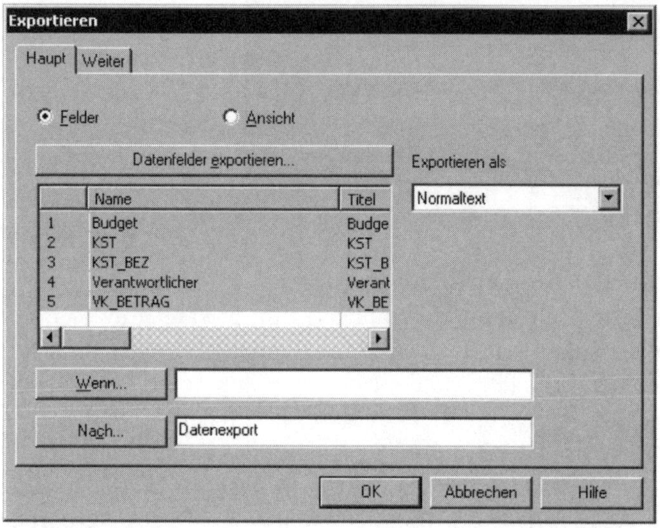

Abb. 68 Dialog zur Spezifikation des Datenexportes ohne Filterbedingungen in ACL

Nach Angabe des gewünschten Dateinamens und des Pfades legen beide Prüfprogramme die Datei in das gewählte Verzeichnis und informieren durch eine entsprechende Infozeile über den Erfolg des Exports.

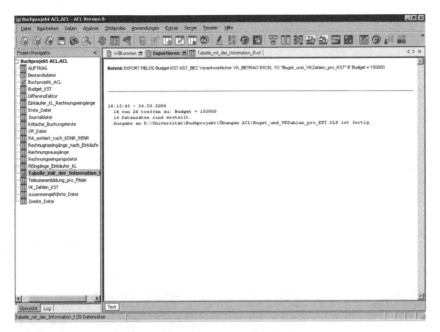

Abb. 69   Register in ACL mit Informationen zum durchgeführten Dateiexport

Tabellen vergleichen

Zusätzlich bietet IDEA die Möglichkeit, numerische Spalten von Dateien/Tabellen hinsichtlich Prüfsumme und Anzahl der Datensätze miteinander zu vergleichen, um festzustellen, ob die Dateien sich bezüglich dieser Spalten unterscheiden. Mit dieser Funktion kann der Prüfer bei einem Vergleich eines Exports rechnungslegungsrelevanter Daten aus Vorsystemen (wie beispielsweise Auftragsmanagementsysteme) in die Finanzbuchhaltung unter anderem feststellen, ob an der Schnittstelle die numerischen Daten vollständig übergeben worden sind. Hierzu ruft der Prüfer nach Wahl der ersten Datei, die er mit einer zweiten Datei vergleichen möchte, den Menüpunkt »Dateien vergleichen« auf und wählt in der Liste der Attribute (enthält alle numerischen Datenfelder) das Summenfeld aus, anschließend bestimmt er nach Aufruf des Menüpunktes »Auswahl« aus dem sich anzeigenden Explorer die zweite Datei und wählt auch hier aus einer Liste das zu vergleichende Summenfeld aus. Zum Schluss wählt er noch den übereinstimmenden Schlüssel (Button »Übereinstimmung«), vergibt einen Tabellennamen und erhält eine Tabelle, die die Datensätze pro Schlüssel mit Sum-

111

me und Anzahl aus beiden Dateien anzeigt. Zusätzlich fügt IDEA automatisch eine Spalte »Differenz« ein, anhand deren der Prüfer die Abweichungen zwischen den beiden Summenfeldern erkennen kann.

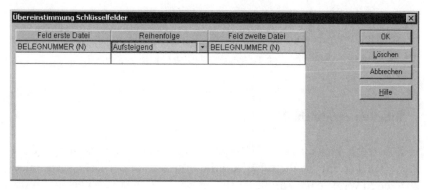

Abb. 70 Auswahldialog zur Spezifikation der zu vergleichenden Dateien in IDEA

Abb. 71 Wahl des Schlüsselfeldes zur Verknüpfung der vergleichenden Dateien in IDEA

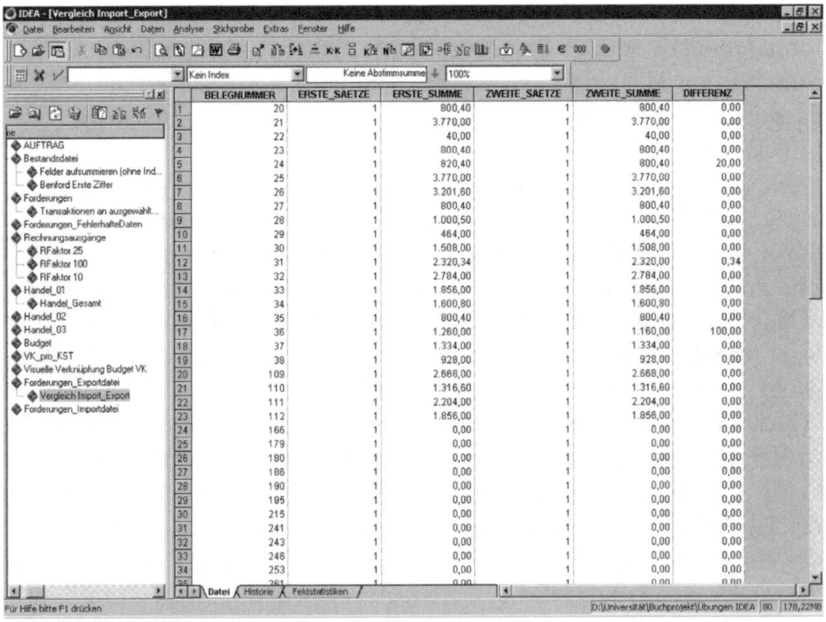

	BELEGNUMMER	ERSTE_SAETZE	ERSTE_SUMME	ZWEITE_SAETZE	ZWEITE_SUMME	DIFFERENZ
1	20	1	800,40	1	800,40	0,00
2	21	1	3.770,00	1	3.770,00	0,00
3	22	1	40,00	1	40,00	0,00
4	23	1	800,40	1	800,40	0,00
5	24	1	820,40	1	800,40	20,00
6	25	1	3.770,00	1	3.770,00	0,00
7	26	1	3.201,60	1	3.201,60	0,00
8	27	1	800,40	1	800,40	0,00
9	28	1	1.000,50	1	1.000,50	0,00
10	29	1	464,00	1	464,00	0,00
11	30	1	1.508,00	1	1.508,00	0,00
12	31	1	2.320,34	1	2.320,00	0,34
13	32	1	2.784,00	1	2.784,00	0,00
14	33	1	1.856,00	1	1.856,00	0,00
15	34	1	1.600,80	1	1.600,80	0,00
16	35	1	800,40	1	800,40	0,00
17	36	1	1.260,00	1	1.160,00	100,00
18	37	1	1.334,00	1	1.334,00	0,00
19	38	1	928,00	1	928,00	0,00
20	109	1	2.668,00	1	2.668,00	0,00
21	110	1	1.316,60	1	1.316,60	0,00
22	111	1	2.204,00	1	2.204,00	0,00
23	112	1	1.856,00	1	1.856,00	0,00
24	166	1	0,00	1	0,00	0,00
25	179	1	0,00	1	0,00	0,00
26	180	1	0,00	1	0,00	0,00
27	186	1	0,00	1	0,00	0,00
28	190	1	0,00	1	0,00	0,00
29	195	1	0,00	1	0,00	0,00
30	215	1	0,00	1	0,00	0,00
31	241	1	0,00	1	0,00	0,00
32	243	1	0,00	1	0,00	0,00
33	246	1	0,00	1	0,00	0,00
34	253	1	0,00	1	0,00	0,00

Abb. 72 Ergebnis des Dateienvergleichs als Tabelle in IDEA

Die Möglichkeit der Analyse von Daten

Beide Prüfprogramme ermöglichen es, die Daten der importierten und gegebenenfalls verknüpften Tabellen weiter zu analysieren. Hierzu kann der Prüfer auf folgende Werkzeuge zurückgreifen:

- Extraktion/Filtrierung von Datenfeldern und/oder Datensätzen nach bestimmten Auswahlkriterien,
- Aufnahme zusätzlicher berechnender Felder zur Verifizierung von Werten und Formeln,
- Sortieren/Indizieren von Datensätzen der Reihenfolge nach.

Extraktion/Filtrierung von Datenfeldern und/oder Datensätzen nach bestimmten Auswahlkriterien

Da die Daten, auf die der Prüfer zurückgreift, in der Regel zahlreich sind, ist es häufig notwendig, sie nach den für den Prüfsachverhalt relevanten Kriterien zu filtern. Zum Beispiel ist für die Analyse buchungsrelevanter Informationen im Bereich des Materialverbrauches die Auswahl von Beleginformationen zu bestimmten Konten und/oder Kostenstellen sinnvoll, so dass der Prüfer hier nach diesen Konten und Kostenstellen selektiert.

Beide Programme bieten dem Prüfer die Möglichkeit zur Extraktion von Datensätzen nach bestimmten Kriterien. Hierzu stehen ihm zwei Wege zur Verfügung, der so genannte »flüchtige« Extrakt über die Arbeitsleiste im Datenfenster als Schablone oder die Extraktion über einen entsprechenden Menüpunkt in eine neue Tabelle mit den gewünschten Informationen. Der »flüchtige« Extrakt erzeugt eine Schablone, die auf die angezeigte Tabelle gelegt wird und über eine entsprechende Auswahlliste aktiviert wie auch deaktiviert werden kann. Nach Schließen beider Prüfprogramme werden die »flüchtigen« Extraktdefinitionen in der Auswahlliste gelöscht, so dass der Prüfer nicht mehr direkt darauf zugreifen kann. Deshalb wird dieser Extrakt als »flüchtig« bezeichnet. Da bei ACL die »flüchtige Extraktdefinition« in der Tabellenhistorie hinterlegt wird, kann der Prüfer jederzeit durch Aufruf des entsprechenden Arbeitsschrittes darauf zurückgreifen. Bei IDEA wird die »flüchtige« Extraktdefinition nicht gespeichert und erscheint auch nicht in der Tabellenhistorie. Im Vorfeld der Datenanalyse zur Definition eines Lösungspfades hinsichtlich des vorliegenden Prüfungssachverhaltes empfiehlt es sich, dass der Prüfer die ersten Extrakte via »flüchtigen« Filter definiert, um sich erst einmal ein Bild über mögliche sinnvolle Extrakte hinsichtlich der Prüfungsaufgabe zu machen, die dann, wenn sie für die Aufgabe notwendig und sinnvoll sind, als feste Extrakte in Tabellen definiert werden sollten.

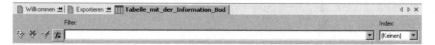

Abb. 73 Filterleiste in ACL zur Definition des flüchtigen Extraktionsfilters

Abb. 74 Filterleiste in IDEA zur Definition des flüchtigen Extraktionsfilters

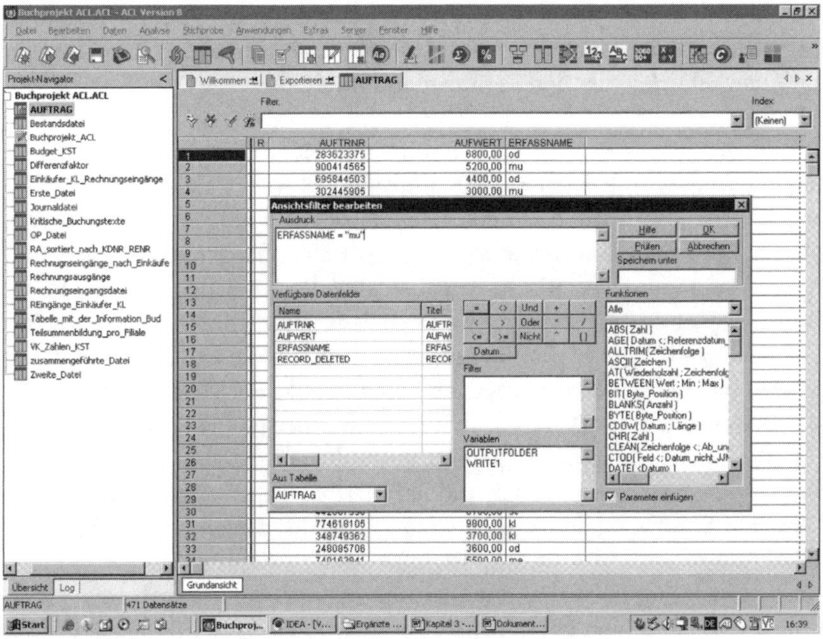

Abb. 75 Erfassung eines flüchtigen Extraktes mit Hilfe des Ansichtsfilters in ACL

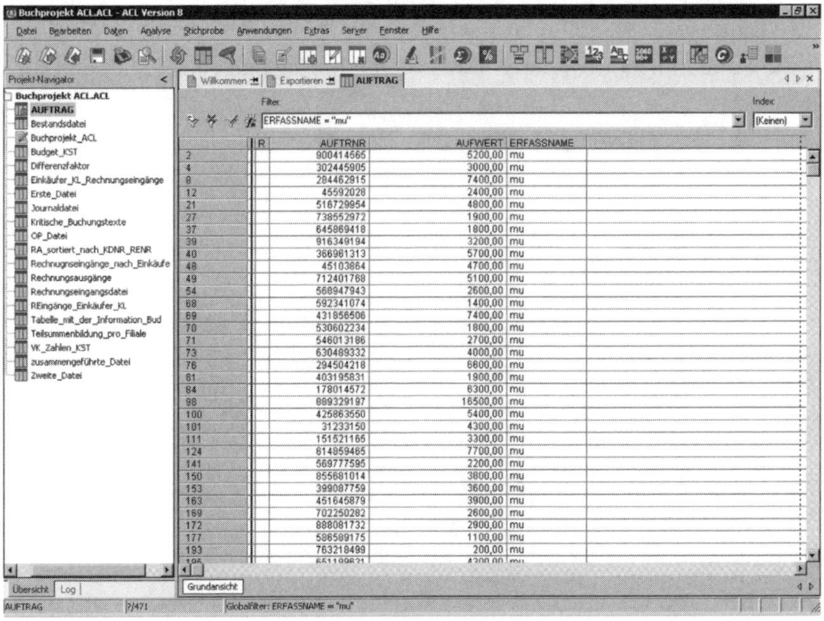

Abb. 76 Flüchtiger Extrakt in ACL – die Filterbedingung steht in der Filterleiste

Die Möglichkeit der
Analyse von Dateien

Beim Extrakt der Daten über den Menüpunkt (IDEA: »Daten/Extraktion ...«; ACL: »Daten/Daten extrahieren ...«) öffnet sich in beiden Programmen ein Auswahldialog, der den Benutzer auffordert, folgende Optionen zu spezifieren.

Zum einen kann er die Filtration von Datenfeldern und/oder Datensätzen wählen. In diesem Fall kann der Benutzer definieren, welche der in der Tabelle definierten Spalten in eine neue Tabelle übertragen werden sollen. Möchte der Prüfer beispielsweise bei einer Datei über Mitarbeiter aus dem Personalprogramm spezifische Angaben über deren Vermögensverhältnisse (zum Beispiel Bruttogehalt) zur weiteren Bearbeitung durch Sachbearbeiter ausblenden, so wählt er nur die Datenfelder, die für die weitere Auswertung notwendig sind. Möchte er dagegen einen Extrakt der Daten nach spezifischen Merkmalen im Datensatz erstellen (zum Beispiel alle Buchungen, die auf die Kostenstelle 940000 gingen), so wählt der Benutzer die Option »Datensatz« beim Programm ACL und definiert über den »Wenn«-Button mit Hilfe des Ausdruckseditors die Bedingung der Extraktion beziehungsweise beim Programm IDEA durch Definition der Bedingung im Feld »Kriterium« unter Zuhilfenahme des Gleichungseditors und Eingabe der Filterbedingung. Bei beiden Programmen kann der Prüfer gleichzeitig ein Extrakt nach spezifischen Datenfeldern und nach bestimmten Auswahlkriterien durchführen (zum Beispiel Extrakt aller Mitarbeiter, die der Kostenstelle »Verwaltung« zugeordnet sind, ohne Ausgabe ihres Bruttogehaltes und der Sozialbeiträge).

Zum anderen kann er einen Dateinamen für die neu zu erstellende Datei definieren.

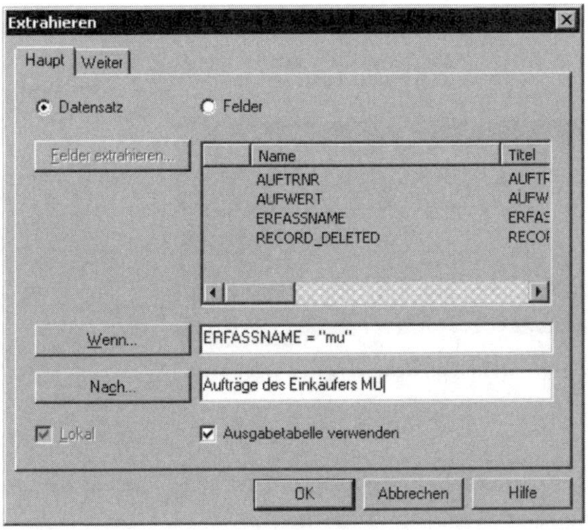

Abb. 77 Extrahieren-Dialog zur Spezifikation der Filterbedingung in ACL

IDEA bietet im Gegensatz zu ACL beim Extrakt in eine neue Datei dem Prüfer die Möglichkeit, gleichzeitig berechnende Felder zu definieren und zu parametrisieren (beispielsweise möchte der Prüfer bei geleisteten Abschlagszahlungen, die man anhand der glatten Beträge erkennt, zusätzlich die ursprüngliche Versicherungsleistung anzeigen lassen). Hierzu aktiviert er im Dialog »Extraktion in Datei(en)« den Button »Felder erstellen«.

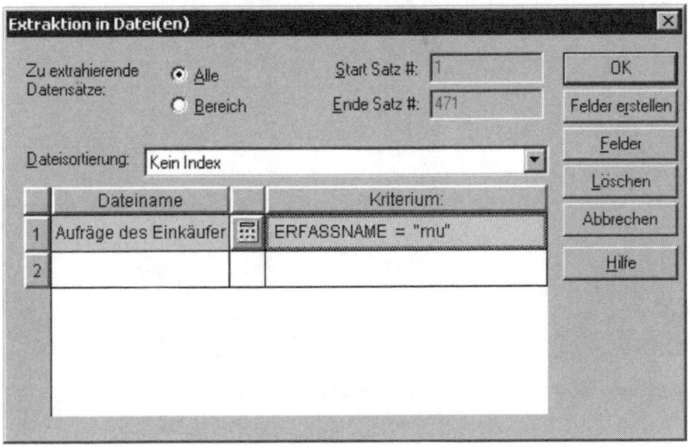

Abb. 78 Extrahieren-Dialog zur Spezifikation der Filterbedingung in IDEA

Anschließend legt der Prüfer die neuen Datenfelder mit ihrer Definition fest.

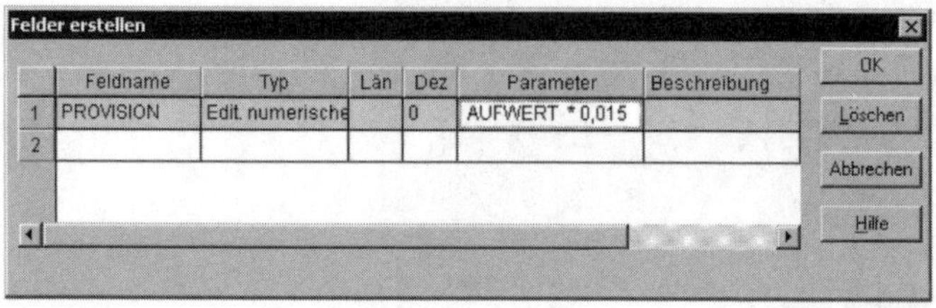

Abb. 79 Dialog »Felder erstellen« zur Definition weiterer Datenfelder beim Extrakt in IDEA

In ACL muss der Prüfer dies nach Erstellung der neuen Datei in dieser Datei über den entsprechenden Menüpunkt definieren.

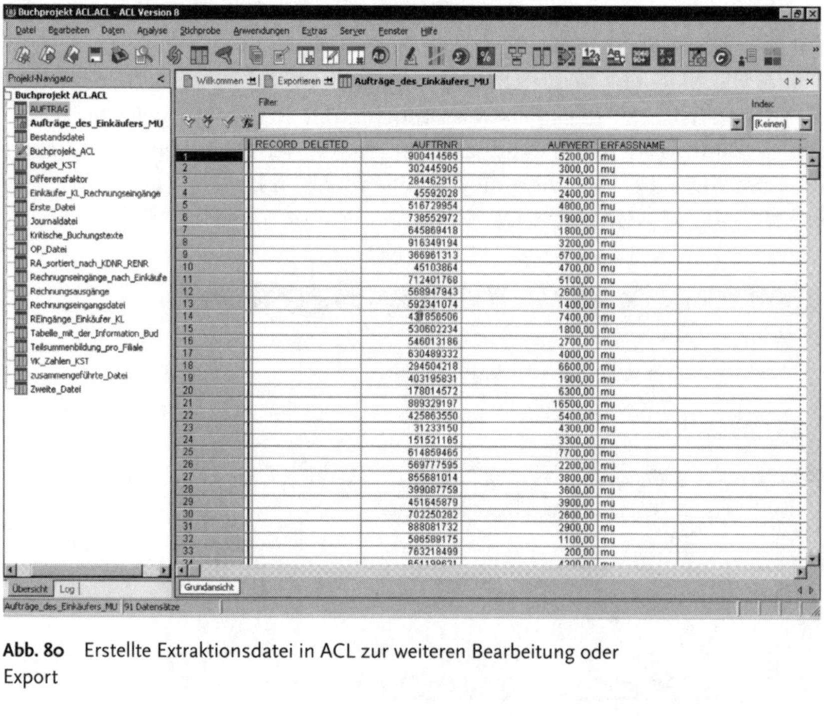

Abb. 80 Erstellte Extraktionsdatei in ACL zur weiteren Bearbeitung oder Export

Die Funktionen und
Verfahren der
Prüfsoftwaresysteme
für den Prüfalltag

Berechnende Felder zur Verifizierung/Prüfung von Werten und Formeln in den Datensätzen

Häufig hat der Prüfer die Aufgabe, entweder vom Programm ermittelte beziehungsweise vom Anwender erfasste Werte auf ihre Richtigkeit zu überprüfen oder bestimmte ergänzende Auswertungen zu erstellen, die ihm über den Vorgang weitere Informationen liefern (zum Beispiel Ermittlung der Differenz zwischen dem Beleg- und Buchungsdatum, um zu prüfen, ob im Unternehmen zeitnah gebucht wird). Dies erfordert in beiden Programmen, dass der Prüfer zusätzliche berechnende Felder aufnimmt. Hier bieten beide Programme über entsprechende Menüpunkte dem Benutzer die Möglichkeit, neue Datenfelder mit entsprechenden Berechnungsformeln aufzunehmen. Während der Prüfer bei ACL den Menüpunkt »Bearbeiten/Tabellenlayout« aktiviert und dort im zweiten Register »Felder/Ausdrücke bearbeiten« über die Option »Neuen Ausdruck hinzufügen« geht, um mit Hilfe des Ausdruckseditors die Berechnungsformeln aufzunehmen, muss der Prüfer bei IDEA über den Menüpunkt »Daten/Felder bearbeiten« gehen und kann dort mit Hilfe des Gleichungseditors seine Berechnung definieren. Der Prüfer kann in beiden Programmen mit Hilfe des Gleichungseditors (IDEA) beziehungsweise Ausdruckseditors (ACL) auf eine umfangreiche Funktionsbibliothek zurückgreifen. Beide Funktionsbibliotheken gliedern sich in verschiedene Funktionskategorien, die sowohl mathematische wie statistische als auch Text- und Logikfunktionen zur Verfügung stellen. Die folgenden Kategorien sind in beiden Programme verfügbar:

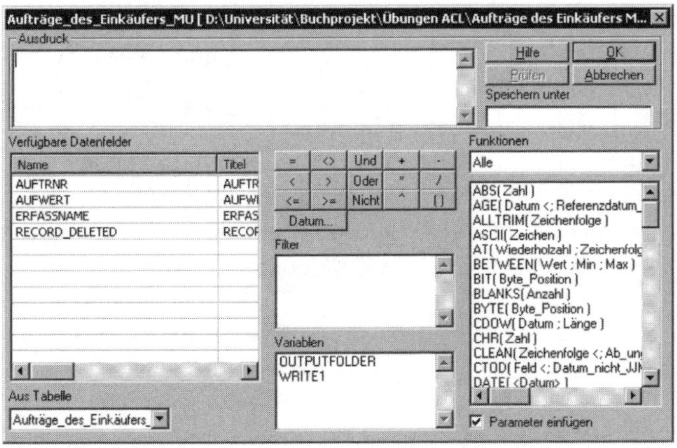

Abb. 81 Ausdruckseditor in ACL zur Erfassung von Berechnungsformeln

Abb. 82 Gleichungseditor in IDEA zur Erfassung von Berechnungsformeln

- *Zeichen:* Hier finden sich Funktionen, die es ermöglichen, Zeichenketten abzuschneiden oder zu ergänzen beziehungsweise nach bestimmten Zeichensuchfolgen zu suchen. Darüber hinaus kann man mit Hilfe dieser Funktionen auch bestehende Formate (Groß-/Kleinschreibung) ändern oder Zeichenketten um ihre »Leerzeichen« komprimieren.
- *Numerisch/Mathematik:* Hier finden sich die wesentlichen Funktionen, um Berechnungen numerischer Werte durchzuführen. Dabei handelt es sich unter anderem um Minimum/Maximum, Ermittlung der Ganzzahl eines numerischen Wertes, Logarithmus und die Rundung von numerischen Werten.
- *Datum/Zeit:* Hier finden sich Funktionen zur Datums- und Zeitberechnung. Die häufigste verwendete Funktion ist die Funktion »AGE«, welche die Differenz zwischen zwei Datumswerten in Tagen berechnet. Darüber hinaus finden sich Funktionen der Umwandlung eines Datums in den dazugehörigen Wochentag sowie die Anzeige des Tages, Monats beziehungsweise Jahres eines Datums.
- *Finanziell/Finanzen:* Hier findet der Prüfer Funktionen, mit denen er finanzmathematische Auswertungen erstellen kann. Beispielsweise stellen beide Programme die Funktion zur Ermittlung des Bar- und Endwertes zur Verfügung. Darüber hinaus kann er hier die Annuität einer Zahlungsreihe ermitteln.
- *Übereinstimmung/Logik:* Mit Hilfe dieser Funktionen kann der Prüfer bestimmte Muster suchen beziehungsweise Zeichen vergleichen.

Während bei ACL zusätzlich die Kategorie »Konvertierung« als eigene Funktionskategorie aufgeführt ist, in der sich die Konvertierungsfunktionen zur Umwandlung des Datentyps eines Feldes befinden (zum Beispiel Funktion »String«, die einen numerischen Ausdruck in eine Zeichenkette umwandelt), sind diese bei IDEA den entsprechenden Kategorien (Datum/Zeit; Numerisch; Zeichen) zugeordnet. Diese Konvertierungsfunktionen sind für den Prüfer wichtig, da es vorkommt, dass die Datenfelder aus den Programmen und ihren Reports in Formaten vorliegen, die eine weitere Auswertung erst einmal verhindern (zum Beispiel Datumsfelder als Zeichenfelder, die eine weitere Berechnung mit den Datumsangaben [Zinsberechnung, Berechnung von Zeitdifferenzen]) nicht erlauben.

Dagegen besitzt IDEA die Funktionskategorie »Bedingung«, die es dem Prüfer ermöglicht, Einfach- (Funktion: IF) oder Mehrfachauswahlen (Funktion: COMPIF) zu definieren (zum Beispiel gestaffelte Rabatt- und Skontogewährung). Da beide Prüfprogramme nur eine Berechnung von Datensätzen und nicht wie beispielsweise MS Excel einzelner Datenfelder erlauben, ist es notwendig, dass der Benutzer in beiden Programmen Berechnungen bedingungsgebunden definieren kann (zum Beispiel alle Kunden mit einem Jahresumsatz von mehr als 50.000 Euro erhalten einen einmaligen Bonus von 500 Euro). Während IDEA über die Funktionskategorie »Bedingung« diese Berechnung direkt bei der Definition der Formeln berücksichtigen kann, hat der Prüfer in ACL dies bei der Definition des Feldes im zweiten Register »Felder/Ausdrücke bearbeiten« zusätzlich als weitere Formeln ergänzend zum »Grundwert« im unteren Bereich des Dialoges zu definieren.

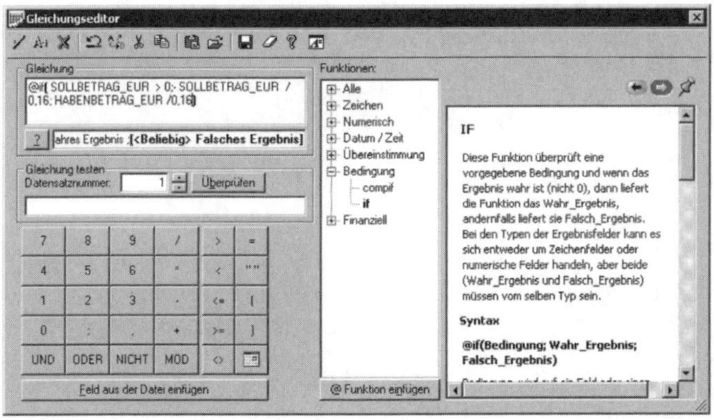

Abb. 83 Gleichungseditor zur Ermittlung des Rechnungsbetrages mit einer Bedingungsklausel in IDEA

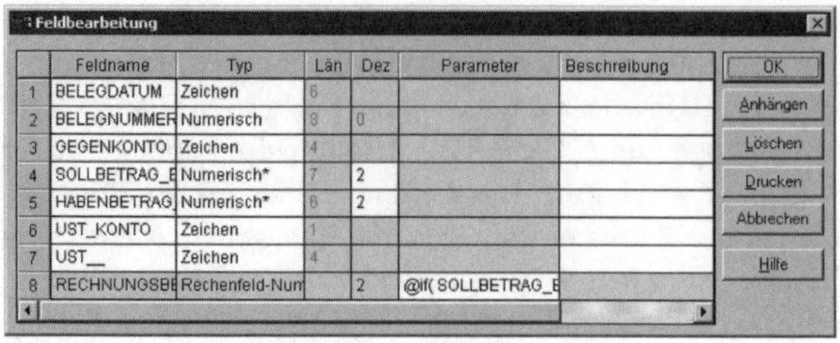

	Feldname	Typ	Län	Dez	Parameter	Beschreibung	
1	BELEGDATUM	Zeichen	6				OK
2	BELEGNUMMER	Numerisch	8	0			Anhängen
3	GEGENKONTO	Zeichen	4				Löschen
4	SOLLBETRAG_E	Numerisch*	7	2			Drucken
5	HABENBETRAG	Numerisch*	8	2			Abbrechen
6	UST_KONTO	Zeichen	1				
7	UST__	Zeichen	4				Hilfe
8	RECHNUNGSBE	Rechenfeld-Num		2	@if(SOLLBETRAG_E		

Abb. 84 Dialog »Feldbearbeitung« mit den importierten und neu berechneten Feldern der Tabelle in IDEA

Die neu berechneten Datenfelder werden sowohl in IDEA als auch in ACL defaultmäßig als weitere Datenfelder der Tabelle angehängt, wobei in ACL nach der Definition der Spalte diese zusätzlich vom Prüfer in die Tabelle eingefügt werden muss. Falls der Prüfer aber eine spezielle Spalte im Datenfenster markiert hat, so werden die neu berechneten Datenfelder direkt hinter der markierten Spalte eingefügt.

Während man bei IDEA im Dialog »Feldbearbeitung« durch das Präfix »Rechenfeld« erkennen kann, ob es sich um ein berechnetes Feld handelt, das der Prüfer im Rahmen seiner Prüfungshandlungen hinzugefügt hat, lassen sich die ergänzten berechneten Felder in ACL im zweiten Register »Felder/Ausdrücke bearbeiten« des Menüpunktes »Bearbeiten/Tabellenlayout« durch die Startposition »0« und den Typ »Computed« mit dem Grundwert erkennen.

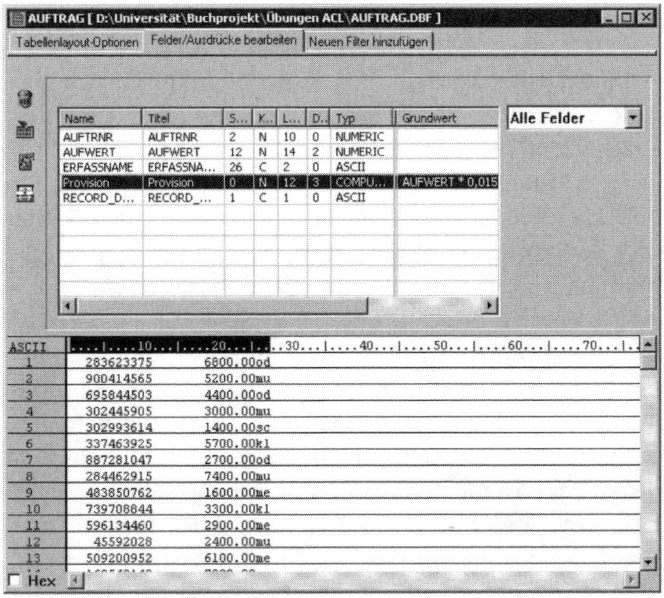

Abb. 85 Zweites Register »Felder/Ausdrücke bearbeiten« bei ACL

Die neu berechneten Datenfelder werden in IDEA zusätzlich durch farbige Hervorhebung gekennzeichnet.

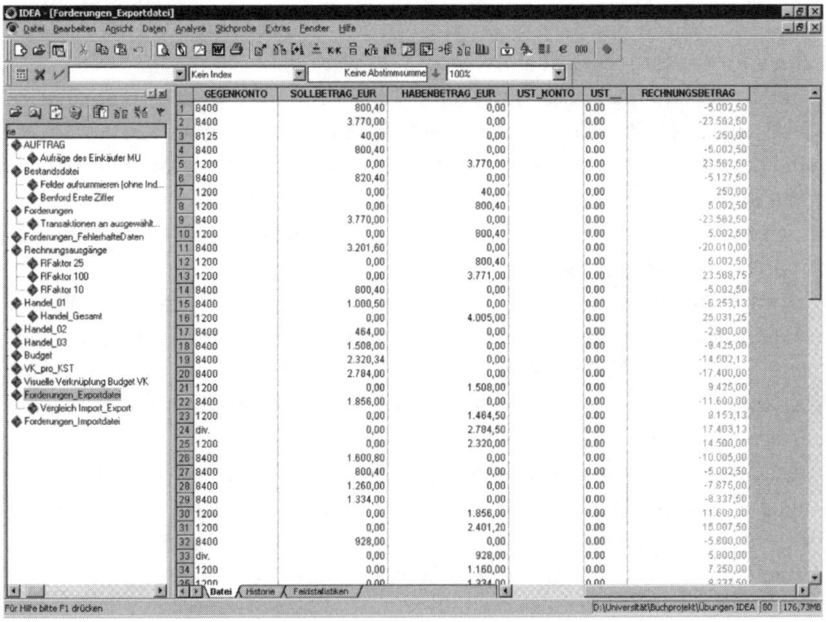

Abb. 86 Tabelle mit dem neu berechneten Datenfeld in IDEA

Die Möglichkeit der
Analyse von Dateien

Sortieren/Indizieren von Datensätzen

Im Vorfeld der Datenanalyse ist es für den Prüfer oft hilfreich, sich über die Größenordnung numerischer Werte bei den vorliegenden Daten (Höhe der Buchungsbeträge, Höhe der Liefermengen und -werte) oder die zeitliche Dimension der zur Prüfung vorhandenen Daten (Zeitspektrum der Buchungen) ein Bild zu machen. Hierzu bieten beide Programme dem Prüfer die Möglichkeit der Sortierung der Datensätze nach einem oder mehreren Kriterien. Wie beim Filtern kann der Prüfer die Datensätze sowohl »flüchtig« sortieren als auch eine neue Tabelle mit den sortierten Datensätzen erstellen. Im ersten Fall erstellt der Prüfer einen Index. Dabei generieren beide Programme eine Schablone, welche die Sortierreihenfolge für die vorliegenden Daten definiert. Durch die Aktivierung der Schablone werden dem Prüfer die Datensätze in der gewünschten Reihenfolge auf- oder absteigend angezeigt. Mit Hilfe eines Listenfeldes kann der Prüfer oberhalb der Tabelle erkennen, ob und welcher Index bei der vorliegenden Tabellenansicht aktiviert ist. Über diese Leiste kann er auch die Deaktivierung steuern, so dass sich die Daten wieder in ihrer ursprünglichen Reihenfolge präsentieren. Deshalb wird diese Art der Sortierung als »flüchtig« bezeichnet.

Beim Programm ACL bleibt der Indexeintrag aktiv und kann jederzeit abgerufen werden, solange die Tabelle bearbeitet wird. Erst beim Verlassen der Tabelle wird der Indexeintrag gelöscht und könnte in ACL über die Tabellenhistorie wieder aktiviert werden. Beim Programm IDEA bleibt der Indexeintrag sowohl in der Tabelle als auch in der Tabellenhistorie erhalten und kann vom Prüfer jederzeit aktiv geschaltet werden.

Im Gegensatz zum Index bieten beide Programme über entsprechende Menüpunkte (ACL: »Daten/Datensätze sortieren...«; IDEA: »Daten/sortieren«) dem Prüfer die Option, die vorliegenden Daten nach einem oder mehreren Schlüsseln in einer neuen Tabelle zu sortieren. Dabei erstellen beide Programme eine neue Tabelle, in der die ursprüngliche Reihenfolge der Daten nicht mehr erkennbar ist.

Sowohl bei der Indexierung als auch bei der Sortierung kann der Prüfer in beiden Prüfprogrammen die Datensätze nach mehreren Schlüsseln (Sortierung nach dem Nachnamen als ersten Schlüssel, anschließend nach dem Vornamen in einer Mitarbeiterdatei) sortieren und die von ihm gewünschte Sortierreihenfolge (auf-/absteigend) auswählen.

Aus meiner Erfahrung empfehle ich die Indexierung bei der ersten Sichtung und Analyse der Daten nach dem Größen- und/oder Zeitspektrum, um sich erst einmal einen Eindruck zu verschaffen, welche Daten man in der vorliegenden Prüfung analysiert. Erst wenn man in der weiteren Datenanalyse entsprechende Auswertungen erstellt, die eine Reihenfolge zum Verständnis beziehungsweise Erläuterung eines Sachverhaltes wichtig erscheinen lassen (zeitliche Reihenfolge von Abbuchungen von einem bestimmten Konto), empfiehlt es sich, diese Daten dauerhaft in einer neuen Tabelle zu erstellen.

Gruppierungsfunktionen zur Verdichtung und Gegenüberstellung von Daten

Um sich umfassender über den Sachverhalt und mögliche Abhängigkeiten/Korrelationen der Daten untereinander zu informieren, ist es häufig notwendig, die vorliegenden Daten nach bestimmten Merkmalen und Mustern zu verdichten beziehungsweise zu gruppieren. Hier bieten beide Programme eine umfangreiche Bibliothek von Verdichtungs- und Gruppierungsfunktionen an, die es dem Prüfer erleichtern, in den Daten nach möglichen und verantwortlichen Abhängigkeiten zu suchen. Zu den genannten Operationen, die in beiden Programmen vorhanden sind, gehören:

- Statistik- und Profilanalyse,
- Lückenanalyse,
- Mehrfachbelegungs- beziehungsweise Dublettenanalyse,
- Teilsummenbildung bezüglich Datenfelder,
- Schichtung von Daten in Klassen nach numerischen oder alphanumerischen Merkmalen,
- Altersstrukturanalyse,
- Erstellung von Kreuz- beziehungsweise Pivottabellen zur Gegenüberstellung von zwei oder mehreren Merkmalen und
- Benford-Analyse.

Beim Prüfprogramm ACL finden sich diese Gruppierungsfunktionen unter dem Menüpunkt »Analyse«, bei IDEA werden nicht alle Gruppierungsfunktionen dem Menüpunkt »Analyse« zugeordnet: die Lücken- und Mehrfachbelegungsanalyse findet der Prüfer unter dem Menüpunkt »Daten«.

Statistik- und Profilanalyse

Bevor der Prüfer über die Qualität des vorliegenden Datenmaterials ein endgültiges Urteil fällen kann, ist es wichtig, dass er sich über entsprechende Größen- und Strukturinformationen numerischer Werte und Datumswerte informiert (zum Beispiel welche Spannweite umfassen die Rechnungsbeträge, wo liegt der Durchschnitt der Rechnungsbeträge und wie streuen sich diese in den beobachtbaren Rechnungen?). Hier bieten beide Programme die Möglichkeit, Statistiken bezüglich numerischer Werte und Datumswerte zu erstellen. Während bei IDEA der Prüfer bereits über eine entsprechende Einstellung beim Datenimport (Defaultwert: Statistik erstellen) entscheiden kann, ob er zusätzlich für alle diese Datentypen Statiken erstellen möchte, hat der Prüfer bei dem Programm ACL die Option, nachträglich über den Menüpunkt »Analyse/Statistik« sowohl eine Profilanalyse als auch eine Statistik für gewählte Datenfelder durchzuführen. Bei der Profilanalyse erhält er zu den gewählten numerischen Werten das Maximum, das Minimum und die Summe der Beträge wie auch die Absolutbeträge angezeigt. Bei der Statistik werden analog zu IDEA neben den Summen der Beträge auch die Summe der Absolutbeträge, gegliedert nach positiven, negativen und Nullwerten, sowie der Durchschnitt und die Standardabweichung zur Feststellung des Streuverhaltens dargestellt. Insbesondere mit Hilfe der beiden letztgenannten Maßzahlen (Durchschnitt, Standardabweichung) kann der Prüfer eine erste Strukturanalyse über das Streuverhalten der vorliegenden Daten machen. Je höher die Standardabweichung ist, desto stärker sind die vorliegenden numerischen Werte gestreut, was gegebenenfalls eine Schichtung der Daten in entsprechende Klassen rechtfertigt beziehungsweise notwendig macht.

Die Funktionen und
Verfahren der
Prüfsoftwaresysteme
für den Prüfalltag

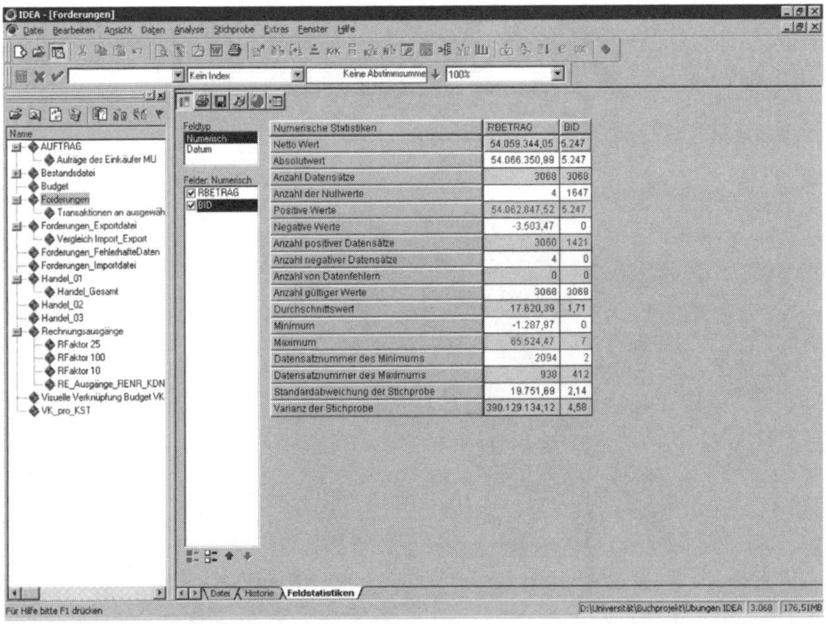

Abb. 87 Register »Feldstatistik« in IDEA mit den Statistikkennzahlen numerischer Werte

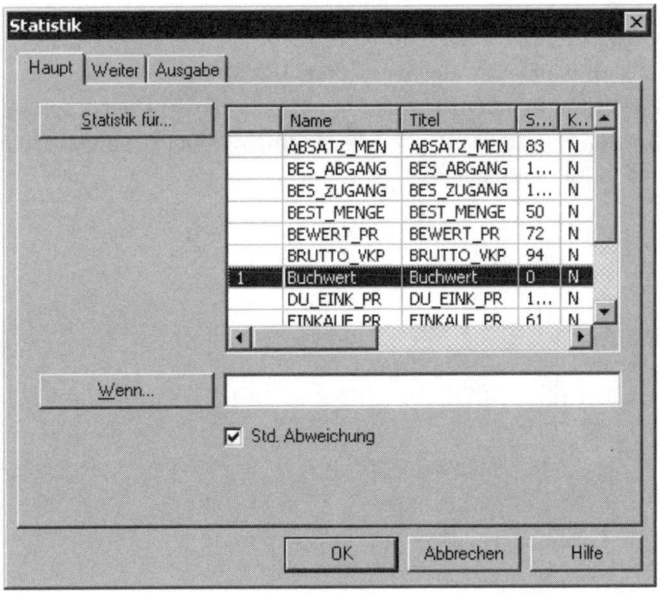

Abb. 88 Auswahldialog zur Spezifikation der numerischen Felder für die Statistik in ACL

Gruppierungsfunktionen
zur Verdichtung
und Gegenüberstellung
von Daten

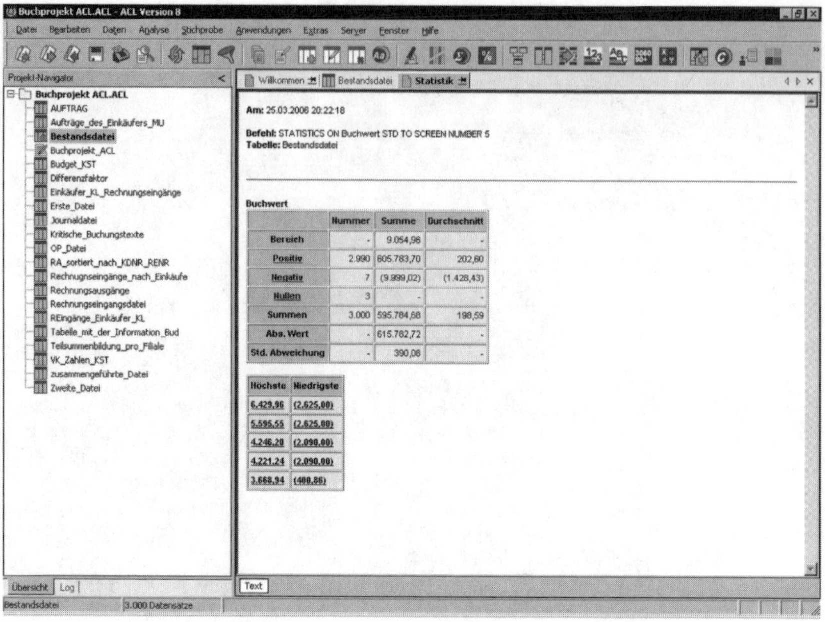

Abb. 89 Register »Statistik« in ACL mit den Werten der gewählten numerischen Datenfelder

Bei der Statistik für Datumsfelder errechnen beide Programme das höchste und das kleinste Datum des gewählten Datumsfeldes vorliegender Daten. IDEA zeigt zusätzlich dem Prüfer an, welches der häufigste Tag und Monat ist und gibt an, wie die Häufigkeitsverteilung der Datumsangaben in den entsprechenden Monaten ausfällt.

Die Funktionen und
Verfahren der
Prüfsoftwaresysteme
für den Prüfalltag

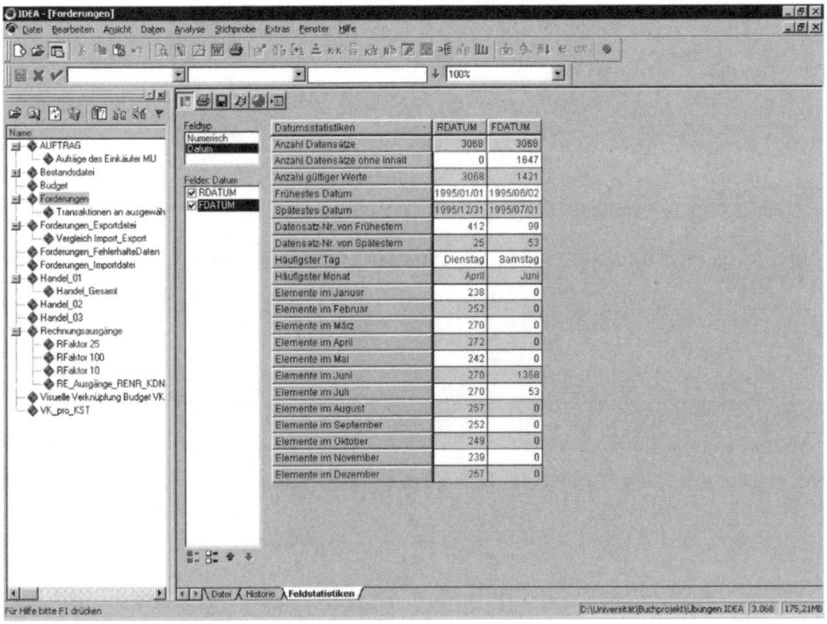

Abb. 90   Feldstatistik für Datumsfelder bei IDEA

Lückenanalyse

Eine erste und grundlegende Handlung im Rahmen der Ordnungsmäßigkeitsprüfung vorliegenden Datenmaterials ist die Überprüfung auf mögliche Lücken bei lückenlos und fortlaufend vergebenen Nummernfeldern
hin (Belegnummern, Rechnungs- und Lieferscheinnummern). Hierzu bieten beide Programme die Möglichkeit, bezüglich solcher Felder eine Lückenanalyse durchzuführen (ACL: »Analyse/Nach Lücken suchen ...«;
IDEA: »Daten/Lückenanalyse ...«).

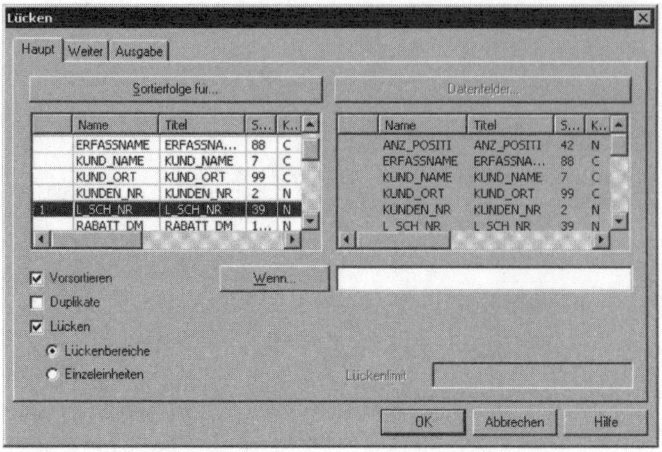

Abb. 91 Auswahldialog »Lücken« zur Durchführung einer Lückenanalyse in ACL

Dabei erstellen beide Prüfprogramme eine Auswertung, in der die Lückenbereiche einzeln angezeigt werden. Sollte der Prüfer beispielsweise bei seiner Analyse in der Buchhaltung bei den Belegnummern Lücken finden, so kann er diese Auswertung in Papier- und/oder Dateiform einem zuständigen Mitarbeiter der Buchhaltung zur Verfügung stellen, um die entdeckten Lücken zu erklären beziehungsweise weitere Daten mit den fehlenden Belegnummern für die weiteren Prüfungshandlungen bereitzustellen. Da es bei technischen Prüfungen vorkommen kann, dass spezielle Nummernfelder (zum Beispiel zur Gerätekennung) in speziellen Schrittweiten automatisch erzeugt und vergeben werden, gibt es in beiden Programmen die Möglichkeit, eine solche vorhandene Lückengröße vor Durchführung zu hinterlegen, so dass diese bei der Analyse berücksichtigt wird.

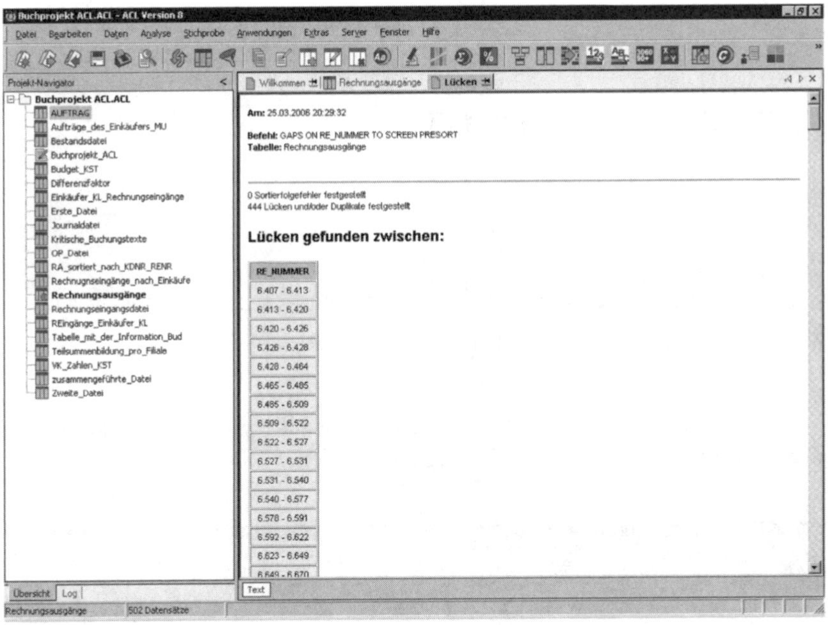

Abb. 92 Ergebnis der durchgeführten Lückenanalyse in ACL mit der Option
»Anzeige« als Register

Mehrfachbelegungs- und Dublettenanalyse

Eine weitere wichtige Prüfungshandlung im Rahmen einer ersten Ordnungsmäßigkeitsprüfung besteht im Auffinden vorhandener mehrfachbelegter Identifikationsnummern wie beispielsweise Artikel-, Kunden- oder
Rechnungsnummern. Mit Hilfe der in beiden Programmen vorhandenen
Funktion (ACL: »Analyse/Nach Duplikaten suchen ...«; IDEA: »Daten/
Mehrfachbelegung« kann der Prüfer eine Analyse zur Mehrfachbelegung
bei numerischen Werten durchführen.

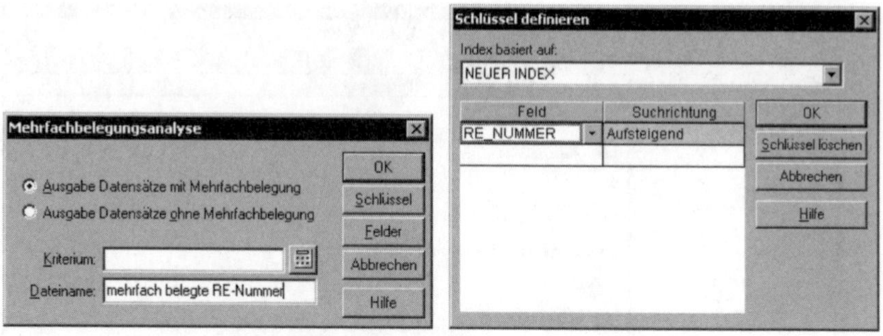

Abb. 93 Auswahldialog in IDEA zur Definition des Schlüssels

Beide Programme erstellen eine Liste, in der die mehrfach vorkommenden gewählten Schlüsselfelder angezeigt werden.

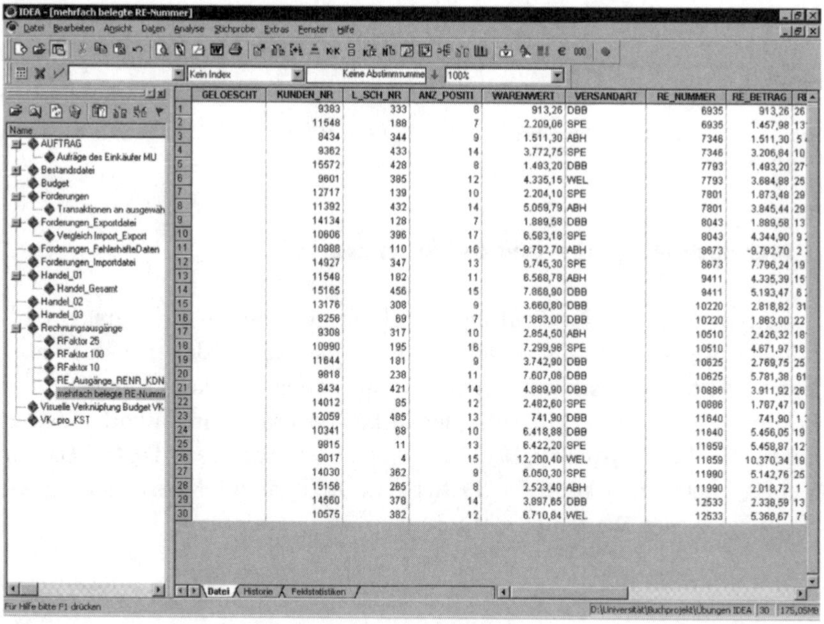

Abb. 94 Ergebnis einer Mehrfachbelegungsanalyse bei IDEA

Teilsummenbildung bezüglich Datenfelder

Möchte der Prüfer wissen, welche Buchungsbeträge auf welche Konten oder Kostenstellen im Prüfungszeitraum gebucht worden sind, so kann er dies über eine Teilsummenbildung bezüglich Konten oder Kostenstelle als Summationsfeld und Definition der Buchungsbeträge als zu summierendes Feld erzielen. Beide Programme erstellen daraufhin eine Tabelle, welche die Konten oder Kostenstelle mit den aufsummierten Buchungsbeträgen und der Anzahl der Datensätze pro Konto beziehungsweise Kostenstelle anzeigt. Somit kann der Prüfer erkennen, welcher der Konten beziehungsweise Kostenstellen wie stark und häufig im betrachteten Prüfungszeitraum bebucht worden sind.

Nach Wahl des Menüpunktes (ACL: »Analyse/Summenstruktur ...«; IDEA: »Analyse/Felder aufsummieren ...«) hat der Prüfer als Erstes das Summationsfeld zu definieren. Beide Programme bieten die Möglichkeit, mehrere Felder als Summationsfelder zu spezifizieren. Beim Programm IDEA wählt der Prüfer hierzu anstelle der Option »Schnell« die Option »Schlüsselfeld«. Danach sind die numerischen Felder zu spezifizieren, die bezüglich des gewählten Summationsfeldes (Lieferantennummer) zu summieren sind.

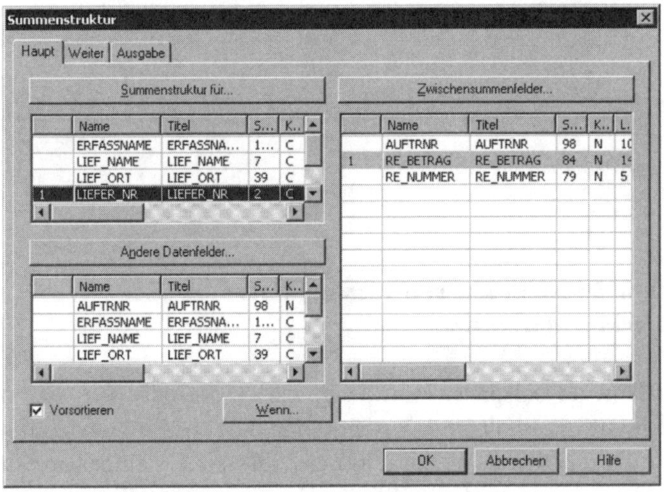

Abb. 95 Dialog zur Spezifikation der Teilsummenbildung in ACL

Mit beiden Programmen kann der Prüfer eine Tabelle erstellen, die ihm neben dem Summationsfeld und den gegebenenfalls gewählten und korres-

Gruppierungsfunktionen
zur Verdichtung
und Gegenüberstellung
von Daten

pondierenden anderen Datenfeldern (zum Beispiel bei Lieferantennummer
die korrespondierende Lieferantenbezeichnung) die Summe der definierten
numerischen Datenfelder anzeigt. So kann er nun feststellen, in welcher
Höhe Rechnungen von den einzelnen Lieferanten eingingen. In einer zusätzlichen Spalte erhält der Prüfer die Information, wie viele Datensätze pro
Summationsfeld in der jeweils angezeigten Summe enthalten sind.

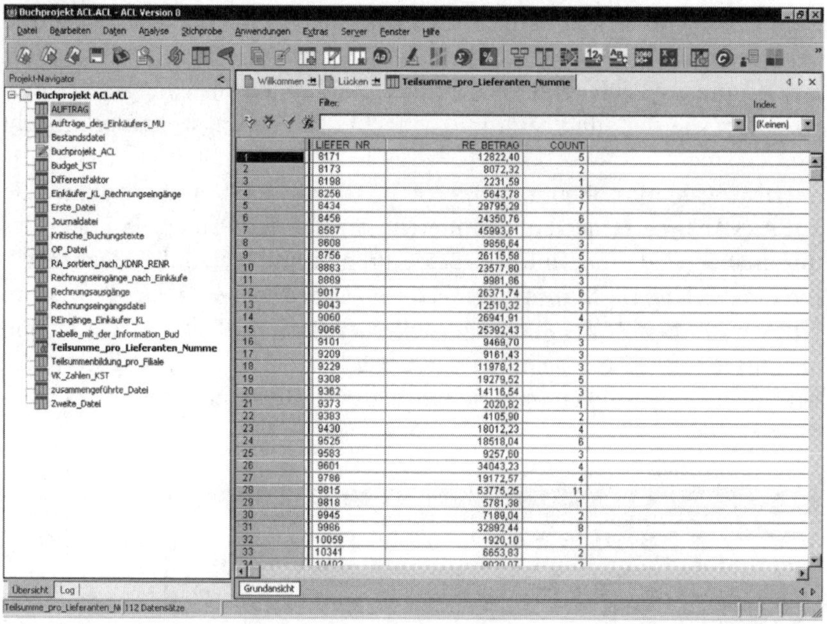

Abb. 96 Ergebnis einer Teilsummenbildung in ACL

Schichtung von Daten in Klassen nach numerischen oder alphanumerischen Merkmalen

Um festzustellen, ob beispielsweise die im Lager befindlichen Waren
wertmäßig gleichmäßig verteilt sind, benötigt man eine Gegenüberstellung
der relativen Häufigkeiten von Anzahl und Bestandswert der eingelagerten
Waren. Eine solche Analyse wird als ABC-Analyse bezeichnet. Sie zeigt, ob
bei den eingelagerten Waren Produkte vorhanden sind, die in geringer Anzahl auf Lager gehalten werden, aber wertmäßig einen hohen Beitrag zum
gesamten Lagerwert liefern. Diese Waren werden A-Güter genannt, die im
Rahmen von Inventurprüfungen einer Einzelsichtung und -bewertung be-

dürfen. Artikel, die zwar in ihrer Anzahl sehr häufig im Lager vorrätig sind, aber wertmäßig nur einen marginalen Anteil am gesamten Lagerbestand ausmachen (C-Güter), können bei der Inventur anhand von Stichprobenverfahren bewertet werden.

Beide Programme bieten dem Prüfer die Möglichkeit, unter dem Menüpunkt »Analyse« sowohl Daten nach numerischen Merkmalen (zum Beispiel Sichtung der Waren auf Lager nach ihrem Wert, Analyse der Kunden nach ihren Umsatzzahlen) oder alphanumerischen Merkmalen (zum Beispiel Sichtung der Bonität analysierender Unternehmen nach ihren Bonitätsstufen) zu sichten. Nach Wahl des entsprechenden Menüpunktes (ACL: »Analyse/Stratifizieren« beziehungsweise »Analyse/Verteilung«; IDEA: »Analyse/Datei schichten/Numerisch«) hat der Prüfer bei der numerischen Schichtung die Aufgabe, nach Definition des Sichtungsfeldes die Intervallgrenzen der Klassen zu parametrisieren. Hier besteht die Option, eine feste und äquidistante Intervalllänge vorzugeben, die das Programm veranlasst, vom Minimum aufwärts Klassen gemäß der Intervallbreite bis zum Maximum zu definieren. Aber er kann auch eigene und wechselnde Intervalllängen für die Klassen im Programm hinterlegen.

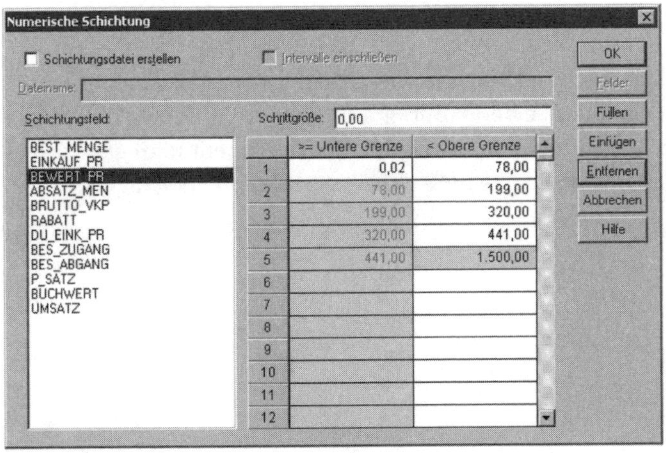

Abb. 97 Auswahldialog zur Durchführung einer numerischen Schichtung in IDEA

Bei der Schichtung nach alphanumerischen Werten bietet IDEA die Möglichkeit, die Intervalle für die Schichtung benutzerspezifisch zu parametrisieren, während ACL eine Schichtung aufgrund der in dem gewählten Datenfeld vorliegenden Auswahl automatisch vornimmt. Eine Schichtung

135

nach alphanumerischen Werten macht nur Sinn, wenn das entsprechende alphanumerische Datenfeld ein Klassifizierungsmerkmal wie beispielsweise die Bonitätsstufen darstellt.

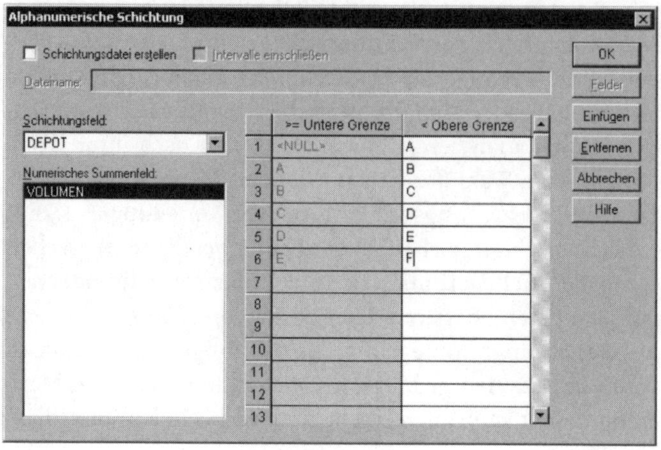

Abb. 98 Auswahldialog zur Spezifikation einer alphanumerischen Schichtung in IDEA

Sowohl für die Schichtung nach numerischen als auch nach alphanumerischen Werten erstellen beide Prüfprogramme nicht nur eine Tabelle, der die wertmäßige Verteilung der definierten Klassen zu entnehmen ist, sondern auch eine grafische Darstellung der Werteverteilung der Klassen.

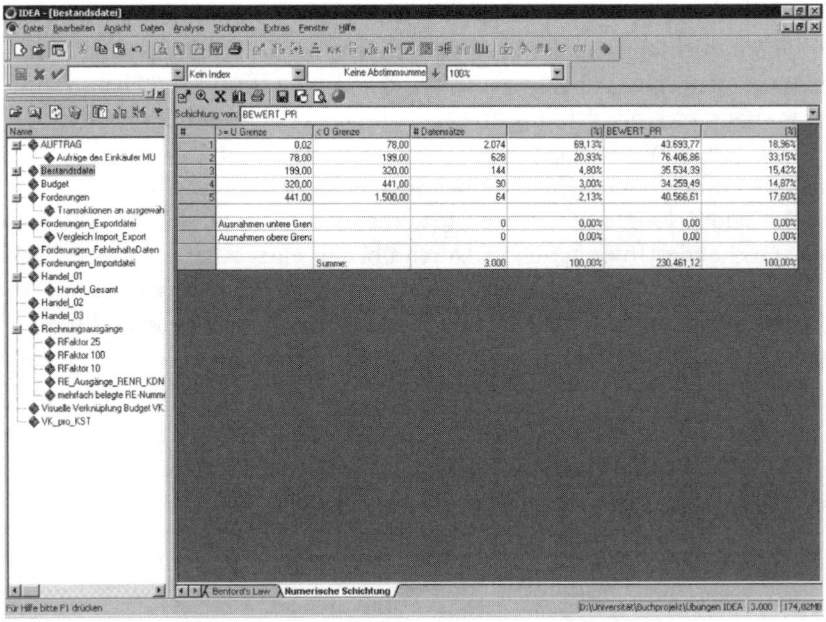

Abb. 99 Ergebnis der durchgeführten numerischen Schichtung in IDEA

IDEA bietet im Gegensatz zu ACL neben der Sichtung nach numerischen und alphanumerischen Datenfeldern auch eine Sichtung nach dem Datum an. Hier hat der Prüfer die Möglichkeit, sich eine Verteilung von Datenfeldern (zum Beispiel der Buchungsbeträge) in gewissen Zeitabständen anzeigen zu lassen. Beispielsweise könnte eine Analyse darin bestehen, das Buchungsaufkommen (Summe der Buchungsbeträge) pro Kalenderwoche (Schrittweite sieben Tage) zu berechnen, um zu prüfen, ob es Wochen mit einem hohen Buchungsaufkommen gab.

Altersstrukturanalyse

Ein weiteres wichtiges Instrument bei den Prüfungshandlungen im Bereich des Forderungs- und/oder Bestandsmanagements ist die Altersstrukturanalyse. Mit ihrer Hilfe lässt sich feststellen, ob und in welchem Umfang es in gewissen Zeitabständen zu einem vom Prüfer gewählten Stichtag wertmäßige Bewegungen gab. So kann im Rahmen einer Analyse offener Posten der Prüfer feststellen, ob und in welchem Umfang zu einem Prüfungszeitpunkt (als Stichtag gewählt) es offene Posten gibt. Durch eine Anzeige der

137

offenen Posten beispielsweise der letzten 30, 60, 90 und 180 Tage zum definierten Stichtag kann der Prüfer beurteilen, ob das Zahlungs- und Mahnmanagement seine Aufgabe zeitnah und korrekt wahrnimmt. Ebenso kann er im Rahmen einer Prüfung im Lager durch eine Altersstrukturanalyse der eingelagerten Waren analysieren, ob und in welchem Umfang es so genannte »Ladenhüter« gibt, die einer Sonderabschreibung bedürfen.

Bei beiden Programme findet sich unter dem Menüpunkt »Analyse« das entsprechende Untermenü zur Durchführung einer Altersstrukturanalyse (ACL »Analyse/Alter ...«; IDEA: »Analyse/Altersstrukturanalyse ...«). Der Prüfer muss den Stichtag, der defaultmäßig mit dem aktuellen Datum belegt ist, das Datumsfeld, das für die Klassenbildung maßgebend sein soll, und das/die numerische(n) Feld(er) spezifizieren.

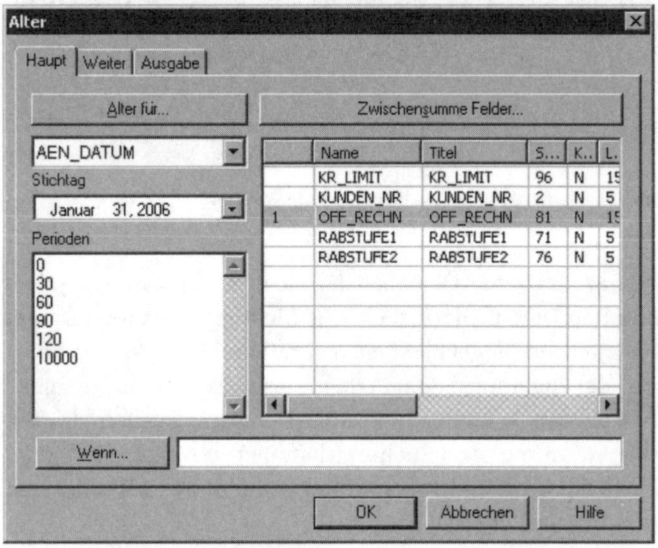

Abb. 100 Auswahldialog zur Spezifikation der Parameter zur Durchführung der Altersstrukturanalyse bei ACL

Anschließend erstellen beide Programme eine Tabelle, in der die definierten Zeitintervalle zum Stichtag und die aufkumulierten numerischen Werte mit ihren relativen Häufigkeiten angezeigt werden. Ebenso erstellen beide Programme zusätzliche eine grafische Darstellung der relativen Häufigkeiten mit den entsprechenden Zeitintervallen.

Die Funktionen und
Verfahren der
Prüfsoftwaresysteme
für den Prüfalltag

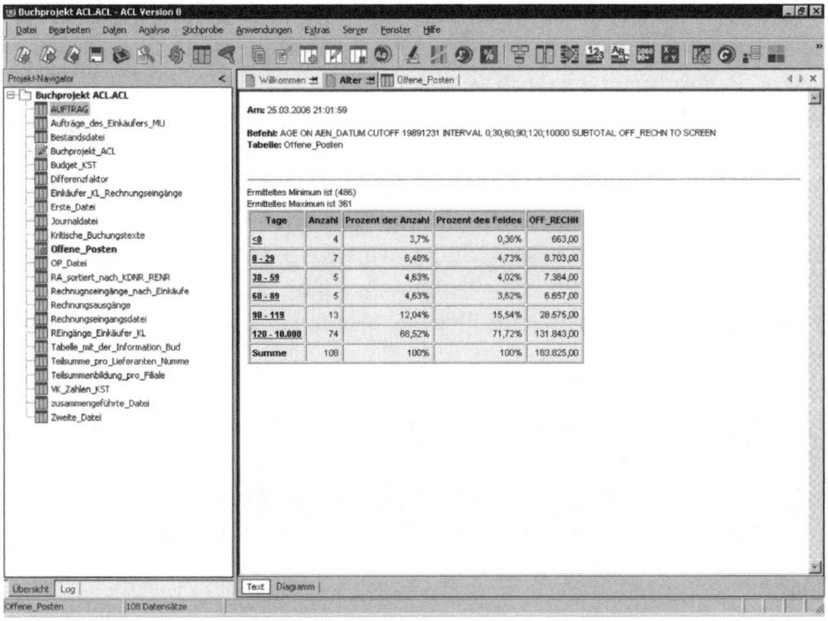

Buchprojekt ACL.ACL - ACL Version 8

Datei Bearbeiten Daten Analyse Stichprobe Anwendungen Extras Server Fenster Hilfe

Projekt-Navigator

- Buchprojekt ACL.ACL
  - AUFTRAG
  - Aufträge_des_Einkäufers_MU
  - Bestandsdatei
  - Buchprojekt_ACL
  - Budget_KST
  - Differenzfaktor
  - Einkäufer_KL_Rechnungseingänge
  - Erste_Datei
  - Journaldatei
  - Kritische_Buchungstexte
  - Offene_Posten
  - OP_Datei
  - RA_sortiert_nach_KDNR_RENR
  - Rechnungseingänge_nach_Einkäufe
  - Rechnungsausgänge
  - Rechnungseingangsdatei
  - REingänge_Einkäufer_KL
  - Tabelle_mit_der_Information_Bud
  - Teilsumme_pro_Lieferanten_Numme
  - Teilsummenbildung_pro_Filiale
  - VK_Zahlen_KST
  - zusammengeführte_Datei
  - Zweite_Datei

Willkommen | Alter | Offene_Posten

Am: 25.03.2006 21:01:59

Befehl: AGE ON AEN_DATUM CUTOFF 19891231 INTERVAL 0;30;60;90;120;10000 SUBTOTAL OFF_RECHN TO SCREEN
Tabelle: Offene_Posten

Ermitteltes Minimum ist (486)
Ermitteltes Maximum ist 361

Tage	Anzahl	Prozent der Anzahl	Prozent des Feldes	OFF_RECHN
<0	4	3,7%	0,36%	663,00
0 - 29	7	6,48%	4,73%	8.703,00
30 - 59	5	4,63%	4,02%	7.384,00
60 - 89	5	4,63%	3,62%	6.657,00
90 - 119	13	12,04%	15,54%	28.575,00
120 - 10.000	74	68,52%	71,72%	131.843,00
Summe	108	100%	100%	163.825,00

Übersicht | Log   Text | Diagramm
Offene_Posten   108 Datensätze

Abb. 101   Ergebnis der durchgeführten Altersstrukturanalyse in ACL
als Register

Erstellung einer Kreuz- beziehungsweise Pivottabelle zur Gegenüberstellung von zwei oder mehreren Merkmalen

Möchte der Prüfer beispielsweise bei einer Analyse der Umsatzzahlen feststellen, welche Kunden in welchen Filialen welche Umsätze getätigt haben, so kann er dies mit Hilfe einer so genannten Kreuz- beziehungsweise Pivottabelle (ACL: »Analyse/Kreuztabelle ...«; IDEA: »Analyse/Pivot Tabelle ...«) erstellen. Hierzu definiert er das entsprechende Zeilen- (zum Beispiel Kundennummer) und Spaltenkriterium (zum Beispiel Filialbezeichnung oder -nummer) sowie den anzuzeigenden numerischen Wert (zum Beispiel Rechnungsbeträge). Somit erhält er tabellarisch eine Darstellung der Umsätze gegliedert nach Kunden und Filialen mit ihren Randverteilungen (das heißt Umsätze pro Kunden, Umsätze in den einzelnen Filialen).

Eine solche Tabelle wird als Kreuz- beziehungsweise Pivottabelle bezeichnet und ermöglicht es dem Prüfer, sich über mögliche Zusammenhänge und Korrelationen zwischen Datenfeldern ein Bild zu machen. Im vorliegenden Beispiel informiert sie darüber, ob die Umsätze in den Filialen in etwa gleich sind oder es besonders umsatzstarke Filialen gibt, die besonders

139

Gruppierungsfunktionen
zur Verdichtung
und Gegenüberstellung
von Daten

häufig von speziellen und umsatzstarken Kunden frequentiert werden. Hierzu muss der Prüfer im Vorfeld überlegen, welche der Datenfelder er bei seiner Zusammenhangsanalyse gegenüberstellen möchte. Anschließend definiert er die Aufgabe, welche dieser Datenfelder als Zeilen- oder Spaltenkriterien zu nehmen sind. Zum Schluss wählt der Prüfer die numerischen Werte, mit deren Hilfe er den Zusammenhang prüft. Zusätzlich kann er sich zu den kumulierten numerischen Werten in der Tabelle auch die Anzahl anzeigen lassen. Handelt es sich bei den Werten um alphanumerische Werte, so ermitteln beide Programme nur die Anzahl der Konstellationen von Zeilen- und Spaltenkriterien (zum Beispiel Versandart pro Kunde und Niederlassung).

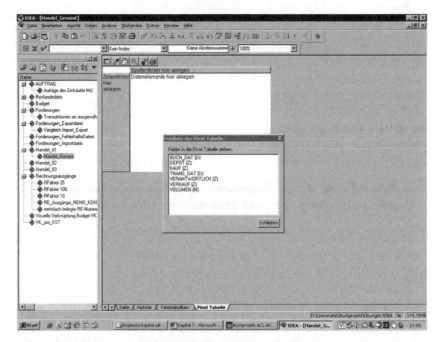

Abb. 102   Oberfläche zur Konfiguration der Pivottabelle bei IDEA

Das Programm ACL bietet zur Kreuztabelle auch eine grafische Darstellung der Korrelationsverhältnisse in Form eines Schaubildes an (Option »Diagramm«).

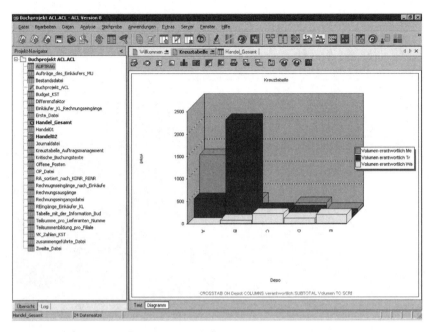

Abb. 103 Grafische Darstellung der Kreuztabelle in ACL

Bei beiden Programmen lassen sich über eine Kurzleiste entsprechende Ausprägungen der Spalten- und Zeilenkriterien im Nachhinein weiter konfigurieren (zum Beispiel nur Anzeige der Kunden aus einem speziellen Einzugsgebiet), um somit nur die Korrelationen anzuzeigen, die für die Prüfungshandlung von Bedeutung sind (beispielsweise spezielle Konten- und Kostenstellenkombinationen bei Buchungen im Rechnungswesen).

Gruppierungsfunktionen
zur Verdichtung
und Gegenüberstellung
von Daten

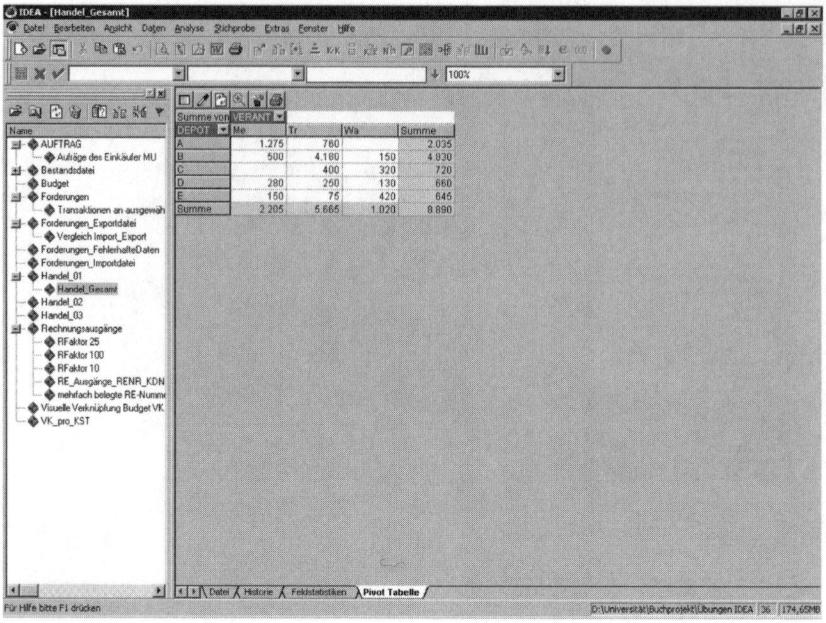

Abb. 104   Erstellte Pivottabelle bei IDEA

Während bei IDEA der Prüfer die Möglichkeit hat, seine Spalten- und Zeilenkriterien sowie die Wertanzeige via Drag&Drop in einem entsprechenden Tableau zu parametrisieren, ist bei ACL die Parametrisierung der entsprechenden Kriterien mittels Auswahlliste zu definieren.

Benford-Analyse

Zusätzlich zu den genannten Gruppierungsfunktionen bieten beide Programme die Möglichkeit der Benford-Analyse numerischer Felder an. Wie bereits im vorherigen Kapitel ausführlich dargestellt, kann der Prüfer mit Hilfe dieser Funktion analysieren, ob sich die Verteilung führender Ziffer gemäß der von Franklin Benford ermittelten Verteilung verhält, und eine festgestellte Abweichung grafisch darstellen lassen.

In beiden Programmen findet der Prüfer die Benford-Analyse unter dem Menüpunkt »Analyse« (ACL: »Analyse/Benford-Analyse durchführen ...«;IDEA: »Analyse/Benford's Law ...«).

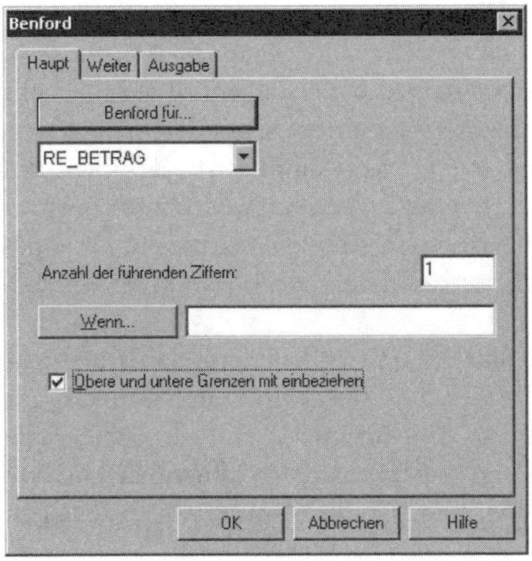

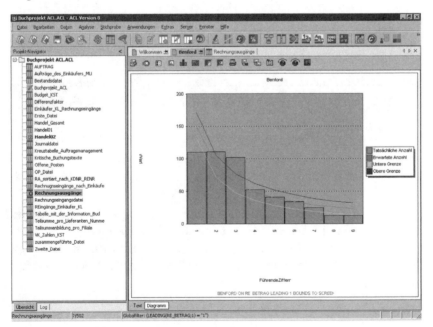

Abb. 105 Dialog zur Spezifikation der Benford-Analyse in ACL

Als Ergebnis erhält der Prüfer die Häufigkeitsverteilung der führenden Ziffer als Diagramm, zusätzlich kann er sich durch Doppelklick zu jeder führenden Ziffer das entsprechende Datenextrakt als »flüchtigen« Filter anzeigen lassen.

Abb. 106 Ergebnis der Benford-Analyse als Diagramm in ACL

Gruppierungsfunktionen
zur Verdichtung
und Gegenüberstellung
von Daten

Summenbildung von Datenfeldern

Da es bei beiden Prüfprogrammen nicht möglich ist, einzelne Felder mit entsprechenden Berechnungsformeln zu editieren, sondern eine entsprechende Feldbearbeitung nur spaltenweise erfolgt, kann der Prüfer nicht einfach unter einer numerischen Spalte eine Summe erstellen (zum Beispiel Summe der Forderungen im abgelaufenen Abrechnungsmonat). Grundsätzlich lässt sich die Summe numerischer Felder über die »Statistik« in beiden Prüfprogrammen anzeigen.

Zusätzlich bietet IDEA die Möglichkeit, mit Hilfe einer in der Dateisicht verfügbaren Leiste über ein entsprechendes Listenfeld, das defaultmäßig auf »keine Abstimmsumme« gesetzt ist, die Summe über eine numerische Spalte auszugeben. Hierzu wählt der Prüfer in der sich öffnenden Auswahl des Listenfeldes diejenige Spalte aus, deren Gesamtsumme er sich anzeigen lassen möchte.

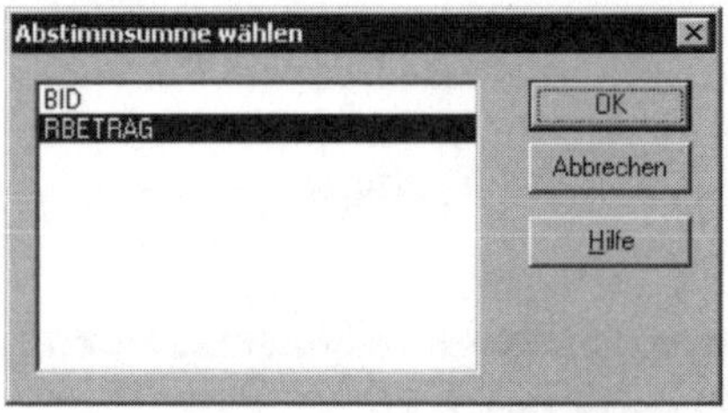

Abb. 107 Dialog zur Wahl des Summationsdatenfeldes in IDEA

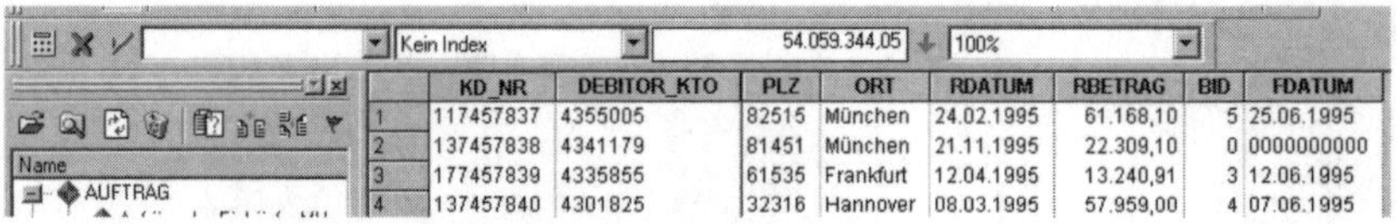

Abb. 108 Listenfeld mit der Summe des gewählten Datenfeldes in IDEA

ACL verfügt dagegen in seinem Menüpunkt »Analyse« zusätzlich über das Untermenü »Feldsummen«, mit dessen Hilfe der Prüfer sich die Summe der numerischen Felder anzeigen lassen kann. Nach Parametrisierung des entsprechenden Auswahldialoges erstellt ACL ein zusätzliches Register mit der Anzeige der jeweiligen Summen.

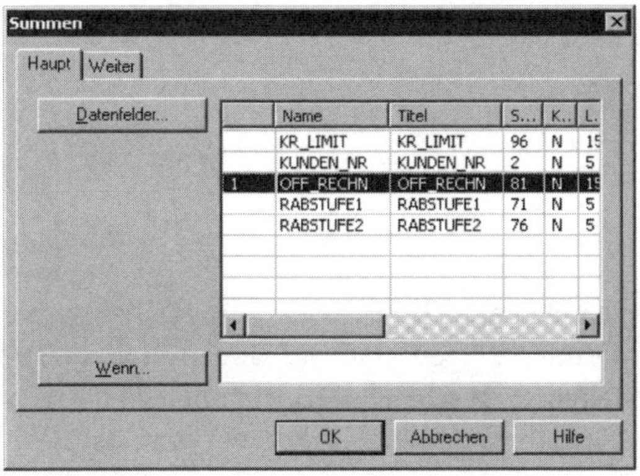

Abb. 109 Dialog in ACL zur Definition der Datenfelder, deren Summen errechnet werden sollen

Stichprobenfunktionen

Je nach Prüfungsumfang und der zur Verfügung stehenden Zeit ist es wegen stetig schrumpfender Prüfungsbudgets aus wirtschaftlichen und zweckmäßigen Gründen häufig notwendig, anstelle einer Vollprüfung eine Stichprobenprüfung vorzunehmen und aufgrund ihres Ergebnisses entsprechende Aussagen und Feststellungen für die Grundgesamtheit zu treffen. Die aus solchen Prüfungen hochgerechneten Ergebnisse sind nicht fehlerfrei und unterliegen in der Regel einer zu akzeptierenden und auch zu dokumentierenden Irrtumswahrscheinlichkeit, die im Allgemeinen bei 5 Prozent liegt. Bei besonders sensiblen Bereichen wie beispielsweise technischen Prüfungen beziehungsweise Prüfungen im medizinischen Bereich kann es vorkommen, dass nur eine Irrtumswahrscheinlichkeit von 1 Prozent als akzeptabel angesehen wird und zu verwenden ist.

Beide Prüfprogramme bieten sowohl die Attributsstichprobe (bei ACL auch Datensatzstichprobe genannt) als auch das Monetary-Unit-Verfahren (MUS) als Stichprobenverfahren an.

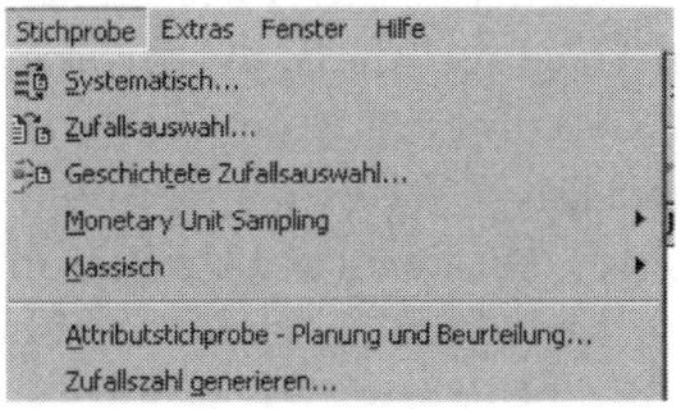

Abb. 110 Menüpunkt »Stichprobe« bei IDEA

Abb. 111 Menüpunkt »Stichprobe« bei ACL

Bei der Attributsstichprobe handelt es sich um einen Signifikanztest, bei dem festgestellt wird, ob eine definierte Eigenschaft vorhanden ist (zum Beispiel Vorhandensein der gesetzlich vorgeschriebenen Bestandteile bei Verträgen, Vorhandensein von Belegdatum, Unterschriften et cetera bei Belegen). Das Verfahren ist anteilsbasiert und ermittelt mit Hilfe der Stichprobe die Fehlerrate (Verhältnis aus der Anzahl fehlerhafter Objekte zur Anzahl aller Objekte in der Stichprobe), mit deren Hilfe das Programm unter Berücksichtigung der vorgegebenen Irrtumswahrscheinlichkeit beziehungsweise des Konfidenzniveaus (= Vertrauensniveau = 1 – Irrtumswahrscheinlichkeit) die Fehlertoleranz (= hochgerechneter Fehleranteil in der Grundgesamtheit) errechnet. Im Vorfeld einer solchen Stichprobe ist von Seiten des Prüfers genau zu spezifizieren, welche Attribute beispielsweise für die Gewährleistung der Ordnungsmäßigkeit oder Richtigkeit maßgeblich sind. Bei diesem Stichprobenverfahren umfasst die Grundgesamtheit die Gesamtmenge der zu prüfenden Unterlagen beziehungsweise Sachverhalte.

Beim Monetary-Unit-Verfahren (MUS) handelt sich dagegen um einen wertbasierten Ansatz, bei dem nicht die Anzahl der vorliegenden Positionen (Anzahl der Buchungen) maßgeblich ist, sondern deren Werte (Buchungsbeträge). Hier kommt die Forderung der Revision beziehungsweise der Wirtschaftsprüfer nach einer Berücksichtigung besonders werthaltiger Positionen, der Minimierung der Gefahr von Überbewertungen und kleinen Stichprobenumfängen zum Tragen. Die Grundgesamtheit umfasst bei diesem Verfahren die Gesamtsumme der zu prüfenden numerischen Werte (Summe der Forderungen bei einer Vorsteuerprüfung). Im Gegensatz zur Attributsstichprobe handelt es sich hierbei um ein Testverfahren, bei dem die Poisson-Verteilung (Verteilung »seltener« Ereignisse) Träger des Verfahrens ist. Auch hier besteht ein Risiko der Fehlerhochrechnung, die der Prüfer durch Angabe eines Konfidenzniveaus (= Vertrauensniveau = 1 – Irrtumswahrscheinlichkeit) berücksichtigen muss. Das Konfidenzniveau liegt entsprechend dem Attributsstichprobenverfahren bei normalen Prozessen beziehungsweise zu prüfenden Sachverhalten bei 5 Prozent und sollte im Falle sensibler Bereiche wieder bei circa 1 Prozent liegen. Neben der Gesamtsumme des zu prüfenden Wertes und dem vom Prüfer vorgegebenen

Vertrauensniveau gibt es den Wesentlichkeitsbetrag (Materiality), der im Verfahren zwei Aufgaben übernimmt. Zum einen gibt er die Barriere für die Einzelprüfung der Positionen an, das heißt, alle Positionen, deren Wert über dem Wesentlichkeitsbetrag liegen, sind aus der Stichprobe zu nehmen und einzeln zu prüfen. Darüber hinaus dient der Wesentlichkeitsbetrag als Barriere für die Feststellung, das heißt, falls der hochgerechnete Fehler über dem Wesentlichkeitsbetrag liegt, ist die Prüfung unter Berücksichtigung der Vorgaben als nicht ordnungsgemäß zu bewerten. Als vierte Größe erfasst der Prüfer den Fehlbetrag, das heißt den aufgrund der bisherigen Prüfungshandlungen festgestellten kumulierten Fehlerbetrag.

Bei beiden Stichprobenverfahren ermitteln beide Programme die:

- *Planung der Stichprobe:* Für die Attributsstichprobe ermitteln die Programme unter Angabe der Größen Grundgesamtheit (= Anzahl der Objekte), des Konfidenzniveaus (= 1 – akzeptierte Irrtumswahrscheinlichkeit), der Fehlerrate (= zu erwartender Fehleranteil in der Stichprobe) und der akzeptierten Fehlertoleranz (= in der Grundgesamtheit als zulässig erachteter Fehleranteil) den notwendigen Stichprobenumfang (ACL: »Stichprobe/Stichprobenumfang berechnen«; IDEA: »Stichprobe/Attributsstichproben – Planung und Beurteilung ...«). Da diese Art der Stichprobe in der Regel physisch durchgeführt wird (Belegprüfung, Inventurprüfung), weiß der Prüfer nach Durchführung dieser Planung, wie viele Objekte (Belege, Artikel) er im Einzelnen genau prüfen muss.

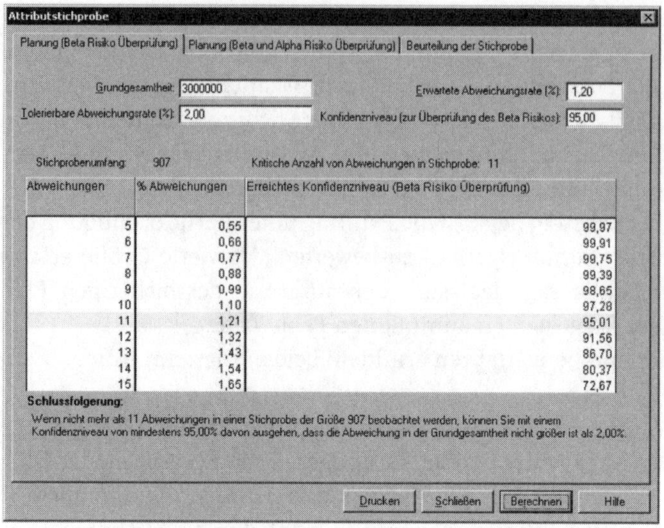

Abb. 112 Auswahldialog zur Ermittlung des Stichprobenumfangs bei der Attributsstichprobe in IDEA

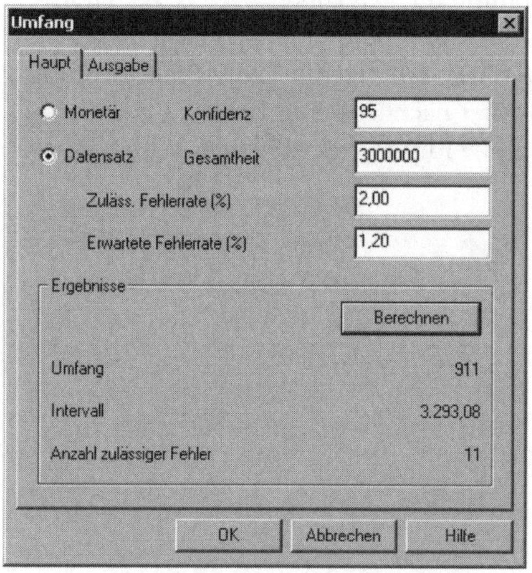

Abb. 113 Planung des Stichprobenumfangs bei ACL

IDEA bietet bei der Planung der Stichprobe dem Prüfer zusätzlich die Möglichkeit, neben seinem eigenen Risiko auch das des Auftraggebers beziehungsweise des zu Prüfenden (»Alpha«-Risiko) zu berücksichtigen.

Die Funktionen und
Verfahren der
Prüfsoftwaresysteme
für den Prüfalltag

Hierzu erfasst er im zweiten Register des entsprechenden Menüpunktes neben dem Konfidenzniveau für den Prüfer auch das Konfidenzniveau des Auftraggebers beziehungsweise des zu Prüfenden.

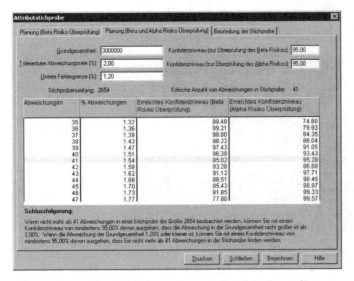

Abb. 114 Planung des Stichprobenumfangs mit Berücksichtigung des »Alpha«-Risikos bei IDEA

Beim MUS-Verfahren ermitteln beide Prüfprogramme das Auswahlintervall (ACL: »Stichprobe/Stichprobenumfang berechnen ...«; IDEA: »Stichprobe/Monetary Unit Sampling/Planung«). Hierzu muss der Prüfer die Gesamtsumme der prüfenden numerischen Werte als Grundgesamtheit erfassen. Im Gegensatz zu ACL, wo der Prüfer die Gesamtsumme eingibt, übernimmt IDEA die automatische Ermittlung der Gesamtsumme nach Wahl des zu prüfenden numerischen Datenfeldes. Darüber hinaus sind das Konfidenzniveau (= 1 – Irrtumswahrscheinlichkeit) und der Wesentlichkeitsbetrag zu erfassen. Ferner muss der Prüfer die in seinen Prüfungshandlungen festgestellten Fehler betragsmäßig erfassen. Das ermittelte Auswahlintervall übernimmt folgende Funktion bei der Ermittlung der relevanten Elemente (Datensätze) in der Stichprobe.

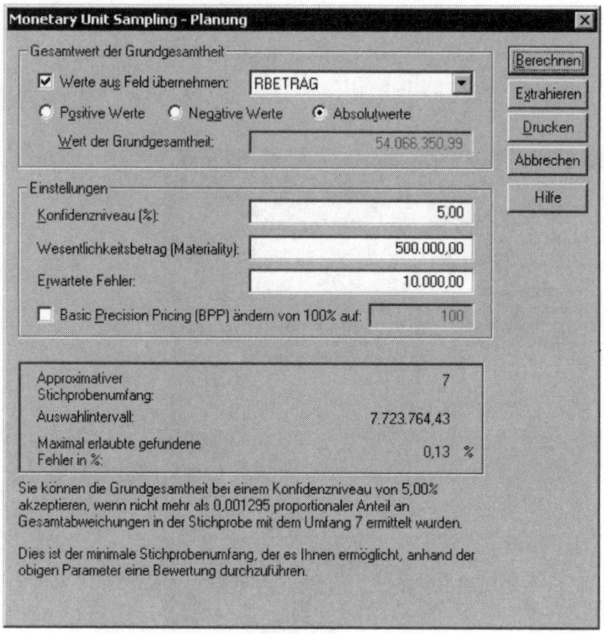

Abb. 115 Dialog in IDEA zur Ermittlung des Auswahlintervalls für MUS

Vorab sind die Positionen aus der Grundgesamtheit zu filtern, deren Wert größer als der Wesentlichkeitsbetrag ist (hier hat der Wesentlichkeitsbetrag unter anderem die Funktion, die besonders werthaltigen Positionen aus der Stichprobe zu filtern). Der verbleibende Rest der Daten wird dann von der ersten bis zur letzten Position betragsmäßig kumuliert. Der mit Hilfe des in der Prüfsoftware vorhandenen »Rechners« zur Bestimmung des Stichprobenumfangs ermittelte Wert des Auswahlintervalls bestimmt nun die Zugriffsregel, nach der die Positionen in die Stichprobe eingehen.

Vorgehensalgorithmus

Sei das Auswahlintervall = I, x(i) die i-te Position beziehungsweise der i-te Datensatz, B(i) der Betrag der i-ten Position und KB(i) der bis zur i-ten Position kumulierte Betrag sowie m eine natürliche Zahl, dann gilt:

(1) beim erstmaligen Tangieren des Auswahlintervalls:
Falls KB(i-1) < I ≤ KB(i), dann ist die i-te Position in die Stichprobe zu nehmen, das heißt, falls die bis zur (i-1)-ten Position aufsummierten Beträge kleiner sind als die Höhe des Auswahlintervalls I und der Be-

Die Funktionen und
Verfahren der
Prüfsoftwaresysteme
für den Prüfalltag

trag der i-ten Position so hoch ist, dass durch das Aufaddieren dieses Betrages der mit einschließlich der i-ten Position ermittelte kumulierte Betrag KB(i) = KB(i-1)+B(i) höher ist als das Auswahlintervall, so fällt diese Position in die Stichprobe.

(2) Bei den weiteren Vielfachen des Auswahlintervalls gilt dann entsprechend:

Falls KB(j-1) < m × I (Vielfaches von dem Auswahlintervall I) ≤ KB(j), dann ist diese j-te Position in die Stichprobe zu nehmen, das heißt auch bei dem weiteren Vielfachen des Auswahlintervalls I ist jeweils die Position in die Stichprobe zu nehmen, bei der durch Addition ihres eigenen Betrages B(j) der kumulierte Wert gerade zum ersten Mal über das Vielfache des Auswahlintervalls steigt.

(3) Hinweis:

Dabei ist es möglich, dass eine Position mehrfach in die Stichprobe gelangt, nämlich dann, wenn deren Betrag größer als das Auswahlintervall ist, da dieses dann noch mehrmals in die Relation KB(j-1) < m × I ≤ KB(j) fallen kann.

(4) Zahlenbeispiel:

Das ermittelte Auswahlintervall sei I = 100.000 (Rechenhinweis: Auswahlintervall I = Gesamtwert(GG)/Stichprobenanzahl(n))

Folgende Positionen liegen auszugsweise vor:

Positionen(i):	B(i)	KB(i)
1. Position:	20.000	20.000
2. Position:	45.000	65.000
3. Position:	10.000	75.000
4. Position:	30.000	105.000
5. Position:	40.000	145.000
6. Position:	70.000	215.000
7. Position:	230.000	445.000

Für Bemerkung (1) ergibt sich:

Danach würde zum ersten Mal die Position i = 4 in die Stichprobe fallen, da hier gilt: KB(i-1) = KB(3. Position) = 75 000 < 100 000 ⇐ 105 000 = KB(4. Position) = KB(i)

Für die Bemerkung (2) ergibt sich:

Ferner würde die Position j = 6 das nächste Element in der Stichprobe, da hier das Zweifache des Auswahlintervalls (m = 2) in die Bandbreite fällt, denn der bis zur 5. Position kumulierte Betrag ist kleiner als das Zweifache des Auswahlintervalls (hier 2 × 100.000 = 200.000) und der mit der 6. Position ergebene kumulierte Betrag ist größer als die 200.000 (nämlich 215.000).

Für die Bemerkung (3):

Da der Wert der Position 7 größer ist als das Auswahlintervall (hier beträgt der Wert der Position das 2,3fache des Auswahlintervalls), fällt die Position 7 zweimal in die Stichprobe, da für das Dreifache (m = 3) und das Vierfache (m = 4) des Auswahlintervalls gilt:

$KB(j-1) = KB(6. Position) = 215.000 < 300.000 \leq 445.000 = KB(7. Position) = KB(j)$

$KB(j-1) = KB(6. Position) = 215.000 < 400.000 \leq 445.000 = KB(7. Position) = KB(j)$

und so weiter.

Bei beiden Programmen ist diese Funktion zur Ermittlung des Stichprobenumfangs bei der Attributsstichprobe eine Art »Rechner« analog zum bekannten Windows-Rechner, der unabhängig von der im Hintergrund definierten Datei den Stichprobenumfang durch Angabe der genannten Eingabegrößen errechnet.

Durchführung der Stichprobe

Für beide Stichprobenverfahren kann der Prüfer mit Hilfe der Programme auch nach der Planung des Stichprobenumfangs (Attributsstichprobe) beziehungsweise des Auswahlintervalls (MUS-Verfahren) jeweils eine Stichprobe ziehen. Es werden sowohl die Zufallsstichprobe als auch die systematische Auswahl angeboten. Während bei der Datensatzstichprobe beide Programme eine Auswahl von Datensätzen liefern, die über ein Attribut (zum Beispiel Belegnummer, Inventarnummer) dem Prüfer mitteilen, welche Objekte er im Rahmen seiner Stichprobe im Einzelnen zu prüfen hat, wird beim MUS-Verfahren jeweils eine Datei mit den aufgrund des ermittelten Auswahlintervalls relevanten Datensätzen erzeugt.

Die Funktionen und
Verfahren der
Prüfsoftwaresysteme
für den Prüfalltag

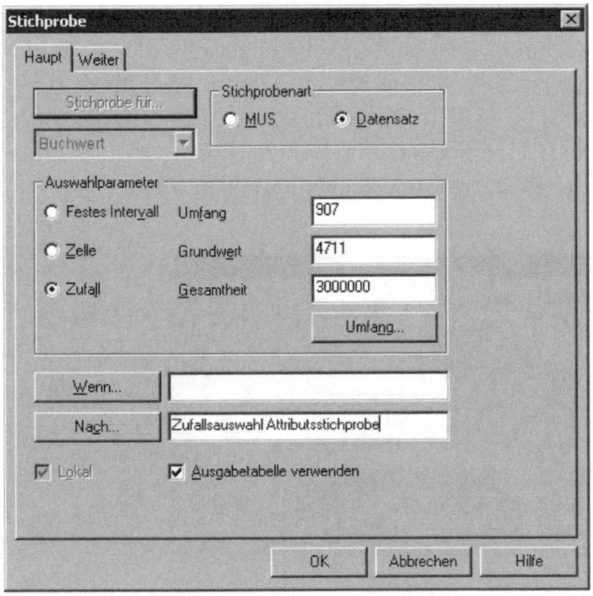

Abb. 116 Dialog zur Ziehung der Stichprobe bei der Attributsstichprobe in ACL

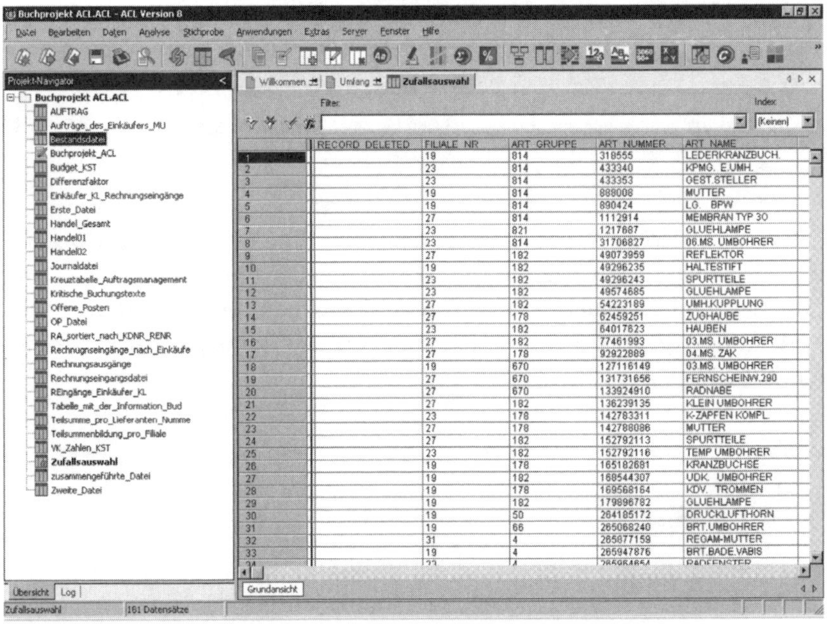

Abb. 117 Tabelle mit der gezogenen Stichprobe für die Attributsstichprobe in ACL

Beim Monetary Unit Sampling wird in IDEA im Rahmen der gezogenen Stichprobe eine zusätzliche Spalte »Prüfwert« bereitgestellt, die der Prüfer mit den korrekten numerischen Werten editieren kann. Hier bietet IDEA dem Prüfer im Gegensatz zu ACL für die Hochrechnung der aus der Stichprobe erzielten Ergebnisse eine bequeme und übersichtliche Art der Erfassung der im Rahmen der Prüfung festgestellten korrekten Werte.

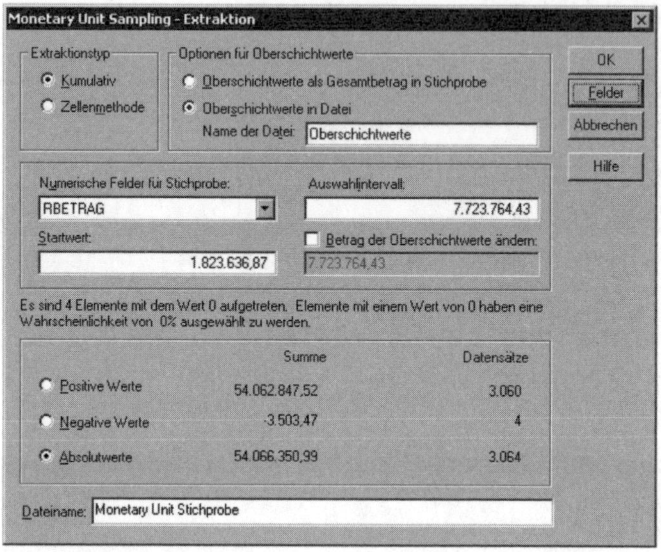

Abb. 118 Auswahldialog zur Stichprobenziehung bei MUS in IDEA

Die numerischen Werte, die über dem vom Prüfer festgesetzten Wesentlichkeitsbetrag liegen, werden in IDEA automatisch in eine separate Datei extrahiert und können dort vom Prüfer eingesehen und einzeln überprüft werden. In ACL erfolgt eine solche automatische Extraktion der hohen numerischen Werte nicht.

Die Funktionen und
Verfahren der
Prüfsoftwaresysteme
für den Prüfalltag

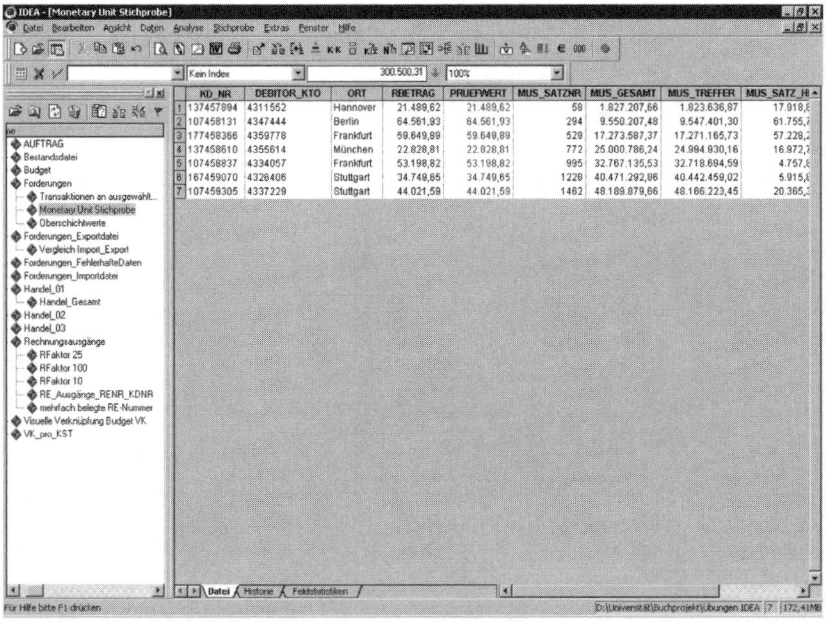

Abb. 119 Ergebnis der Stichprobenziehung in IDEA mit der zusätzlichen Spalte »Prüfwert« zur Erfassung der korrekten numerischen Werte durch den Prüfer

Beurteilung der Stichprobe

Neben der Planung und Durchführung der Stichprobe verfügt der Prüfer über die Möglichkeit, mit Hilfe beider Programme eine durchgeführte Stichprobe durch Ermittlung des auf die Grundgesamtheit hochgerechneten Fehlers zu beurteilen (ACL: »Stichprobe/Fehler auswerten ...«; IDEA: »Stichprobe/Attributsstichprobe – Planung und Beurteilung« oder »Stichprobe/Monetary Unit Sampling/Beurteilung«). Während in ACL die Eingabe der ermittelten Fehlbeträge in Form einer Liste mit dem Betrag und dem Fehlbetrag durch den Prüfer erfolgt, kann der Prüfer in IDEA in der mit den Stichprobenelementen extrahierten Datei die korrekten Werte erfassen.

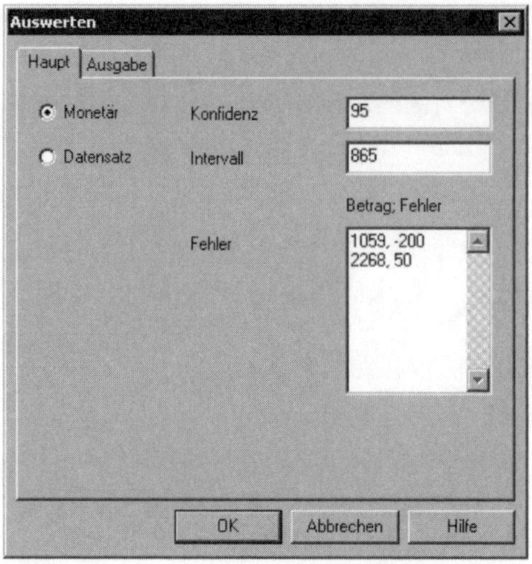

Abb. 120 Erfassungsmaske zur Erfassung der in der Stichprobe ermittelten Fehler bei MUS in ACL

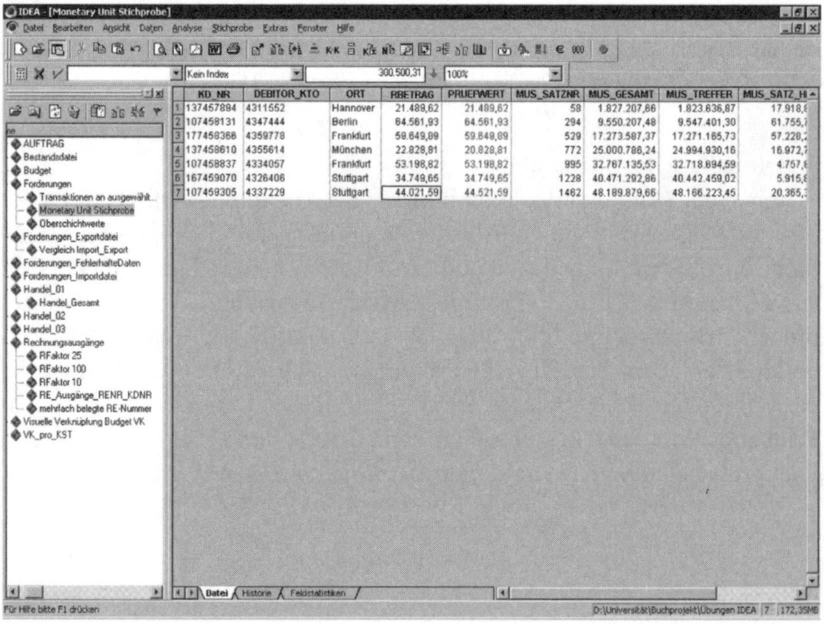

Abb. 121 Erfassung der korrekten Werte in der Spalte »Prüfwert« durch den Prüfer in IDEA

Die Interpretation wird in beiden Programmen dem Prüfer als Register angezeigt, wobei die Möglichkeiten der Parametrisierung, der Darstellung und die Differenzierung in vorhandene Über- und Unterbewertungen in IDEA um ein Vielfaches benutzerfreundlicher, leichter interpretierbar und vollständiger sind. Das Ergebnis in ACL wird dem Prüfer dagegen knapp und ohne weitere Erläuterungen in Form einer Liste bereitgestellt, die im Allgemeinen weitere informative Ergänzungen zur Interpretation der Hochrechnung erfordert.

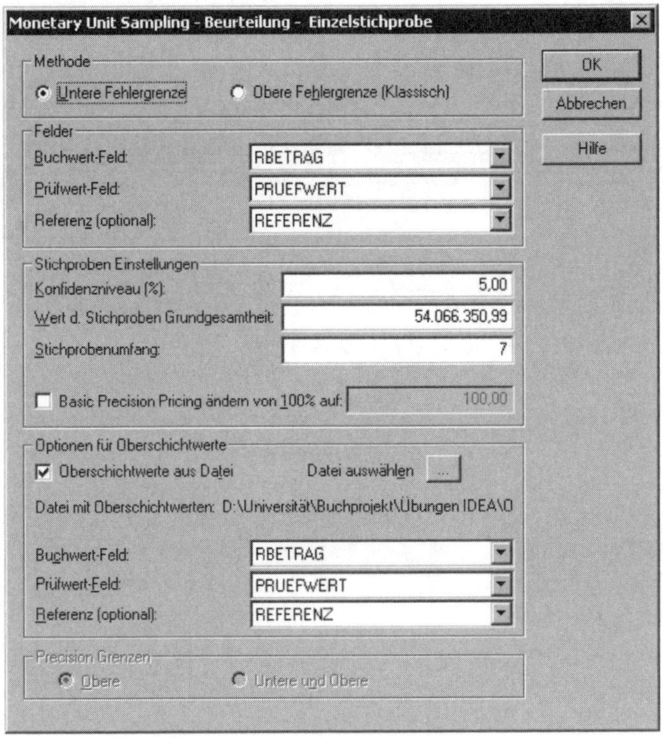

Abb. 122 Auswahldialog zur Parametrisierung der Stichprobenbeurteilung beim MUS in IDEA

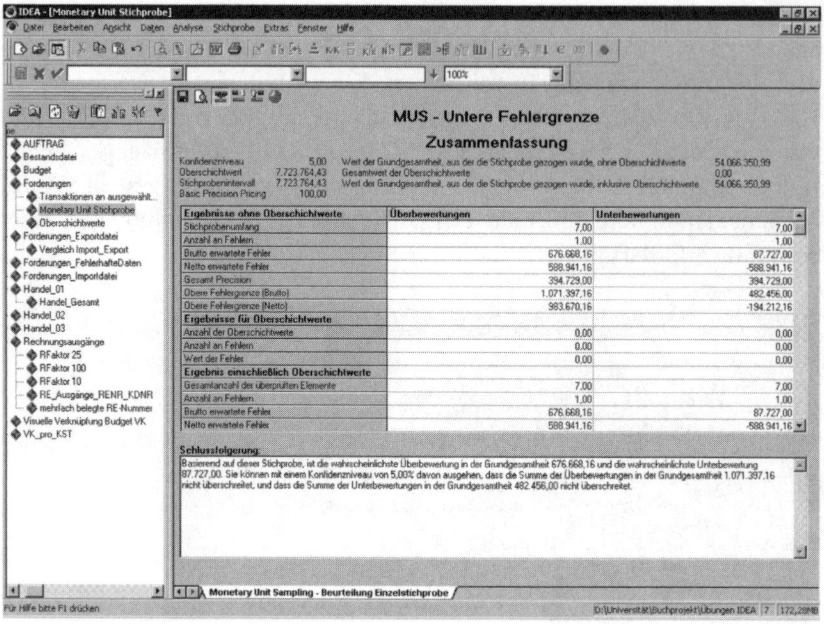

Abb. 123   Ergebnis der Beurteilung der Stichprobe bei MUS in IDEA

Die Funktionen und
Verfahren der
Prüfsoftwaresysteme
für den Prüfalltag

4
Revisions- und Prüffälle in der Praxis

Im folgenden Kapitel möchte ich von verschiedenen Praxisfällen erzählen, um mögliche Lösungswege der Datenanalyse bezüglich spezieller Prüfaufgaben und -themen aufzuzeigen. Im Anschluss an die Schilderung eines Falls werden themenentsprechend mögliche Lösungen für ähnlich gelagerte Fragen dargestellt, damit der Prüfer diese bei seinen Prüfungshandlungen und Analysen mit Hilfe der Prüfsoftware nutzen kann.

Grundsätzlich haben die folgenden Fällen eines gemeinsam: Mit der Prüfsoftware lassen sich aus der Vielzahl vorliegender Daten relativ schnell und unkompliziert Ergebnisse erstellen, die für das Prüfergebnis und seine Feststellungen wichtig sind.

Fehlerhafte Daten in der Buchführung und im Rechnungswesen aufdecken

Ausgangssituation

In einem mittelständischen Unternehmen der Metall verarbeitenden Industrie kam es vor, dass die Fakturadaten zum Monatsabschluss mit denen in der Buchhaltung nicht übereinstimmten. Das Unternehmen musste daher häufig manuelle Korrekturbuchungen vornehmen, damit die Konten mit den Fakturadaten übereinstimmten.

Prüfaufgabe beziehungsweise -auftrag

Bei der routinemäßigen Prüfung sollte die Ursache für die fehlende Abstimmung zwischen den Fakturadaten einerseits und den Daten in der Finanzbuchhaltung gefunden werden. Die Bestandsaufnahme der im Unternehmen eingesetzten Anwendungssysteme ergab, dass neben einem Standard-Finanzbuchhaltungssystem im Bereich der Auftragsverwaltung und

Handbuch IT-gestützte Prüfung und Revision. Erwin Rödler
Copyright © 2006 WILEY-VCH Verlag GmbH & Co. KGaA, Weinheim
ISBN 3-527-50231-9

-abwicklung ein selbst entwickeltes Tool eingesetzt wurde, mit dem die Aufträge angelegt, verwaltet und abgewickelt wurden. Zuerst vermutete man, dass die vorhandene und manuell gesteuerte Schnittstelle die Daten nicht vollständig und ordnungsgemäß in die Finanzbuchhaltung übergab.

Um dieser Vermutung nachzugehen, wurde eine erste Aufgabe definiert, die darin bestand, die Schnittstelle und insbesondere die damit verbundenen Dateien zu analysieren. Hierzu wurden die im Auftragsprogramm für den Schnittstellenexport bereitgestellten Daten in eine Datei geschrieben und mit denen der Finanzbuchhaltung abgeglichen.

Lösungsweg

Das eigenentwickelte Programm besaß eine Funktion, mit der automatisch die für den Export in die Finanzbuchhaltung notwendigen Fakturadatensätze in eine separate ASCII-Datei geschrieben wurden. Diese Funktion wurde zum einen dafür genutzt, um die für den Abgleich benötigen Fakturadaten aus dem Auftragsprogramm zu beschaffen. Zum anderen wurde das für den definierten Prüfungszeitraum relevante Buchungsjournal aus der Finanzbuchhaltung in Dateiform exportiert.

Beide Dateien wurden nun in IDEA importiert. Anschließend wurde das importierte Buchungsjournal der Finanzbuchhaltung mittels Datenextrakt auf relevante Fakturadaten verringert. Dazu wurden die Buchungssätze selektiert, deren Buchungsschlüssel sich auf eine mit dem Rechnungsausgang in Verbindung stehende Transaktion bezog (Rechnungsausgang, Gutschriften bei Rechnungsausgang, Barverkauf).

Die Dateien aus dem Auftragsmanagement und aus der Finanzbuchhaltung wurden anschließend mit Hilfe der Rechnungsnummer miteinander verbunden und eine neue Datei erzeugt (ACL: »Daten/Tabellen zusammenführen ...«; IDEA: »Datei/Dateien verbinden«). Als Auswahloption bei der Verknüpfung der Dateien wurde die Eigenschaft »Übereinstimmung in beiden Dateien« gewählt, um anhand der Anzahl der Datensätze in der neuen Datei im Vergleich zur ursprünglichen Datenanzahl in den beiden Dateien zu erkennen, wie viele Datensätze sie gemeinsam haben. Ein erster Vergleich ergab, dass die Anzahl identisch war. Ein weiterer Abgleich der entsprechenden Spalten mit den jeweiligen Rechnungsbeträgen ergab auch via Differenzbildung keine Abweichung, so dass die vom Auftragsprogramm bereitgestellten Daten korrekt über die ASCII-Datei an die Finanzbuchhaltung gegeben und dort korrekt verarbeitet wurden.

Aufgrund dieses Ergebnisses untersuchte man nun den Programm-Workflow des eigenentwickelten Auftragsprogramms und ließ sich zu der bereits vorliegenden ASCII-Datei mit den Fakturadaten ein Journal mit Bewegungsdaten der jeweiligen Aufträge in Dateiform ausgeben. Diese wurden in die Prüfsoftware importiert, wo anschließend eine Verdichtung pro Auftragsnummer bezüglich der jeweiligen Rechnungsbeträge der Teilprojekte/-aufträge vorgenommen wurde (ACL: »Analyse/Summenstruktur ...«; IDEA: »Analyse/Felder aufsummieren«). Die so verdichtete Datei wurde nun über die Auftragsnummer mit der Datei der Fakturadaten verbunden. Die neu erstellte Datei enthielt neben der Auftragsnummer folgende Datenfelder:

- Auftragswert,
- Rechnungsnummer und
- Rechnungsbetrag.

Um nun der Vermutung nachzugehen, ob es zwischen dem aggregierten Auftragswert und dem Rechnungsbetrag in den Fakturadaten Abweichungen gibt, wurde zusätzlich ein neu berechnendes Feld hinzugefügt, welches die Differenz aus Auftragswert und Rechnungsbetrag aufnahm. Schließlich wurde ein Filter gesetzt, um diejenigen Datensätze anzuzeigen, deren Differenz ungleich Null war. Das Ergebnis war positiv und lieferte eine Liste mit Datensätzen, in denen der Auftragswert höher als der Rechnungsbetrag war.

Als Nächstes erfolgte nun die Detailanalyse in den gefilterten Datensätzen, die sich bezüglich Auftragswert und Rechnungsbetrag unterschieden. Hierzu wurden die Stammdaten der Aufträge zu diesen Datensätzen aus dem Auftragsprogramm in Listen ausgegeben. Die Analyse ergab, dass es bei einer bestimmten Konstellation der Auftragserfassung im Auftragsprogramm zu einer fehlerhaften Aggregation der Rechnungsbeträge zum Gesamtauftragswert kam, welche letztlich für die Differenz zwischen den Auftragswerten und dem Gesamtrechnungsbetrag verantwortlich war. Dieser Programmfehler war im eigenentwickelten Tool nicht bemerkt worden. Entsprechende Testkonstellationen waren seinerzeit bei der internen Abnahme nicht berücksichtigt worden.

Fehlerhafte Daten
in der Buchführung und
im Rechnungswesen
aufdecken

Prüfungsergebnis und Fazit

Die Aufdeckung des Programmfehlers führte zu einer Nachbesserung des eigenentwickelten Tools und einer korrekten und ordnungsgemäßen Abnahme. Nach Installation der richtig arbeitenden Programmversion entstanden bei den Monatsabschlüssen keine weiteren Differenzen zwischen den Fakturadaten und den Daten in der Finanzbuchhaltung mehr.

Prüfungstechnische Hinweise und Methoden

Folgende Fragestellungen und Prüfungshandlungen sind in diesem Zusammenhang für den Prüfer von Interesse:

1. Prüfung der Buchungsdaten auf Vollständigkeit und Ordnungsmäßigkeit,
2. Abstimmung der Fakturadaten im Auftragsmanagement mit den Daten der Finanzbuchhaltung,
3. Prüfung auf zeitnahes Buchen in der Finanzbuchhaltung,
4. Verifizierung der Soll- und Habenpositionen in Buchungsjournalen und die
5. Veranschaulichung der Buchungsdaten, gegliedert nach den jeweiligen Buchungsschlüsseln.

1. Prüfung der Daten auf Vollständigkeit und Ordnungsmäßigkeit

Als Erstes sollte der Prüfer eine Ordnungsmäßigkeitsprüfung der ihm überlassenen Daten vornehmen. Hierzu gehören im Allgemeinen:

- das Überprüfen der Lückenlosigkeit von Datensätzen bezüglich eindeutig und fortlaufend definierter Schlüssel (Belegnummern, Rechnungsnummern, Journalseiten bei Buchungsjournalen),
- die Mehrfachbelegungsanalyse (auch Dublettensuche) von Datensätzen bezüglich eindeutig definierter Schlüssel (Belegnummern bei Bewegungsdaten, Debitoren- und Kreditorennummern bei Stammdaten),
- die Plausibilitätsprüfung von Datenfeldern hinsichtlich ihres definierten Datenformats beziehungsweise geltender Restriktionen (kreditorische Buchungssätze) und
- das Überprüfen der Vollständigkeit der Datensätze bezüglich der definierten Pflichtfelder (Verifizierung des Vorhandenseins eines Gegenkontos zu jedem Konto).

Im vorliegenden Beispiel sind in einer Rechnungsausgangsdatei die Datensätze auf Vollständigkeit und Ordnungsmäßigkeit hin zu überprüfen. Hierzu muss der Prüfer die entsprechende eindeutig und fortlaufend definierte Rechnungsnummer, die vom IT-System generiert wird, auf Lückenlosigkeit und Mehrfachbelegung hin überprüfen.

Lückenanalyse durchführen

Der Benutzer wählt den Menüpunkt »Daten/Lückenanalyse/numerisch« und erfasst die notwendigen Eingabeparameter. Wichtig: Das zu analysierende Feld wird über die ComboBox »Feld« ausgewählt (hier: L_SCH_NR).

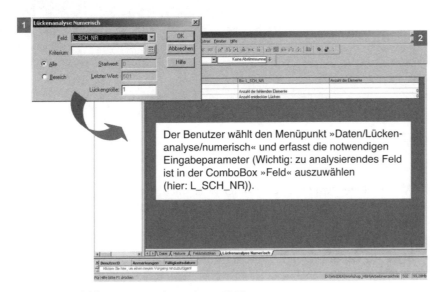

Der Benutzer wählt den Menüpunkt »Daten/Lücken-analyse/numerisch« und erfasst die notwendigen Eingabeparameter (Wichtig: zu analysierendes Feld ist in der ComboBox »Feld« auszuwählen (hier: L_SCH_NR)).

Abb. 124 Durchführung einer Lückenanalyse in IDEA

Mehrfachbelegungsanalyse durchführen

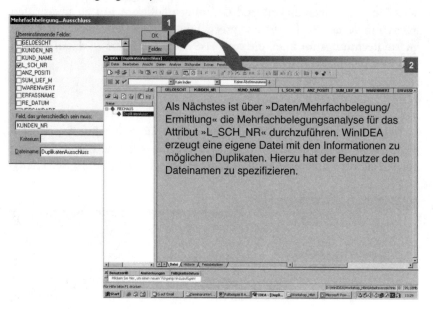

Abb. 125   Mehrfachbelegungsanalyse in IDEA

Als Nächstes muss über »Daten/Mehrfachbelegung/Ermittlung« die Mehrfachbelegungsanalyse durchgeführt werden. IDEA erzeugt eine eigene Datei mit den Informationen zu möglichen Duplikaten. Der Benutzer spezifiziert noch den Dateinamen.

Mit Hilfe der in beiden Prüfprogrammen vorhandenen Logikfunktion IS-BLANK() kann der Prüfer beispielsweise prüfen, ob in einem Buchungsjournal jeder Buchungssatz bezüglich Konto und Gegenkonto vollständig ist.

Prüfung auf Vollständigkeit der Konteneinträge

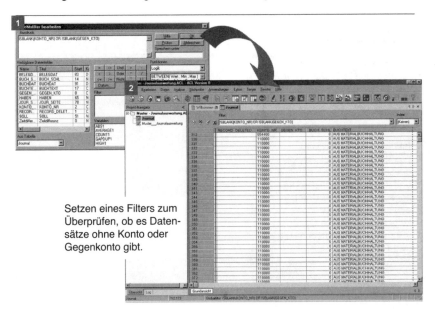

Setzen eines Filters zum
Überprüfen, ob es Daten-
sätze ohne Konto oder
Gegenkonto gibt.

Abb. 126 Vollständigkeitsprüfung bei Textfeldern in ACL

Ein Filter muss gesetzt werden, um zu überprüfen, ob es Datensätze ohne Konto oder Gegenkonto gibt.

2. Abstimmung der Fakturadaten im Auftragsmanagement mit den Daten der Finanzbuchhaltung

Im ersten Schritt muss geprüft werden, ob die in der Rechnungsausgangsdatei geführten Debitoren mit den im Auftragsmanagement geführten Kunden übereinstimmen.

Zusätzlich kann der Prüfer in diesem Zusammenhang analysieren, ob und welche Debitoren im laufenden Jahr zwar eine Rechnung erhalten haben, deren Umsatz aber nicht von der Finanzbuchhaltung erfasst wurde.

Als Nächstes besteht die Möglichkeit, die in beiden Dateien geführten Rechnungsbeträge auf ihre Stimmigkeit hin durch beide Programme zu prüfen. Hierzu empfiehlt sich folgende Vorgehensweise.

Teilsummen bilden

Zuerst wird die Teilsumme bezüglich des Rechnungsbetrages pro Kunden in beiden Dateien gebildet.

165

Fehlerhafte Daten
in der Buchführung und
im Rechnungswesen
aufdecken

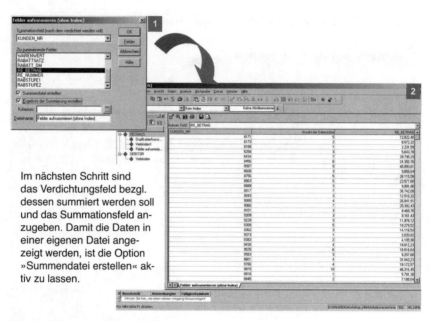

Im nächsten Schritt sind
das Verdichtungsfeld bezgl.
dessen summiert werden soll
und das Summationsfeld anzugeben. Damit die Daten in
einer eigenen Datei ange-
zeigt werden, ist die Option
»Summendatei erstellen« aktiv zu lassen.

Abb. 127   Teilsummenbildung in IDEA

Im nächsten Schritt sind das Verdichtungsfeld, bezüglich dessen summiert werden soll, und das Summationsfeld anzugeben. Damit die Daten in einer eigenen Datei angezeigt werden, ist die Option »Summendatei erstellen« aktiv zu lassen.

Anschließend werden die beiden Dateien nach dem Rechnungsbetrag pro Debitor miteinander verglichen.

Vergleichen von Teilsummen

Zum Vergleich der beiden Dateien »Debitoren« und »Rechungsausgänge« nach dem Rechnungsbetrag müssen über den Menüpunkt »Datei/Dateien vergleichen« beide Teilsummenauswertungen miteinander verbunden werden.

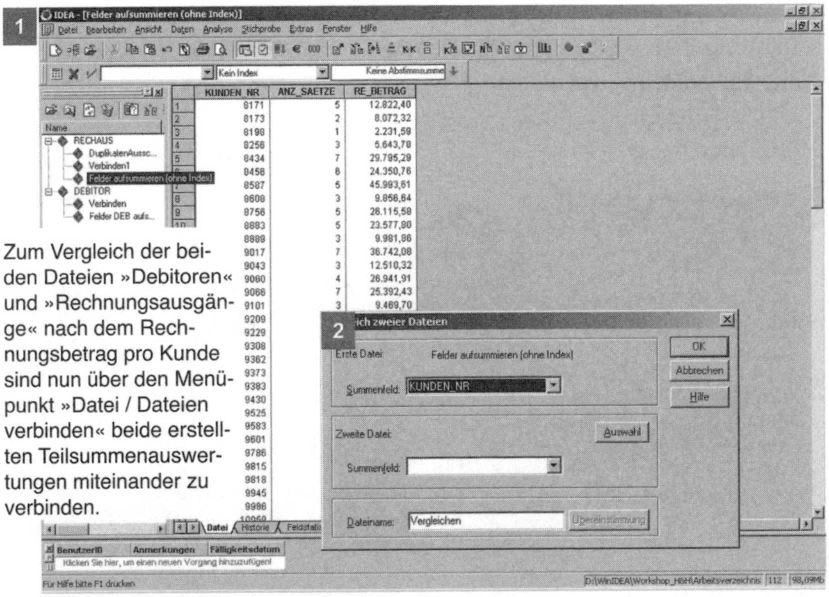

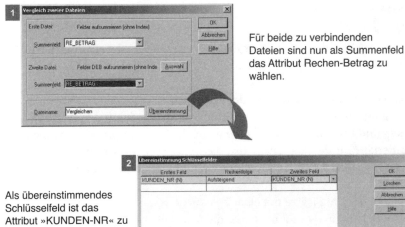

Zum Vergleich der bei-
den Dateien »Debitoren«
und »Rechnungsausgän-
ge« nach dem Rech-
nungsbetrag pro Kunde
sind nun über den Menü-
punkt »Datei / Dateien
verbinden« beide erstell-
ten Teilsummenauswer-
tungen miteinander zu
verbinden.

Abb. 128   Schritt 1: Vergleichen der Teilsummenergebnisse in IDEA

Vergleich von Teilsummenergebnissen

Für beide zu vergleichenden Dateien wird nun als Summenfeld das Attribut »Rechenbetrag« gewählt.

Für beide zu verbindenden
Dateien sind nun als Summenfeld
das Attribut Rechen-Betrag zu
wählen.

Als übereinstimmendes
Schlüsselfeld ist das
Attribut »KUNDEN-NR« zu
wählen.

Abb. 129   Schritt 2: Verbinden der Teilsummenergebnisse in IDEA

Fehlerhafte Daten
in der Buchführung und
im Rechnungswesen
aufdecken

Als übereinstimmendes Schlüsselfeld gilt das Attribut »Kunden-Nr.«.
Dann wird eine Übersicht der Debitoren erstellt, bei denen eine Abweichung festgestellt werden kann.

Extraktion der Datensätze mit der Differenz ungleich Null

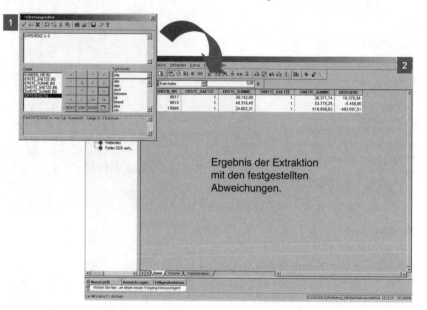

Abb. 130 Filtration der Datensätze in IDEA, bei denen eine Differenz vorhanden ist

Das Ergebnis der Extraktion mit den festgestellten Abweichungen wird in der zweiten Übersicht angezeigt.

3. Prüfung der Daten auf zeitnahes Buchen

In einer Journaldatei kann der Prüfer zusätzlich durch den Abgleich von Beleg- und Buchungsdatum das zeitnahe Buchen überprüfen. Hierbei geht man erfahrungsgemäß davon aus, dass ein Zeitraum von maximal sieben Tagen zwischen Beleg- und Buchungsdatum als zeitnah angesehen wird.

Filtern der Datensätze mit einer Zeitdifferenz von mehr als sieben Tagen
Die Definition eines Filters über die Arbeitsliste erfolgt durch Aufruf des Gleichungseditors. Die Filterbedingung lautet hier »Zeitdifferenz > 7«. Anschließend wird das Ergebnis der Filtrierung angezeigt.

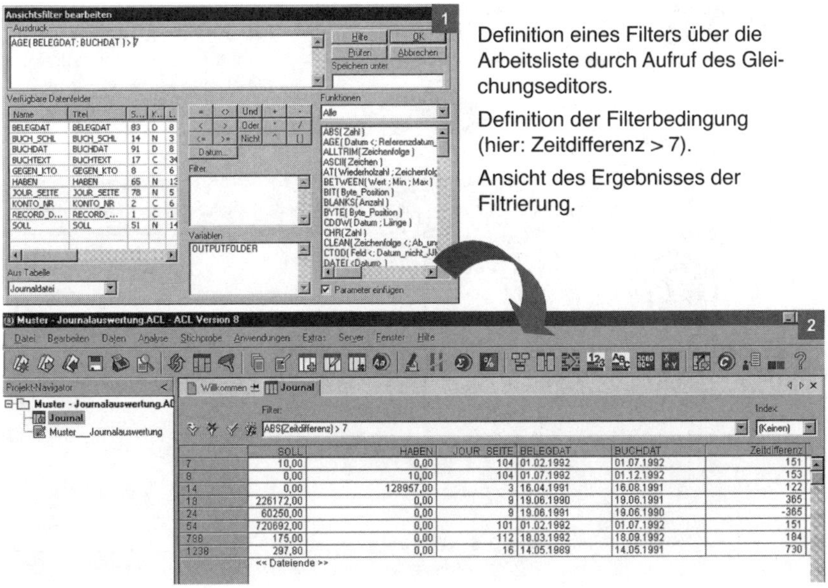

Definition eines Filters über die Arbeitsliste durch Aufruf des Gleichungseditors.

Definition der Filterbedingung (hier: Zeitdifferenz > 7).

Ansicht des Ergebnisses der Filtrierung.

Abb. 131 Filtration der Datensätze in ACL, bei denen die Zeitdifferenz mehr als sieben Tage beträgt

4. Verifizieren der Summen von Soll- und Habenpositionen

Eine weitere wichtige Analyse in diesem Zusammenhang ist der Abgleich der in einem Buchungsjournal ausgewiesenen Summen der Soll- und Habenpositionen. Hierzu vergleicht der Prüfer die Statistik der Soll- und Habenpositionen.

Prüfung der Summen der Soll- und Habenpositionen

Zunächst wird eine Statistik sowohl für die Soll- als auch für die Habenwerte erstellt. Anschließend werden die angezeigten Kennziffern interpretiert.

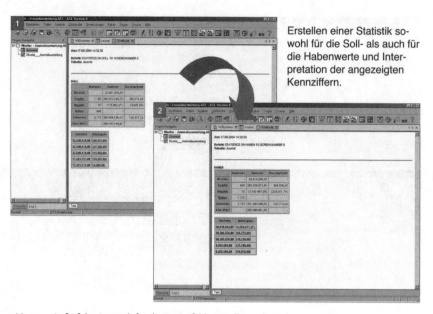

Erstellen einer Statistik sowohl für die Soll- als auch für die Habenwerte und Interpretation der angezeigten Kennziffern.

Abb. 132   Aufruf der Statistik für die Datenfelder »Soll« und »Haben« in ACL

5. Veranschaulichung der Buchungsdaten, gegliedert nach den jeweiligen Buchungsschlüsseln

Darüber hinaus kann der Prüfer mittels der in beiden Programmen verfügbaren Kreuz- oder Pivottabelle (ACL: »Analyse/Kreuztabelle ...«; IDEA: »Analyse/Pivot Tabelle ...«) eine Übersicht der Buchungen pro Buchungsschlüssel auf die jeweiligen Konten und Gegenkonten durchführen.

Saldierung bezüglich der Buchungsschlüssel und Konten

Pro Buchungsschlüssel (Spaltenkriterium) und Konto beziehungsweise Gegenkonto (Zeilenkriterium) werden die Soll- und Habenwerte angezeigt.

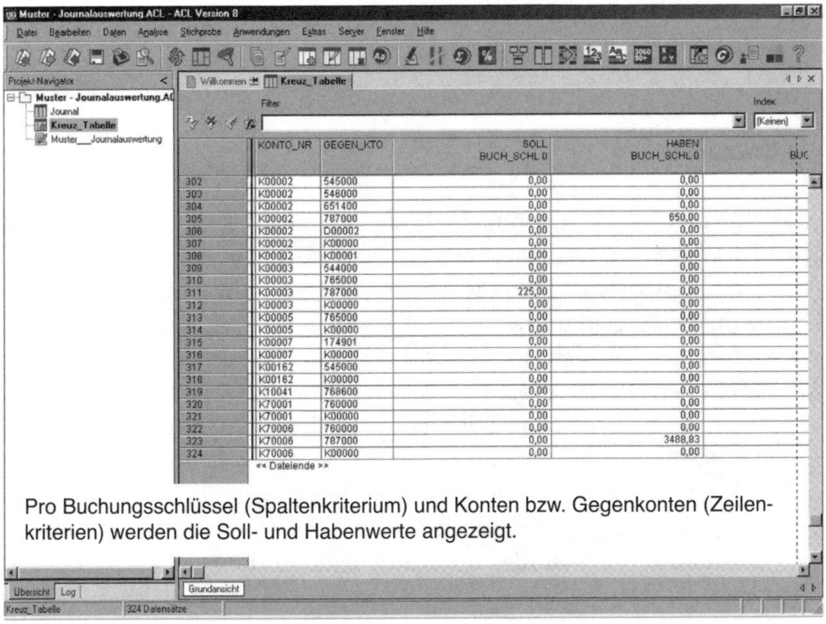

Abb. 133 Kreuztabelle zur Gegenüberstellung der Konto- und Gegenkonto-
nummer mit den Buchungsschlüsseln in ACL

Bestandsrisiken im Forderungsmanagement analysieren

Ausgangssituation

In einem Handelsunternehmen beauftragte aufgrund hoher Außenstände die Geschäftsleitung die Revision, das Forderungsmanagement hinsichtlich potenzieller Risiken zu analysieren.

Prüfaufgabe beziehungsweise -auftrag

Mittels einer Strukturanalyse der offenen Posten nach Geschäftsfeldern,
Debitoren und Standorten sollte die Revision in einem ersten Schritt feststellen, ob es bezüglich der hohen Außenstände Korrelationen zwischen den
genannten Merkmalen gibt, die in einem besonderem Maße für die Außenstände verantwortlich waren. Als Nächstes sollte die Geschäftsleitung über
die Höhe der entstandenen Zinsverluste informiert und mögliche Maßnah-

men definiert werden, um das Mahnwesen effizienter und wirkungsvoller zu gestalten.

Lösungsweg

Zur Strukturierung der offenen Posten wurden die entsprechenden Dateien des Forderungsmanagements (Rechnungsausgangsdateien, Zahlungseingangsdateien, Debitorenstammdateien) miteinander verknüpft, um die für die Verdichtung der offenen Posten relevanten Merkmale in einer neuen Datei zur Verfügung zu stellen. Anschließend erfolgte mit Hilfe der neu definierten Dateien die Schichtung der offenen Posten nach als relevant angesehen Merkmalen (zum Beispiel Geschäftsfelder, Absatzfilialen). Aufgrund dieser Teilsummenbildung erkannte die Revision, dass in einem speziellen Segment die Höhe der offenen Posten aufgrund mangelnder Kontrollen im Forderungsmanagement über dem Durchschnitt lag. Die verantwortlichen Mitarbeiter wurden über die festgestellten Fehler und damit verbundenen Risiken seitens der Revision informiert und anschließend wurden gemeinsam mit den Mitarbeitern Maßnahmen für ein zeitnahes und wirkungsvolles Mahnwesen erarbeitet.

Prüfungsergebnis und Fazit

Aufgrund der durchgeführten Strukturanalyse konnte das Unternehmen rechtzeitig die Ursache für die hohen Außenstände lokalisieren und geeignete Maßnahmen etablieren, um die Höhe der Außenstände wieder auf ein – aus Sicht des Unternehmens – Normalmaß zurückzuführen. Die durch die Verdichtung erkannten Zusammenhänge verhalfen dem Unternehmen, ein bezüglich der Geschäftsfelder abgestuftes Bonitätsmodell zu definieren, so dass die Gefahr »ausufernder« Außenstände und damit verbundener Verlustrisiken erheblich reduziert wurde.

Prüfungstechnische Hinweise und Methoden

Folgende Fragestellungen und Prüfungshandlungen sind in diesem Zusammenhang für den Prüfer interessant:

1. Durchführung einer Altersstrukturanalyse der zu einem Stichtag bestehenden offenen Posten,
2. Analyse, ob die Offene-Posten-Kunden ihr eingeräumtes Kreditlimit überzogen haben und welcher durchschnittliche Zinsverlust hieraus dem Unternehmen entsteht,
3. Analyse der Kundenumsätze über einen Betrachtungszeitraum hinweg, um zu ermitteln, welche Kunden aus Unternehmenssicht bedeutsam sind (ABC-Analyse).

1. Durchführung einer Altersstrukturanalyse der zu einem Stichtag bestehenden offenen Posten

Ein weiterer Prüfungsschwerpunkt für einen Prüfer könnte die Analyse der zu einem gewählten Stichtag (zum Beispiel 31.12.2005) bestehenden offenen Posten sein. Der Prüfer kann sie mit Hilfe der in beiden Programmen verfügbaren Funktion (ACL: »Analyse/Alter...«; IDEA: »Analyse/Altersstrukturanalyse ...«) unter Verwendung geeigneter Zeitintervalle (30, 60, 90, 120 und mehr als 150 Tage zum Stichtag) erstellen.

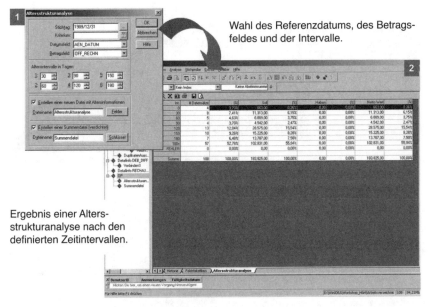

Wahl des Referenzdatums, des Betragsfeldes und der Intervalle.

Ergebnis einer Altersstrukturanalyse nach den definierten Zeitintervallen.

Abb. 134 Durchführung einer Altersstrukturanalyse in IDEA

Altersstrukturanalyse

Als Erstes müssen das Referenzdatum, das Betragsfeld und die Intervalle gewählt werden. Das Ergebnis der Analyse nach dem definierten Zeitintervall wird in Abbildung 134 gezeigt.

2. Analyse der Offene-Posten-Kunden und des daraus entstehenden durchschnittlichen Zinsverlusts für Unternehmen

Um zu ermitteln, welche Offene-Posten-Kunden ihr eingeräumtes Kreditlimit überzogen haben und welche durchschnittlichen Zinsverluste dem Unternehmen hieraus entstehen, empfiehlt sich folgende Vorgehensweise.

Zunächst muss überprüft werden, ob und welche Debitoren ihr Kreditlimit überschritten haben. Dazu wird der ermittelte aggregierte Offene-Posten-Betrag zur definierten Kontokorrenthöhe durch Differenzbildung in Beziehung gesetzt (Kontokorrenthöhe – aggregierter Offener-Posten-Betrag) und nach den Datensätzen selektiert, die eine negative Differenz aufweisen. Mit Hilfe der errechneten Differenz kann sich der Prüfer zusätzlich die relative Höhe der Überschreitung anzeigen lassen, indem er die ermittelte Differenz über Division in Beziehung zur Kontokorrenthöhe setzt.

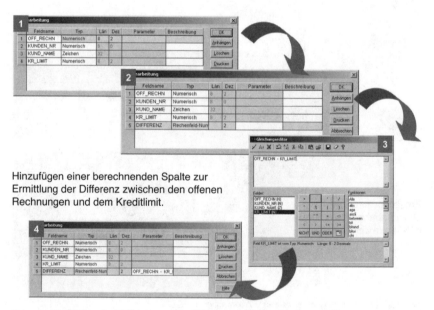

Hinzufügen einer berechnenden Spalte zur Ermittlung der Differenz zwischen den offenen Rechnungen und dem Kreditlimit.

Abb. 135 Definition der Differenz aus Kreditlimit und offenen Posten in IDEA

Prüfung Kreditlimit – Differenz berechnen

Durch Hinzufügen einer berechnenden Spalte kann die Differenz zwischen den offenen Rechnungen und dem Kreditlimit ermittelt werden.

Um in Erfahrung zu bringen, welcher durchschnittliche Zinsverlust dem Unternehmen durch die offenen Posten entsteht, kann der Prüfer anhand einer vereinfachten Rechnung einen Schätzwert ermitteln. Die Berechnung ist deshalb eine Schätzung, da in den aggregierten Offene-Posten-Beträgen zu den Debitoren das dazugehörige Zeitspektrum der Zahlungsbewegungen nicht im Detail einfließt, sondern als Bezugsdatum das letzte Bewegungsdatum (bezogen auf den Debitor) genommen wird. Mit einem vom Prüfer vorgegebenen Sollzinssatz lässt sich mit Hilfe der normalen Zinsformel [Kapital × Zinssatz × Tage/36.500] der geschätzte Zinsverlust einfach ermitteln. Nach dem Ausweis der Zinsen ist zum Schluss die Summe über die neu errechnete Spalte zu bilden (ACL: »Analyse/Feldsummen«; IDEA: Kombinationslistenfeld »Abstimmsumme wählen« oberhalb des Datenfensters).

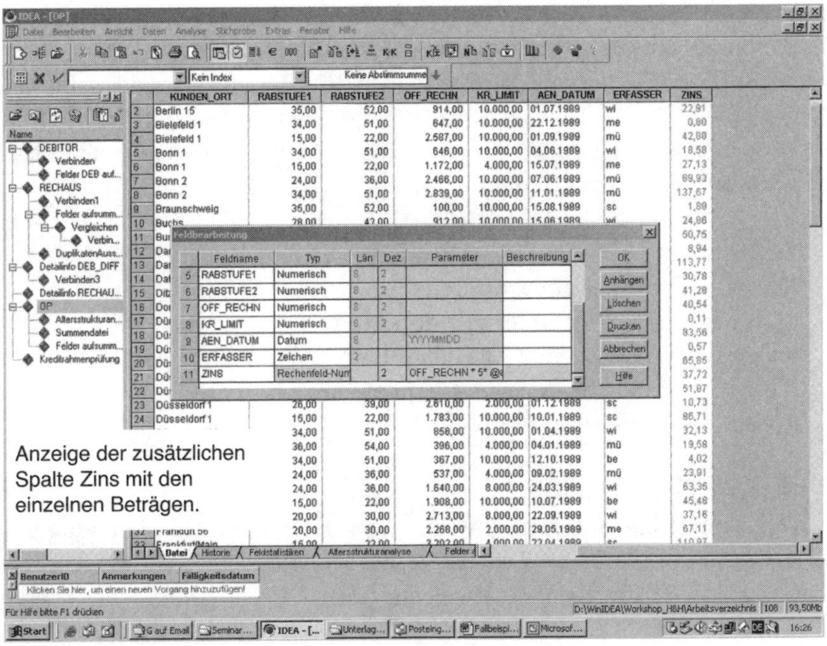

Abb. 136 Einfügen der zusätzlich berechneten Spalte »Zins« mit der Formel in die Tabelle in IDEA

Berechnung Zinsverlust

In einer weiteren Spalte kann sich der Prüfer die Zinsen und die einzelnen Beträge anzeigen lassen.

3. Analyse der Kundenumsätze über einen Betrachtungszeitraum hinweg, um zu ermitteln, welche Kunden aus Unternehmenssicht bedeutsam sind

Im Rahmen der Prüfungshandlungen kann der Prüfer zusätzlich die Kunden des Unternehmens hinsichtlich ihrer Umsätze sortieren, um die Abhängigkeit des Unternehmens von speziellen Kunden darzustellen beziehungsweise die bedeutsamen Kunden zusammenfassen. Je nach Aufgabenstellung kann der Prüfer für die Sortierung auf Intervalle zugreifen, die sich aus früheren Prüfungen als sinnvoll erwiesen haben. Sie können auch vorgegeben oder vom Prüfer selbst vorgenommen werden. Im letzteren Fall empfiehlt sich eine Einteilung in Sigma-Intervalle, die auf den Zentralen Grenzwertsatz zurückgreifen. Im vorliegenden Fall wurde dem Prüfer eine Intervalleinteilung vorgegeben. Um zum Ergebnis einer ABC-Analyse zu gelangen, verwendet der Prüfer die in beiden Programmen verfügbare Funktion zur Sichtung (ACL: »Analyse/Stratifizieren« bzw. »Analyse/Verteilung«; IDEA: »Analyse/Datei schichten/Numerisch ...«) und geht wie folgt vor.

Für eine ABC-Analyse der Kunden können beispielsweise folgende Klassenintervalle verwendet werden:

Beispielswerte
Klasse 1: 0 bis unter 200.000 Euro
Klasse 2: 200.000 bis unter 500.000 Euro
Klasse 3: 500.000 bis unter 1 Million Euro
Klasse 4: 1 Million bis unter 3 Millionen Euro
Klasse 5: ab 3 Millionen Euro

Numerische Schichtung
Die Numerische Schichtung wird aufgerufen wie in der Abbildung gezeigt. Die Zuordnung der Datensätze zu den Intervallen der Schichtung kann sich der Prüfer ebenfalls anzeigen lassen.

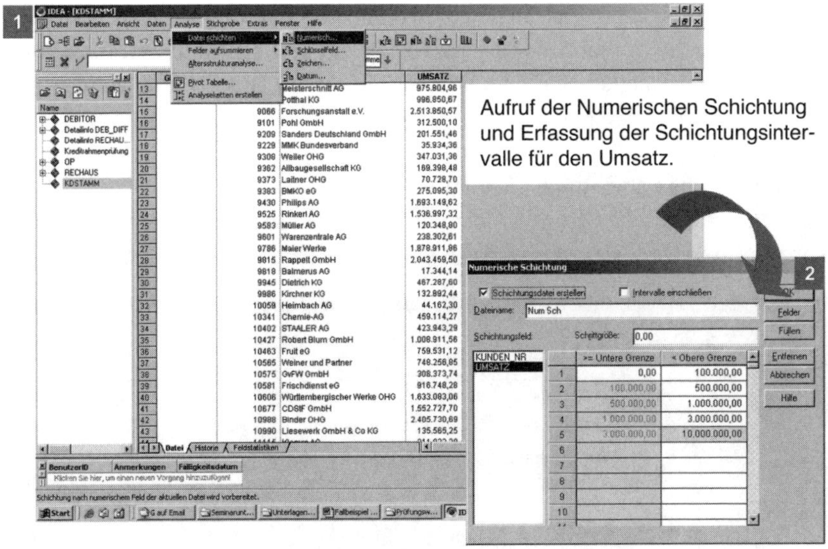

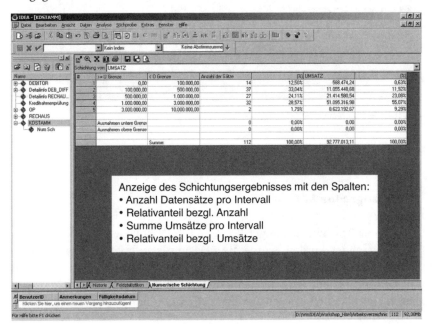

Aufruf der Numerischen Schichtung und Erfassung der Schichtungsintervalle für den Umsatz.

Abb. 137 Durchführung der numerischen Schichtung in IDEA

Das Schichtungsergebnis wird in beiden Programmen in Tabellenform ausgegeben.

Anzeige des Schichtungsergebnisses mit den Spalten:
- Anzahl Datensätze pro Intervall
- Relativanteil bezgl. Anzahl
- Summe Umsätze pro Intervall
- Relativanteil bezgl. Umsätze

Abb. 138 Ergebnis der numerischen Schichtung in ACL

Bestandsrisiken im
Forderungsmanagement
analysieren

Zum Schluss kann sich der Prüfer eine Liste mit den Kunden erstellen, die im betrachteten Jahr einen Umsatz von mehr als 3 Millionen Euro getätigt haben. Zusätzlich kann er sich ihren Anteil am Gesamtumsatz des Unternehmens anzeigen lassen.

Numerische Schichtung – Selektion

Die umsatzstarken Kunden können durch einen Doppelklick in der entsprechenden Zeile des Intervalls selektiert werden.

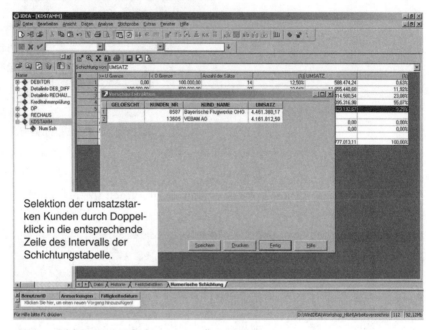

Abb. 139 Selektion eines Schichtungsintervalls in IDEA

Rabattmanipulationen im Vertrieb aufdecken

Ausgangssituation

Nach der Beschwerde einiger Kunden, ihre Nachlässe und Rabatte seien falsch berechnet worden, wurde die Revision beauftragt, im Vertrieb eine Prüfung der Zahlungskonditionen durchzuführen. Hierbei galt es, die im Anwendungssystem vorhandenen Daten und Buchungsstoff zu sichern, um diesen anschließend hinsichtlich der Zahlungskonditionen zu analysieren.

Das Unternehmen verwendete eine eigenentwickelte Software für den Vertrieb und dessen Abrechnung.

Prüfaufgabe beziehungsweise -auftrag

Die Geschäftsführung beauftragte die interne Revision,
- die eigenentwickelte Anwendungssoftware für den Vertrieb hinsichtlich vorhandener Berechtigungen und Zugriffsmöglichkeiten zu analysieren und zu sichern,
- die vorhandene Datensicherung und -archivierung der letzten Wochen zu katalogisieren und sicherzustellen,
- die Funktionen des Anwendungsprogramms auf ihre Richtigkeit und Vollständigkeit zu prüfen und die Bewegungen bezüglich der Gewährung von Nachlässen und Rabatte zu analysieren.

Lösungsweg

Als Erstes wurden alle Zugriffsberechtigungen, die in Form von ASCII-Dateien vorlagen, und entsprechende Protokolle in die Prüfsoftware geladen und ausgegeben und mit den Funktionen und Verantwortlichkeiten, die in Form von Stellenbeschreibungen und MindMaps vorlagen, abgeglichen. Durch eine Gruppierung nach den Organisations- und Verantwortlichkeitsbereichen stellte sich heraus, dass in einzelnen Fällen Mitarbeiter Berechtigungen besaßen, die ihre Aufgaben und Funktionen überschritten. Zusätzlich wurden die Datensicherungs- und Archivierungsbestände in einem nächsten Schritt auf ihre Vollständigkeit geprüft und sicher verwahrt, so dass sich die Revision auf die Analyse des eigenentwickelten Programms und das Nachvollziehen der gewährten Nachlässe und Rabatte konzentrieren konnte. Hierzu wurden die entsprechenden Objekttabellen (zum Beispiel Konditionstabellen, Tabellen mit den Fakturadaten und den Zahlungsströmen) in die Prüfsoftware importiert und anschließend durch geeignete Schlüssel miteinander verknüpft, um unter Berücksichtigung der vorliegenden Fristigkeiten, Konditionen und Zahlungsströme die Nachlässe neu zu berechnen. Diese wurden dann mit den im Programm vorhandenen Daten abgeglichen.

Prüfungsergebnis und Fazit

Die Untersuchung des eigenentwickelten Programms ergab, dass es möglich war, mit speziellen Berechtigungen einseitig Änderungen und Löschungen von Konditionen vorzunehmen. Im Programm konnten die Ergebnisse ohne Nachweis verändert werden. Mit diesem Ergebnis wurde der Nachweis eines bewussten und von Anfang an geplanten Betruges durch entsprechende Mitarbeiter erbracht und beweiskräftig dokumentiert.

Schwierig und aufwändig war die Überprüfung der Geldströme und -wege, die durch diese Manipulation den Betrügern zugeflossen waren.

Mit Hilfe der eingesetzten Prüfsoftware war es für die Revision möglich, in angemessener Zeit besonders große, auch dezentral gehaltene Datenmengen zusammenzuführen, abzugleichen und Gemeinsamkeiten und Auffälligkeiten festzustellen.

Prüfungstechnische Hinweise und Methoden

Folgende Fragestellungen und Prüfungshandlungen interessieren in diesem Zusammenhang den Prüfer:

1. Verifizierung der erteilten Rabatte und Nachlässe und ihre Korrektheit,
2. Überprüfung der Zahlungskonditionen auf Stimmigkeit und Plausibilität,
3. Ermittlung des Verhältnisses erteilter Nachlässe zum Gesamtumsatz pro Debitor.

1. Verifizierung der erteilten Rabatte und Nachlässe und ihre Korrektheit

Der Prüfer kann mit Hilfe der Prüfsoftware feststellen, ob die erteilten Kundenrabatte und -nachlässe korrekt berechnet wurden. Hierzu empfiehlt sich folgende Vorgehensweise.

Im ersten Schritt werden die ermittelten Rabatte und Nachlässe durch Hinzufügen neu berechneter Datenfelder überprüft, welche die vorgegebenen Rabatte und Nachlässe mit Hilfe der gestaffelten Prozentsätze via Dreisatzbildung analysieren.

Überprüfung Rabattrechnung – Rabattbetrag

Zuerst muss eine berechnende Spalte für die Rabattberechnung hinzugefügt werden. Anschließend wird die Formel zur Rabattberechnung aus Warenwert und Rabattsatz erfasst (Warenwert × Rabattsatz/100).

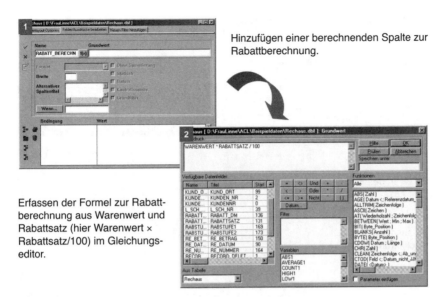

Hinzufügen einer berechnenden Spalte zur Rabattberechnung.

Erfassen der Formel zur Rabattberechnung aus Warenwert und Rabattsatz (hier Warenwert × Rabattsatz/100) im Gleichungseditor.

Abb. 140 Verifizierung des Rabatts durch Rabattberechnung in ACL

Dann werden die Positionen extrahiert, bei denen die Rabatte beziehungsweise Nachlässe unkorrekt ermittelt wurden. Hinweis: Vernachlässigen Sie bei Ihrem Vergleich mögliche Betragsrundungen.

Überprüfung der Rabattrechnung

Der Filter zeigt die unkorrekt ermittelten Preisnachlässe unter Missachtung der Nachkommastellen an.

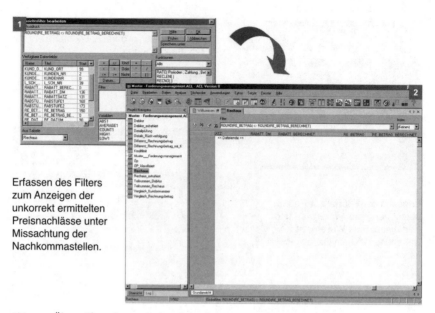

Erfassen des Filters
zum Anzeigen der
unkorrekt ermittelten
Preisnachlässe unter
Missachtung der
Nachkommastellen.

Abb. 141 Überprüfung des ermittelten Rabattbetrages mit dem ausgewiesenen Rabatt in ACL

2. Überprüfung der Zahlungskonditionen auf Stimmigkeit und Plausibilität

Zur Überprüfung der Zahlungskonditionen analysiert der Prüfer die entsprechenden Tabellen mit den Konditionsbedingungen. Hierzu lassen sich
folgende Prüfungshandlungen definieren:

- Alle Debitoren werden mit ihren Konditionen aufgelistet. Hierzu verbin-
det der Prüfer die entsprechende Debitorenstammdatei mit der Tabelle
mit den Konditionen über entsprechende Schlüssel (ACL: »Daten/Tabel-
len zusammenführen ...«; IDEA: »Datei/Dateien verbinden«).
- Anschließend werden die Datensätze nach dem vorliegenden Konditionscluster (zum Beispiel x_1 Prozent Skonto bei Zahlung innerhalb y_1
Tagen, x_2 Prozent Skonto bei Zahlung innerhalb y_2 Tagen) sortiert dargestellt (ACL: »Daten/Datensätze sortieren ...«; IDEA: »Daten/Sortieren«).
- In einem weiteren Schritt werden die Konditionscluster mit Hilfe der
Extraktion auf Stimmigkeit überprüft ($x_1 > x_2$, falls $y_1 < y_2$) und diejeni-
gen Datensätze gefiltert, bei denen sich die Konditionsdefinitionen
widersprechen (ACL: »Daten/Datensätze extrahieren ...«; IDEA: »Daten/
Extraktion/Direkte Extraktion«).

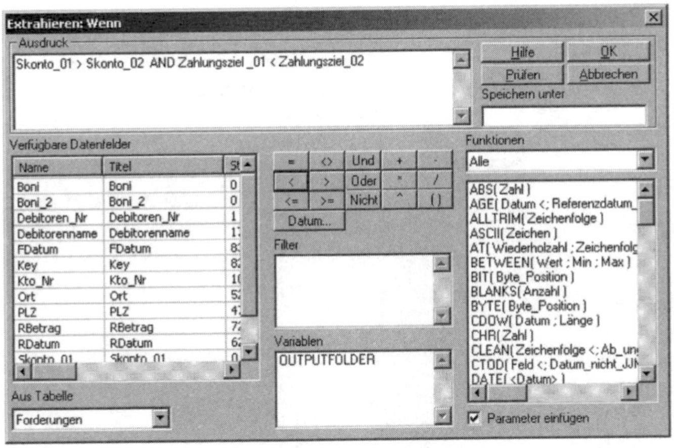

Abb. 142   Filtrationsbedingung in ACL für den Datenextrakt

3. Ermittlung des Verhältnisses erteilter Nachlässe zum Gesamtumsatz pro Debitor

Hierzu bildet er die Teilsummen pro Debitor aus dem Datenfeld »Nachlässe« (zum Beispiel Skontobetrag) und der Rechnungssumme als Summationsfelder (ACL: »Analyse/Summenstruktur ...«; IDEA: »Analyse/Felder aufsummieren«) und erhält als erstes Zwischenergebnis die Summe der gewährten Nachlässe und des Umsatzes pro Kunden.

Teilsumme bilden

Über den Menüpunkt »Analyse/Summenstruktur« öffnet sich das Dialogfenster zur Bildung der Teilsumme bezüglich eines gewählten Merkmals.

Im nächsten Schritt werden das Verdichtungsfeld, das summiert werden soll, und das Summationsfeld angegeben. Damit die Daten in einer eigenen Datei angezeigt werden, muss unter »Ausgabe« die Option »Datei« gewählt werden.

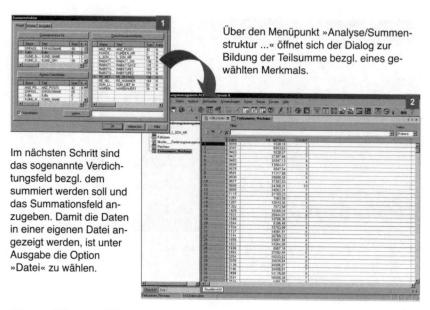

Über den Menüpunkt »Analyse/Summen-
struktur ...« öffnet sich der Dialog zur
Bildung der Teilsumme bezgl. eines gewählten Merkmals.

Im nächsten Schritt sind
das sogenannte Verdich-
tungsfeld bezgl. dem
summiert werden soll und
das Summationsfeld an-
zugeben. Damit die Daten
in einer eigenen Datei angezeigt werden, ist unter
Ausgabe die Option
»Datei« zu wählen.

Abb. 143 Teilsummenbildung in ACL

Als Nächstes fügt der Prüfer ein neu berechnendes Datenfeld ein (ACL:
»Bearbeiten/Tabellenlayout/2. Register«; IDEA: »Daten/Felder bearbeiten«)
und definiert im sich öffnenden Editor den Quotienten aus den Datenfeldern »Nachlässe« und »Umsatz«.

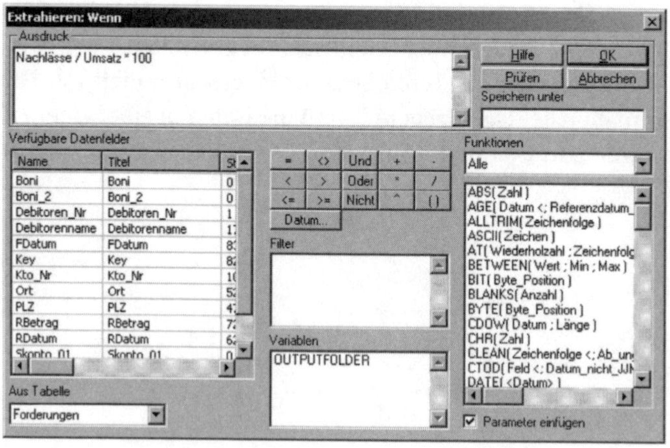

Abb. 144 Bildung des berechnenden Datenfeldes für den Quotienten aus
Nachlass und Rechnungssumme in ACL

Zum Schluss sortiert der Prüfer die Datensätze nach dem neu berechnenden Quotienten absteigend (ACL: »Daten/Datensätze sortieren ...«; IDEA: »Daten/Sortieren«) und erhält somit eine Liste, die anzeigt, welcher Debitor gemessen an seinem jeweiligen Gesamtumsatz den höchsten Nachlass (in Prozent) erhalten hat.

Suche nach Mengendifferenzen und Bewertungsfehlern in der Lagerbuchhaltung

Ausgangssituation

Bei der jährlichen Stichtagsinventur wurden in einem größeren Industriebetrieb Mengendifferenzen festgestellt. Dies war Anlass, den Lagerbestand einer Revisionsprüfung zu unterziehen, um mögliche Schwachstellen im Lagermanagement zu erkennen.

Prüfaufgabe beziehungsweise -auftrag

Die Unternehmensleitung beauftragte eine externe Prüfungsgesellschaft mit der Analyse des Lagers, um die bei der Inventur aufgedeckten Mengendifferenzen und mögliche weitere Schwachstellen aufzudecken. Das Unternehmen setzte eine eigens entwickelte Einkaufs- und Lagerbuchhaltungssoftware ein, welche die Bestände aufgrund der Daten des Einkaufs automatisch fortschrieb. Die externen Prüfer hatten nun die Aufgabe, entlang des physikalischen Einkaufs- und Lagerprozesses den Datenfluss auf Ordnungsmäßigkeit, Vollständigkeit und Nachvollziehbarkeit zu analysieren.

Lösungsweg

Als Erstes wurden die für den Einkaufs- und Lagerverwaltungsprozess relevanten Tabellen in der eigens entwickelten Software definiert und angefordert. Nach dem Import dieser Dateien erfolgte dann die Suche nach den bei der Inventur festgestellten Mengendifferenzen. Im Anschluss daran wurden die für die festgestellten Abweichungen verantwortlichen Datenfelder für alle vorliegenden Bestände miteinander verglichen, um gegebenenfalls weitere Mengendifferenzen zu lokalisieren, die bei der Stichprobeninventur unentdeckt geblieben waren.

Eine weitere Prüfungshandlung war der Nachvollzug der Bewertungs-
preise für die Bestände. Das Unternehmen bewertete die Bestände nach
dem Durchschnittsverfahren, wozu aus den vorliegenden Einkaufspreisen
via gleitende Durchschnitte der aktuelle Bewertungspreis ermittelt wurde.

Prüfungsergebnis und Fazit

Die Überprüfung der festgestellten Abweichungen und die daraus resul-
tierende Gesamtanalyse über alle im System erfassten Bestände ergab, dass
noch weitere Differenzen bei anderen Artikeln vorlagen. Grund für die vorhandenen Mengendifferenzen war ein Programmfehler in der Software , der
immer dann auftauchte, wenn zwischenzeitlich ein »negativer« Bestand vorlag. In einem solchen Fall wurden anstelle des Ausgleichs der negativen Bestände in der für die Bestandsfortschreibung definierten Formel der Abso-
lutbetrag genommen, der in jedem Fall positiv war und somit bei diesen Artikeln einen höheren Bestand im System auswies, als tatsächlich vorhanden
war.

Die Verifizierung der Formel zur Bewertung der Bestände nach der Methode der gleitenden Durchschnitte dagegen ergab keine Fehler, so dass die
Prüfer bezüglich dieser Berechnung die Korrektheit der Bewertung attestie-
ren konnten.

Nach Feststellung des Fehlers bei der Bestandsfortschreibung wurde dieser durch den für das Programm verantwortlichen Entwickler korrigiert. Im
Anschluss an die Bestandsanalyse erfolgte auf Hinweis der externen Prüfer
nachträglich eine Testierung der Software nach IDW PS 880.

Prüfungstechnische Hinweise und Methoden

Folgende Fragestellungen und Prüfungshandlungen sind in diesem Zusammenhang für den Prüfer relevant:

1. Plausibilitätsprüfung numerischer Felder und Datumsfelder,
2. Sortierung des Datenbestandes nach verschiedenen interessanten Kriterien,
3. Ermittlung der wertmäßigen Struktur des Materialbestandes (ABC-Analyse),
4. Darstellung der Altersstruktur der auf Lager befindlichen Bestände,

5. Extraktion von Daten nach verschiedenen revisionsinteressanten Gesichtspunkten für das Lagermanagement,
6. Feststellung der Wirtschaftlichkeit der Lagerhaltung mit Hilfe der Kennzahl Lagerquote.

1. Prüfung der numerischen Felder und Datumsfelder auf Plausibilität und geltende Restriktionen

Im Vorfeld der weiteren Analyse ist es häufig wichtig, dass sich der Prüfer über die Qualität der ihm überlassenen Daten Klarheit verschafft. Hierzu gehören zweifelsohne die Überprüfung numerischer Felder und Datumsfelder auf Plausibilität und geltende Restriktionen. Während IDEA beim Import von Datensätzen diejenigen gesondert in eine Datei mit Namen »X_FehlerhafteDaten« schreibt, die dem Datenformat nicht entsprechen (zum Beispiel fehlendes Datum in einem Datumsfeld), weist ACL die fehlerhaften Datensätze dadurch aus, dass sie einen einheitlichen Defaultwert erhalten (zum Beispiel 00000000 bei einem Datumsfeld). So kann der Prüfer nach dem Import erkennen, ob die gemäß der Datentypdefinition geltenden Datumswerte vorhanden sind.

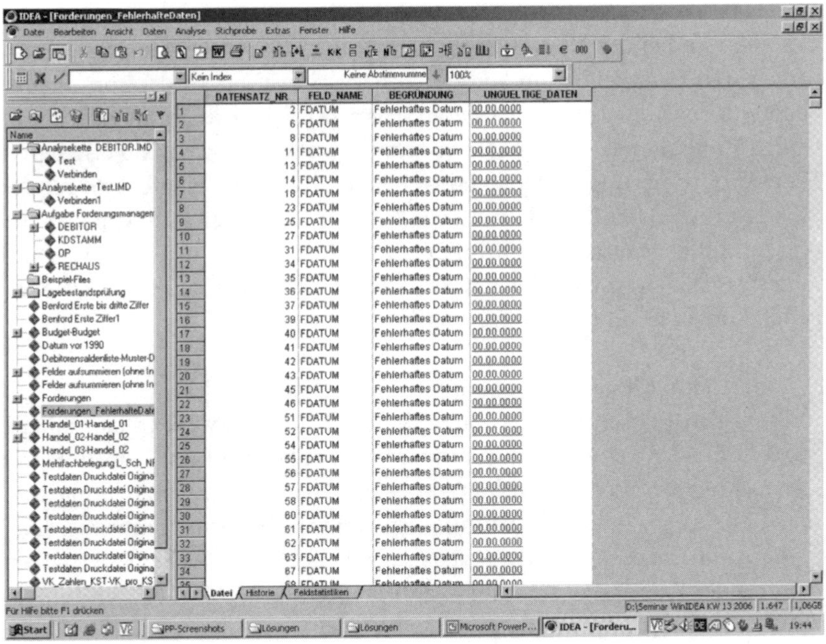

Abb. 145 Zusätzlich in IDEA erstellte Datei mit den fehlerhaften Datumswerten

Suche nach
Mengendifferenzen und
Bewertungsfehlern in der
Lagerbuchhaltung

Sofern der Datenimport-Assistent den Import weitgehend automatisch durchgeführt hat, sollte der Prüfer im Anschluss die einzelnen Datenfelder bezüglich ihrer vom Prüfprogramm vorgegebenen Formate überprüfen. Hierzu kann er in ACL über den Menüpunkt »Bearbeiten/Tabellenlayout« gehen und sich in der zweiten Registerkarte die Formate anzeigen lassen, während er in IDEA über den Menüpunkt »Felder bearbeiten« im entsprechenden Auswahldialog die Datenformate der Felder im Einzelnen erkennen kann.

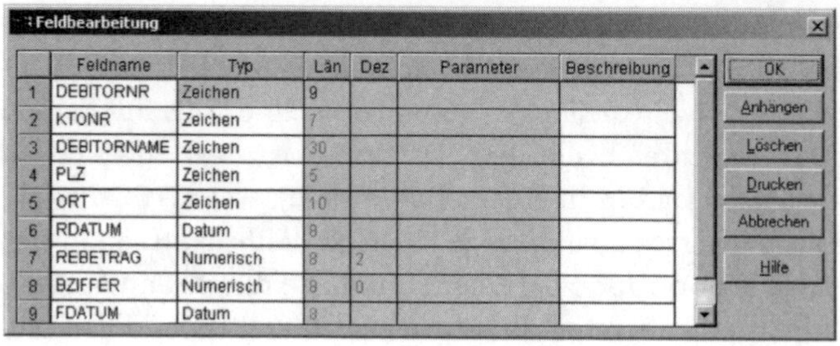

	Feldname	Typ	Län	Dez	Parameter	Beschreibung
1	DEBITORNR	Zeichen	9			
2	KTONR	Zeichen	7			
3	DEBITORNAME	Zeichen	30			
4	PLZ	Zeichen	5			
5	ORT	Zeichen	10			
6	RDATUM	Datum	8			
7	REBETRAG	Numerisch	8	2		
8	BZIFFER	Numerisch	8	0		
9	FDATUM	Datum	8			

Abb. 146 Übersicht der Datenfelder mit ihren Formaten in IDEA

Sollte sich bei der Überprüfung herausstellen, dass die vom Programm vergebenen Datenfelder ein anderes Format aufweisen als das vom Prüfer benötigte, so kann er sie konvertieren. Hier empfiehlt es sich, anstelle der in beiden Programmen möglichen, aber nicht stabilen und revisionssicheren Schnellkonvertierung in den entsprechenden Auswahldialogfeldern für die zu konvertierenden Datenfelder neue berechende Felder anzulegen, in denen mit Hilfe geeigneter Konvertierungsfunktionen die benötigten Datenformate erstellt werden können. Grundsätzlich bieten beide Programme folgende Konvertierungsrichtungen an.

Konvertierung eines Zeichenformats in ein Datumsformat

Diese Form der Konvertierung wird sehr häufig verwendet, da manche Programme das Datumsfeld intern als Zeichenkette führen. Um nun mit diesen Angaben rechnen zu können (zum Beispiel Differenzbildung zwischen Buchungs- und Belegdatum), verfügen beide Prüfprogramme über eine Funktion namens »CTOD()«, die es ermöglicht, das Zeichenfeld nach einer von der Anzeige definierten Datumsmaske in ein Datumsfeld umzuwandeln, mit dem der Prüfer rechnen kann.

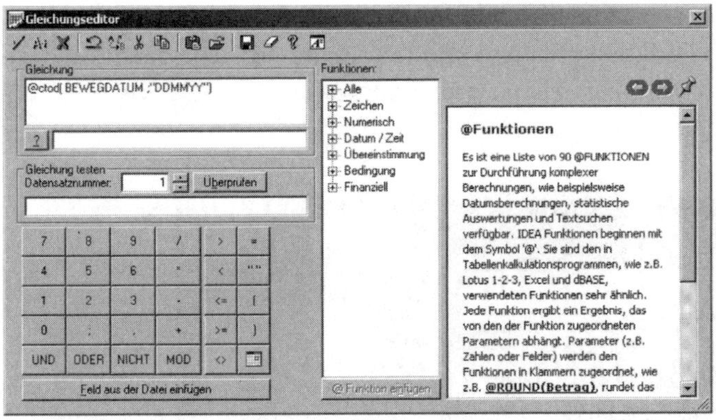

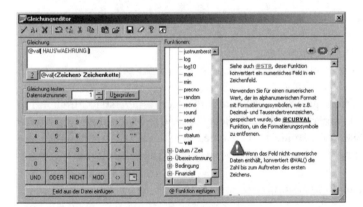

Abb. 147 Umwandlungsfunktion @ctod() in IDEA

Konvertierung eines Zeichenformats in ein numerisches Format

Arbeitet der Prüfer mit fremden Währungen, so kann es vorkommen, dass die vom entsprechenden Anwendungsprogramm gelieferte Betragsspalte aufgrund des Währungssymbols ein Zeichenformat besitzt. Hier kann der Prüfer zunächst mittels entsprechender Zeichenfunktion das Währungssymbol vom übrigen Ausdruck entfernen und anschließend mit der Funktion »Value()« (in IDEA kurz »@val()« genannt) eine Konvertierung des Zeichenformats unter Berücksichtigung vorliegender Sonderzeichen (zum Beispiel Tausender-Trennpunkt) vornehmen.

Abb. 148 Konvertierungsfunktion @val() in IDEA

Konvertierung eines numerischen Formats in ein Zeichenformat

Mit Hilfe der Funktion »String()« (in IDEA kurz »@str()« genannt) kann der Prüfer ein im numerischen Format ausgewiesenes Feld wieder in ein Zeichenformat konvertieren.

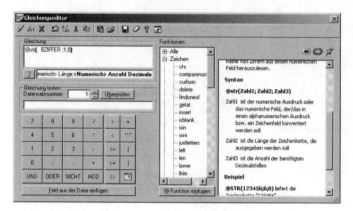

Abb. 149 IDEA-Umwandlungsfunktion @str() im Einsatz

2. Sortierung des Datenbestandes nach verschiedenen interessanten Kriterien

Im Zuge der Analyse des Lagerbestandes ist es ratsam, die in der Lagerbestandsdatei verfügbaren Informationen nach verschiedenen interessanten Kriterien wie beispielsweise

- besonders hohe Positionen,
- besonders niedrige Positionen,
- nach der Artikelgruppe oder
- nach der Filialnummer, der Artikelgruppe und Artikelnummer

zu sortieren. Somit gewinnt der Prüfer nicht nur weitere strukturelle Informationen zum Lagerbestand (zum Beispiel welche Materialien und Artikel wo gelagert werden), sondern auch einen Einblick in die wertmäßige Zusammensetzung der Bestände an den einzelnen Lagerstandorten.

Sortierung und Indizierung nach spezifischen Kriterien

Die Sortierung der Daten erfolgt nach der Filialnummer, Artikelgruppe und dem Artikelpreis.

Revisions- und Prüffälle
in der Praxis

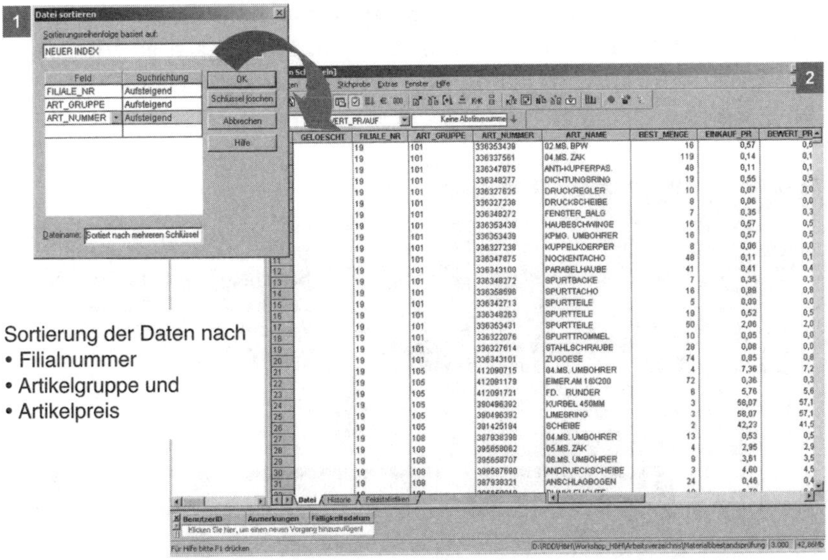

Sortierung der Daten nach
- Filialnummer
- Artikelgruppe und
- Artikelpreis

Abb. 150 Sortierung/Indizierung nach spezifischen Kriterien in IDEA

3. Ermittlung der wertmäßigen Struktur des Materialbestandes (ABC-Analyse)

Die wertmäßige Struktur des zu untersuchenden Materialbestandes ist eine wichtige Prüfungshandlung, zumal sie dem Prüfer anzeigt, wie und mit welchen Verfahren eine ordnungsgemäße Inventur durchgeführt werden kann. Typische Lagerorte weisen eine klassische ABC-Struktur der gelagerten Materialien auf, das heißt, es befinden sich neben mengenmäßig starken Artikeln, deren Wertanteil am gesamten Lagerbestand gering ist (C-Materialien), auch Artikel im Lager, deren Mengenanteil fast vernachlässigbar ist, die aber einen hohen Wertanteil am Gesamtwert ausmachen (A-Materialien).

Die ABC-Analyse führt der Prüfer mit Hilfe der in beiden Programmen verfügbaren Funktionen (ACL: »Analyse/Stratifizieren« oder »Analyse/Verteilung«; IDEA: »Analyse/Dateien schichten/Numerisch ...«) durch, wobei er entweder auf vorgegebene beziehungsweise aus der Vergangenheit bekannte Wert-Intervallgrenzen zurückgreifen kann oder mit Hilfe der Sigma-Intervalle diese über die Verwendung entsprechender Statistikzahlen (Durchschnittswert des Bestandswertes der Materialien und dessen Standardabweichung) errechnet.

191

Numerische Schichtung nach dem Bewertungspreis

Die Durchführung einer numerischen Schichtung nach einem Bewertungspreis führt zur Ermittlung der Wertstruktur des Materialbestandes (ABC-Analyse).

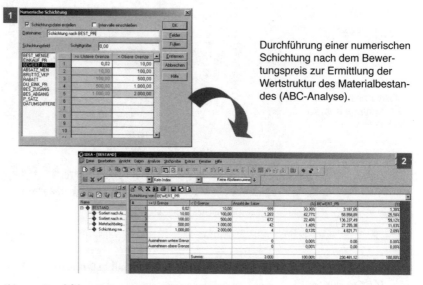

Durchführung einer numerischen Schichtung nach dem Bewertungspreis zur Ermittlung der Wertstruktur des Materialbestandes (ABC-Analyse).

Abb. 151   Durchführung einer ABC-Analyse in IDEA

4. Darstellung der Altersstruktur der auf Lager befindlichen Bestände

Lagerbestandsprüfungen haben die Aufgabe, die Altersstruktur der auf Lager befindlichen Bestandsdaten anhand des Datums der letzten Lagerbewegung (Lagerabgang) zu kontrollieren.

Mit Hilfe der in beiden Programmen verfügbaren Funktion zur Durchführung einer Altersstrukturanalyse (ACL: »Analyse/Alter ...«; IDEA: »Analyse/Altersstrukturanalyse ...«) kann sich der Prüfer nach Festlegung eines für diese Analyse geeigneten Referenzdatums und geeigneter Altersintervalle eine solche anzeigen und ausgeben lassen.

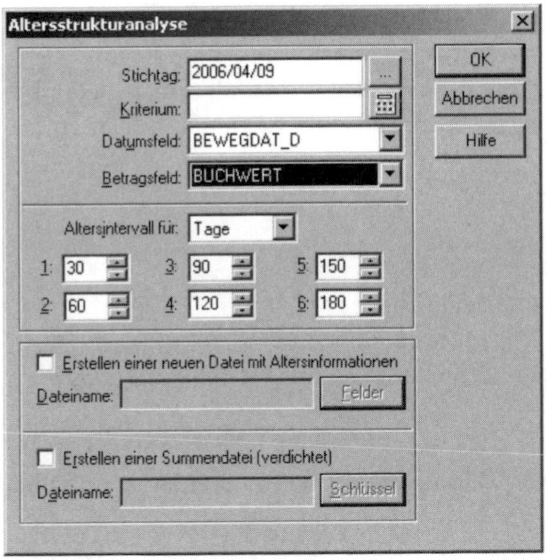

Abb. 152 Parametrisierung der Altersstrukturanalyse in IDEA

Altersstrukturanalyse der Lagerbewegung

Das Ergebnis der Altersstrukturanalyse wird als zusätzliches Register in der Ausgangsdatei angezeigt.

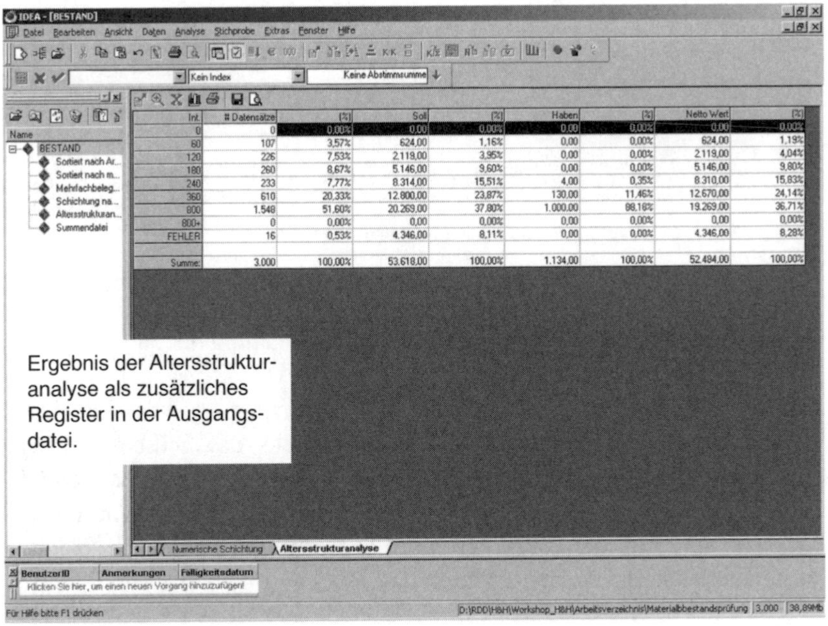

Ergebnis der Altersstrukturanalyse als zusätzliches
Register in der Ausgangs-
datei.

Int.	# Datensätze	(%)	Soll	(%)	Haben	(%)	Netto Wert	(%)
0	0	0,00%	0,00	0,00%	0,00	0,00%	0,00	0,00%
60	107	3,57%	624,00	1,16%	0,00	0,00%	624,00	1,19%
120	226	7,53%	2.119,00	3,95%	0,00	0,00%	2.119,00	4,04%
180	260	8,67%	5.146,00	9,60%	0,00	0,00%	5.146,00	9,80%
240	233	7,77%	8.314,00	15,51%	4,00	0,35%	8.310,00	15,83%
360	610	20,33%	12.800,00	23,87%	130,00	11,46%	12.670,00	24,14%
600	1.549	51,60%	20.269,00	37,80%	1.000,00	88,16%	19.269,00	36,71%
600+	0	0,00%	0,00	0,00%	0,00	0,00%	0,00	0,00%
FEHLER	16	0,53%	4.346,00	8,11%	0,00	0,00%	4.346,00	8,28%
Summe:	3.000	100,00%	53.618,00	100,00%	1.134,00	100,00%	52.484,00	100,00%

Abb. 153 Ergebnis der Altersstrukturanalyse in IDEA als Tabelle

Suche nach
Mengendifferenzen und
Bewertungsfehlern in der
Lagerbuchhaltung

5. Extraktion von Daten nach verschiedenen revisionsinteressanten Gesichtspunkten für das Lagermanagement

Je nach Prüfungsfrage kann es für den Prüfer sinnvoll sein, sich die Daten der Lagerbestandsdatei nach verschiedenen Kriterien anzeigen zu lassen, zum Beispiel nach

- kreditorischen Buchwerten,
- besonders hohen Positionen,
- besonders alten Positionen,
- Positionen mit Zugängen ohne Abgänge,
- Positionen mit negativen Preisinformationen und
- Artikeln mit entsprechenden Bezeichnungen im Artikel- beziehungsweise Materialnamen.

Somit erhält der Prüfer wertvolle Informationen und erkennt Auffälligkeiten bei den Lagerdaten.

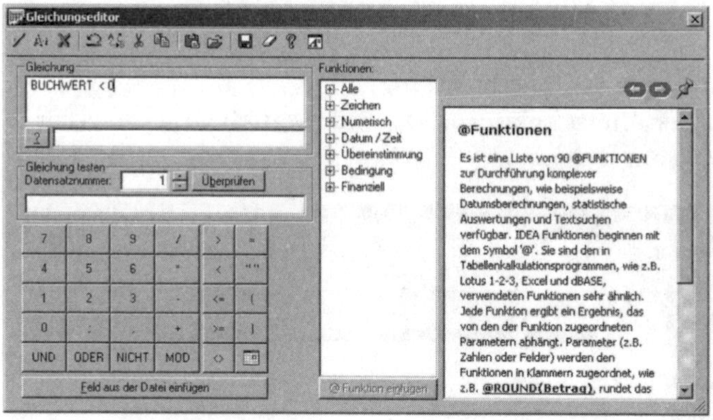

Abb. 154 Filter zur Ermittlung kreditorischer Buchwerte in IDEA

6. Feststellung der Wirtschaftlichkeit der Lagerhaltung mit Hilfe der Kennzahl Lagerquote

Wird in den einzelnen Lagerstandorten einheitlich gut gewirtschaftet? Eine hierzu mögliche Kennzahl ist die Lagerquote, das heißt der durchschnittliche Lagerbestand, der, gemessen am Umsatz, in den einzelnen Filiallagern gehalten wurde. Eine solche Berechnung lässt sich ohne großen Aufwand mit Hilfe der Prüfprogramme durchführen, wobei sich folgende Vorgehensweise als effektiv erwiesen hat.

Zuerst ermittelt der Prüfer anhand der vorliegenden Daten den Buchwert und den Umsatz für jede Position. Hierzu fügt er neue berechnende Felder ein, wobei sich der Buchwert aus dem Produkt Bestandwert × Bestandsmenge und der Umsatz aus dem Produkt Absatzmenge × Netto_Verkaufspreis ermittelt.

Im nächsten Schritt hat der Prüfer die in der Lagerdatei befindlichen Datensätze bezüglich des jeweiligen Lagerstandortes anhand eines entsprechenden Merkmals (Merkmal »Filiale«) zu verdichten, wobei als Summationsfelder die berechnenden Felder »Buchwert« und »Umsatz« zu nehmen sind.

Zum Schluss ergänzt er in der hieraus entstandenen verdichteten Datei das Rechenfeld zur Ermittlung der Lagerquote [= Buchwert/Umsatz × 100] und vergleicht die einzelnen Werte.

Berechung der Lagerquote pro Filiale
Eine neue Spalte gibt die Lagerquote an (= Buchwert/Umsatz × 100).

Hinzufügen einer neuen Spalte in der neuen Datei für die Lagerquote (= Buchwert/Umsatz × 100)

Abb. 155 Berechnung der Kennzahl »Lagerquote« in IDEA

Vorgetäuschten Bedarf im Einkauf lokalisieren

Ausgangssituation

Durch regelmäßig festgestellte Inventurdifferenzen im Lager, die sich dem Lagerleiter eines Industriebetriebes aufgrund ihres Betrages und ihrer Kontinuität stetig zeigten, kam der Verdacht auf, dass Mitarbeiter gezielt Artikel aus dem Lager entwendeten. Hier galt es, so schnell wie möglich den/die betroffenen Mitarbeiter zu lokalisieren und das dolose Handlungsmuster herauszufinden, nach dem systematisch Artikel aus dem Lager unterschlagen wurden. Darüber hinaus sollte durch die Aufdeckung und Bekanntgabe des Falls ein Exempel statuiert werden, um bei den übrigen Mitarbeitern eine Hemmschwelle für solche Delikte zu errichten.

Das Unternehmen wickelte seinen Einkauf und das Lagerwesen über eine Standardsoftware ab. Für die verschiedenen Funktionen des Einkaufs und der Lagerverwaltung waren im System entsprechende Benutzer- und Berechtigungsprofile angelegt. Das Anwendungssystem konnte so konfiguriert werden, dass es alle rechnungslegungsrelevanten Prozesse durch Logs protokollierte.

Prüfaufgabe beziehungsweise -auftrag

Der Prüfauftrag sah im Einzelnen vor,
* die im System vorhandenen Benutzerprofile hinsichtlich Berechtigungen und Aktivitäten detailliert zu analysieren,
* die festgestellten Inventurdifferenzen aufgrund vorliegender Einkaufsbelege und Materialentnahmescheine im System zurückzuverfolgen,
* die vollständige Protokollierung rechnungslegungsrelevanter Prozesse im Einkaufs- und Lagerprogramm zu etablieren,
* »verdächtige Benutzer« zu lokalisieren, die aufgrund ihrer Berechtigungen und Funktionen die Möglichkeit besaßen, im vorliegenden Fall dolose tätig zu sein,
* die Analyse der Vorfälle ohne jegliche Verunsicherung bei den Mitarbeitern des Unternehmens organisatorisch durchzuführen.

Lösungsweg

Die Einstellung der maximal im Programm verfügbaren Protokollierungsmöglichkeiten konnte direkt vorgenommen werden, um so sicherzustellen, dass weitere für den Fall möglicherweise wichtige Aktivitäten aufgezeichnet und gegebenenfalls als Beweismaterial genutzt werden konnten. Die Analyse der im System hinterlegten Benutzerberechtigungen gestaltete sich dagegen etwas aufwändiger, da es kein durchgängiges und mit den Aufgaben der Mitarbeiter abgestimmtes Berechtigungskonzept gab. Die Berechtigungen gab der fachverantwortliche Mitarbeiter in Auftrag; sie wurden von der IT im System mit Hilfe von Standardprofilen eingerichtet. Durch die Prüfsoftware konnten die Berechtigungen der einzelnen Benutzer und Benutzergruppen schließlich detailliert dargestellt und mit den organisatorischen Zuständigkeiten abgestimmt werden.

Die Feststellung und Rückverfolgbarkeit der Inventurdifferenzen erfolgte anhand von Auswertungen und Statistiken des Einkaufs-/Lagerprogramms und entsprechender weiterer Daten aus der Finanzbuchhaltung.

Prüfungsergebnis und Fazit

Mit der Prüfsoftware gelang es anhand der Rückverfolgbarkeit der festgestellten Inventurdifferenzen bei bestimmten Artikelgruppen mit Hilfe der Benford-Analyse herauszufinden, dass ein bestimmter Benutzer entsprechende Mengen beim Einkauf falsch im System erfasste und es dadurch zu Abweichungen in den fakturierten Werten der Finanzbuchhaltung kam. Der verantwortliche Mitarbeiter nahm an, dass die zufällige Auswahl der Artikel, bei denen die Mengen um kleine Abschläge systemseitig im Einkaufsprogramm verändert erfasst wurden, nicht auffallen würde.

Durch die Detailanalyse der Aktivitäten des kriminellen Mitarbeiters konnten im Nachhinein alle Aktivitäten aufgezeigt und als Beweismaterial genutzt werden, die für die festgestellten Differenzen verantwortlich waren.

Unter Einsatz der Prüfsoftware gelang es der Revision des Industrieunternehmens, den kriminellen Mitarbeiter in der Einkaufsabteilung zu überführen. Ihm wurde aufgrund der Beweislage fristlos gekündigt. Der Vorfall wurde nach Vorliegen des Beweismaterials Zug um Zug im Unternehmen bekannt gemacht, um weiteren Fällen vorzubeugen. Durch die Freischaltung einer umfänglichen systemseitigen Protokollierung wurde auch die Gefahr einer möglichen fehlenden Aufzeichnung doloser Handlungen im System zukünftig gebannt.

Prüfungstechnische Hinweise und Methoden

Folgende Fragestellungen und Prüfungshandlungen können in diesem Zusammenhang für den Prüfer von Interesse sein:

1. Ermittlung der bestellten Waren pro Einkäufer beziehungsweise Einkäufergruppe,
2. Sortieren der Artikel nach Höhe des Bestellwertes,
3. Darstellung der Materialverbräuche je Produktionseinheit,
4. Abgleich der angeforderten Waren und Artikel mit den Materialverbräuchen.

1. Ermittlung der bestellten Waren pro Einkäufer beziehungsweise Einkäufergruppe

Mittels Teilsummenbildung pro Einkäufer und/oder Einkäufergruppen mit dem Bestellwert als Summationsfeld erfolgt eine Darstellung der bestellten Ware pro Einkäufer beziehungsweise Einkäufergruppe (ACL: »Analyse/Summenstruktur ...«; IDEA: »Analyse/Felder aufsummieren«).

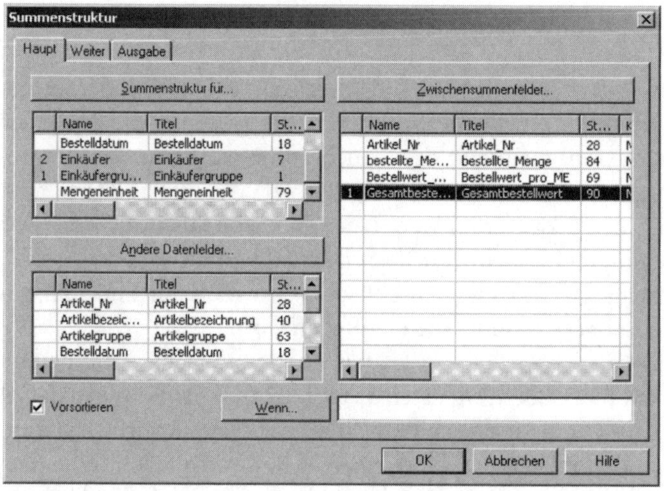

Abb. 156 Teilsummenbildung pro Einkäufergruppe und Einkäufer in ACL

2. Sortieren der Artikel nach Höhe des Bestellwertes

Anschließend kann zur Darstellung derjenigen Einkäufer, die wertmäßig am meisten Waren bestellt haben, die neue Datei absteigend nach dem Bestellwert sortiert werden (ACL: »Daten/Datensätze sortieren ...«; IDEA: »Daten/Sortieren«).

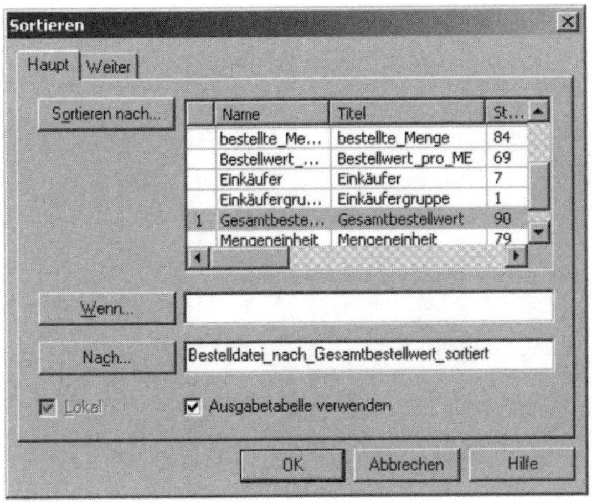

Abb. 157 Sortierung nach dem Gesamtbestellwert in ACL

3. Darstellung der Materialverbräuche je Produktionseinheit

Als Erstes verknüpft der Prüfer die entsprechende Materialverbrauchstabelle mit der jeweiligen Tabelle der produzierten Einheiten (ACL: »Daten/Tabellen zusammenführen ...«; IDEA: »Datei/Dateien verbinden«). So erhält er für die verschiedenen Produktionseinheiten die dazugehörigen Materialverbräuche.

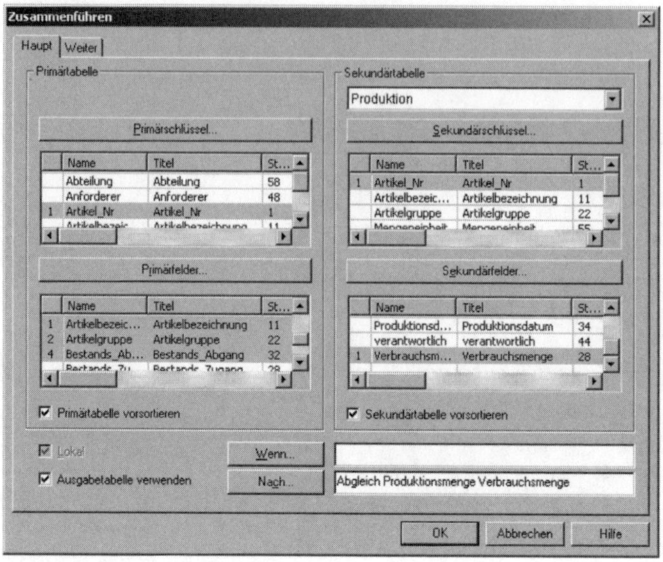

Abb. 158 Verknüpfen der beiden Dateien in ACL – 1. Register

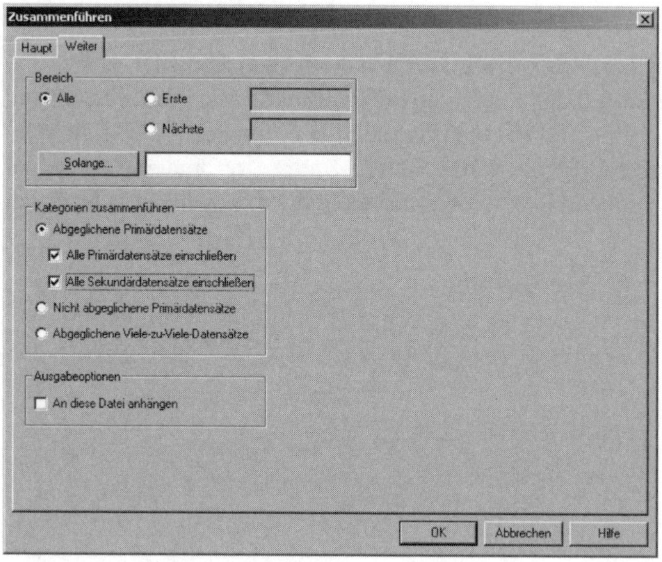

Abb. 159 Konfigurationswahl der Verknüpfungsart in ACL – 2. Seite

4. **Abgleich der angeforderten Waren und Artikel mit den Materialverbräuchen**

Hierzu werden ebenfalls die Datei mit den Einkaufsinformationen und die Tabelle mit den Materialverbräuchen via Schlüssel verbunden (ACL: »Daten/Tabellen zusammenführen...«; IDEA: »Datei/Dateien verbinden«). In der neu erstellten Tabelle gruppiert der Prüfer die Daten nach den jeweiligen Artikeln mit den Datenfeldern der »angeforderten Menge« und »Materialverbrauch« als Summationsfelder (ACL: »Analyse/Summenstruktur ...«; IDEA: »Analyse/Felder aufsummieren«). Zur Feststellung möglicher Differenzen kann sich der Prüfer nun mit Hilfe des Filters diejenigen Artikeln anzeigen und ausgeben lassen, deren Differenz zwischen der angeforderten Menge und dem Materialverbrauch ungleich Null ist.

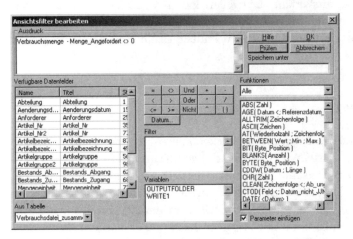

Abb. 160 Erfassung derjenigen Materialverbräuche in ACL, deren Differenz ungleich Null ist

Überweisungs- und Bestandsdatenmanipulationen bei Kreditoren analysieren

Ausgangssituation

Durch eine anonyme Anzeige wurde in einem Unternehmen der Großindustrie die Unternehmensleitung über einen Betrugsverdacht im Bereich des Kreditorenmanagements informiert. Daraufhin wurde im Auftrag der Geschäftsleitung die interne Revision tätig. Es galt, das notwendige Beweismaterial für den Vorwurf der Unterschlagung zügig zu sichern.

Der Einkauf wurde über ein vom Markt anerkanntes ERP-System zentral abgewickelt. Drei eigenständige und getrennt arbeitende Abteilungen mit unterschiedlichen Beschaffungsphasen wurden beschäftigt. Die Zugriffsbeschränkungen und die getrennte Verantwortung sollten gemeinsame Aktionen zum Schaden des Unternehmens verhindern.

Prüfaufgabe beziehungsweise -auftrag

Wegen der großen Menge der zu überprüfenden Daten und Dokumente beschloss die interne Revision, mit Hilfe der Prüfsoftware IDEA eine methoden- und toolgestützte Datenanalyse durchzuführen. Es galt, einen Abgleich der Geschäftsvorfälle zu erstellen, indem die Lieferantenverträge den entsprechenden Lieferungen, den Eingangsrechnungen und den zentralen gespeicherten Lieferkonditionen gegenübergestellt und damit verglichen wurden.

Lösungsweg

Vorbereitend wurden die aus den dezentralen Abteilungen bezogenen Geschäftsvorfälle (Bestellungen, Lieferscheine, Rechnungen) in eine gemeinsame Datenbank zusammengeführt. Diese Daten wurden anschließend durch Verwendung eines Analysetools mit der zentralen Auftrags- und Konditionsdatei abgeglichen, um festzustellen, inwieweit Abweichungen zwischen den vereinbarten und den in den Rechnungen ausgewiesenen Zahlungsbedingungen nachzuweisen waren. Wegen des überaus großen Datenbestandes und um möglichst schnell zu greifbaren Ergebnissen zu kommen, wurden zur ersten Prüfung nur 10 Prozent des Vertragsbestandes für ein Stichprobenverfahren ausgewählt.

Prüfungsergebnis und Fazit

Obwohl oder weil die Verantwortung auf unterschiedliche Abteilungen verteilt war, fehlte es an einem übergreifenden Wissen und damit auch an übergreifenden Kontrollen. Das Gesamtwissen über die Konditionsvereinbarungen war nicht vorhanden, so dass es in den getrennt operierenden Abteilungen möglich war, das zentrale Konditionssystem für eigene Zwecke unbemerkt zu missbrauchen, das heißt ausgewählten Lieferanten günstigere Konditionen einzuräumen und daran selbst zu partizipieren.

Auch in diesem Fall war es trotz des überaus großen Datenbestandes, verteilt über mehrere Datenbanken, durch den Einsatz der Prüfsoftware innerhalb von zwei Monaten möglich, eine Veruntreuung in beachtlicher Höhe zu erkennen, beweiskräftig zu dokumentieren und so die Grundlage dafür zu schaffen, dass ein großer Teil dieser Gelder wieder zurückgeholt werden konnte.

Prüfungstechnische Hinweise und Methoden

Folgende Fragestellungen und Prüfungshandlungen sind in diesem Zusammenhang für den Prüfer von Interesse:

1. Überprüfung des Vorhandenseins spezieller als kritisch angesehener Texte beziehungsweise Textteile (zum Beispiel kritische Buchungstexte),
2. Buchungen an Feiertagen und Wochenenden,
3. Sichtprüfung auf Ordnungsmäßigkeit der vorliegenden Daten,
4. Sortierung des Datenbestandes nach interessanten Kriterien,
5. Überprüfung ermittelter Berechnungen (zum Beispiel Steuerberechnung),
6. Schichtung der Kreditoren (ABC-Analyse),
7. Filtrierung der Daten nach speziellen Fragestellungen,
8. Ermittlung der Höhe der Verbindlichkeiten je Kreditor durch Teilsummenbildung.

1. Überprüfung des Vorhandenseins spezieller als kritisch angesehener Texte beziehungsweise Textteile

Im Rahmen der Prüfung könnte die Analyse als kritisch erachteter Texte oder Textteile sinnvoll sein. Beide Prüfprogramme ermöglichen eine Suche nach speziellen Texten beziehungsweise Textteilen (ACL: Funktion »Find()« für die Suche eines Textes in einem Textfeld beziehungsweise »Match()« für die Suche einer Liste von Texten in einem Datenfeld; IDEA: Funktion »@isin()« beziehungsweise »@isini()« für die Suche eines Textes in einem Datenfeld beziehungsweise »@match()« für die Suche einer Liste von Texten in einem Datenfeld).

Im folgenden Beispiel wird untersucht, ob im Datenfeld »Buchungstext« für die Buchungen die kritischen Texte »Fehler«, »Test« oder »Storno« enthalten sind:

203

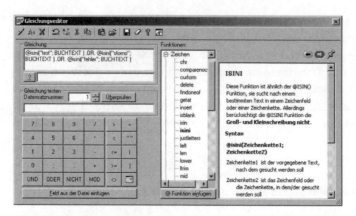

Abb. 161 Definition des Filters zur Extraktion der kritischen Buchungstexte in IDEA

Textsuche im Buchungstext

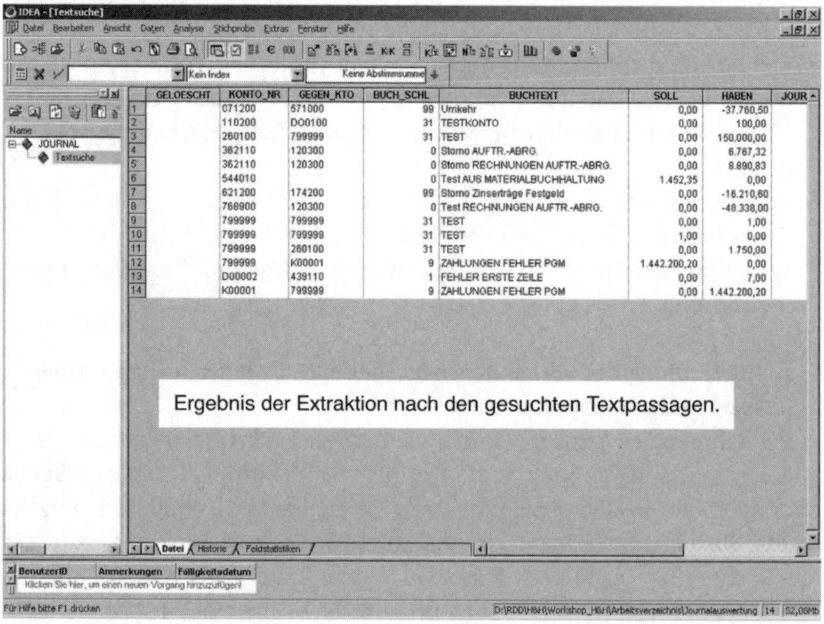

	GELOESCHT	KONTO_NR	GEGEN_KTO	BUCH_SCHL	BUCHTEXT	SOLL	HABEN	JOUR
1		071200	571000	99	Umkehr	0,00	-37.760,50	
2		110200	DO0100	31	TESTKONTO	0,00	100,00	
3		260100	799999	31	TEST	0,00	150.000,00	
4		382110	120300	0	Storno AUFTR.-ABRG.	0,00	8.767,32	
5		362110	120300	0	Storno RECHNUNGEN AUFTR.-ABRG.	0,00	8.990,83	
6		544010		0	Test AUS MATERIALBUCHHALTUNG	1.452,35	0,00	
7		621200	174200	99	Storno Zinserträge Festgeld	0,00	-16.210,60	
8		768900	120300	0	Test RECHNUNGEN AUFTR.-ABRG.	0,00	-49.338,00	
9		799999	799999	31	TEST	0,00	1,00	
10		799999	799999	31	TEST	1,00	0,00	
11		799999	260100	31	TEST	0,00	1.750,00	
12		799999	K00001	9	ZAHLUNGEN FEHLER PGM	1.442.200,20	0,00	
13		D00002	439110	1	FEHLER ERSTE ZEILE	0,00	7,00	
14		K00001	799999	9	ZAHLUNGEN FEHLER PGM	0,00	1.442.200,20	

Ergebnis der Extraktion nach den gesuchten Textpassagen.

Abb. 162 Ergebnis der kritischen Buchungstextsuche in IDEA

2. Buchungen an Feiertagen und Wochenenden

Darüber hinaus könnte der Prüfer den Verdacht überprüfen, ob an Feiertagen und Wochenenden, an denen das Unternehmen geschlossen ist, Buchungen vorgenommen wurden. Hierzu kann er auf die in beiden Prüfprogrammen vorhandene Funktion »Dow()« zurückgreifen, die ein Datumsfeld in eine Zahl umwandelt, welche den Wochentag definiert. Hierbei steht die »1« für Sonntag, die »2« für Montag und schließlich die »7« für Samstag. Um die obige Extraktion durchzuführen, muss der Prüfer zunächst alle gesetzlichen Feiertage des Prüfungszeitraums auflisten. Anschließend setzt er einen Filter, der die Buchungssätze anzeigt, deren Buchungsdatum entweder auf einen der gesetzlichen Feiertage fällt oder den Wert 1 oder 7 aufweist.

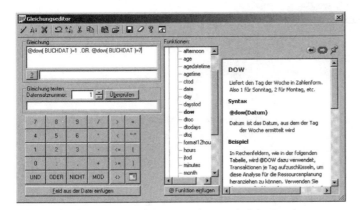

Abb. 163 Erfassung des Filters zur Feststellung der Buchungen am Wochenende in IDEA

Das Prüfprogramm ACL verfügt neben der Funktion »Dow()« zusätzlich über die Funktion »CDow()«, die ebenfalls den Wochentag anzeigt. Bei der Verwendung der Funktion »CDow()« liefert das Programm direkt den in Wort geschriebenen Wochentag, so dass eine Umrechnung in die Ziffern 1 bis 7 nicht mehr notwendig ist.

3. Sichtprüfung auf Ordnungsmäßigkeit der vorliegenden Daten

Zu Beginn der Analyse sollte der Prüfer eine Sichtprüfung der ihm überlassenen Kreditorendaten durchführen und die Daten auf Fehler und Datenkonsistenz durchleuchten. Folgende Fragestellungen und -handlungen könnten hier von Interesse sein:

- Sind in der Kreditorendatei Datensätze mit fehlenden Belegnummern oder Rechnungsnummern vorhanden? Um eine solche Frage zu beantworten, führt der Prüfer eine Lückenanalyse durch, die in beiden Prüfprogrammen verfügbar ist (ACL: »Analyse/Nach Lücken suchen ...«; IDEA: »Daten/Lückenanalyse«). Als Schlüssel wählt der Prüfer die Beleg- beziehungsweise die Rechnungsnummer.

Lückenanalyse bezüglich der Journalseite

In der Abbildung 164 wird die Lückenanalyse anhand des Attributes »Journalseite« durchgeführt und das Ergebnis anzeigt.

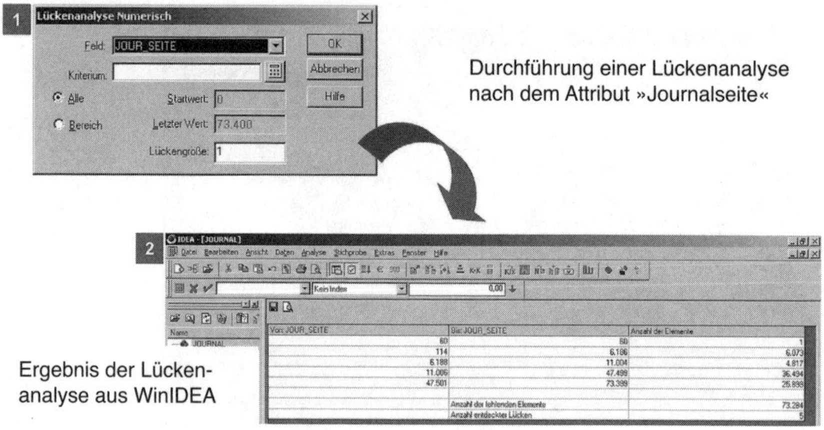

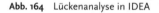

Durchführung einer Lückenanalyse nach dem Attribut »Journalseite«

Ergebnis der Lücken- analyse aus WinIDEA

Abb. 164   Lückenanalyse in IDEA

- Kommen in der Datei Datensätze mehrfach vor? Diese Frage kann der Prüfer mit Hilfe der in beiden Programmen verfügbaren Funktion (ACL: »Analyse/Nach Duplikaten suchen ...«; IDEA: »Daten/Mehrfachbelegungsanalyse«) beantworten. Beide Programme erzeugen bei ihrer Default-Einstellung jeweils eine Liste, welche die mehrfach vorkommenden Datensätze anzeigt beziehungsweise als Tabelle ausgibt.

Parametrisierung zur Durchführung von Mehrfachbelegung

Nachdem die Schlüssel definiert wurde, der die Mehrfachbelegung überprüft, kann der Benutzer die Felder auswählen, die in der Ergebnisdatei angezeigt werden sollen.

Nach Definition des Schlüssels, der auf die Mehrfachbelegung hin überprüft wird, kann der Benutzer die Felder auswählen, die in der Ergebnisdatei angezeigt werden sollen.

Abb. 165 Parametrisierung der Mehrfachbelegung in IDEA

- Fehlen bei einigen Buchungsdaten wichtige Datenfelder wie beispielsweise der Rechnungs- oder Steuerbetrag? Hierzu kann der Prüfer mittels der Funktion »Isblank()« abfragen, ob die Pflichtfelder ordnungsgemäß gefüllt sind. Da es sich bei den oben genannten zwei Beispielfeldern um numerische Felder handelt und die Eingabeparameter der Funktion »Isblank()«vom Zeichentyp sein müssen, hat der Prüfer die entsprechenden Datenfeldern mit Hilfe der richtigen Konvertierungsfunktion umzuwandeln (ACL: »String()«; IDEA: »@str()«).

4. Sortierung des Datenbestandes nach interessanten Kriterien

Für eine weitere Datenanalyse hinsichtlich möglicher Auffälligkeiten ist es hilfreich, den Datenbestand nach interessanten Kriterien (beispielsweise Lieferantennummer, Beleg- oder Rechnungsnummer, Rechnungsbetrag) zu sortieren. Wenn der Prüfer die Sortierung für weitere Analysen nutzen möchte, kann er sie sich als neue Datei ausgeben lassen (ACL: »Daten/Datensätze sortieren...«; IDEA: »Daten/Sortieren«) oder sich als »flüchtige« Sortierung anzeigen lassen (ACL: »Daten/Index erstellen ...«; IDEA: »Daten/Indizieren«). Im letzteren Fall wird die Sortierung als Maske angezeigt, die der Prüfer während der Sitzung jederzeit aktivieren und deaktivieren kann. Beim Verlassen des Programms wird der Index gelöscht. Bei diesem Vorgehen kann der Prüfer auch eine über mehrere Datenfelder gestaffelte Sortierung vornehmen, was im Gegensatz zur – in beiden Programmen verfügbaren – Schnellsortierung nicht möglich ist.

5. Überprüfung ermittelter Berechnungen

Insbesondere die in den Anwendungsprogrammen vorhandenen berechnenden Datenfelder sollten im Falle festgestellter fehlender Abstimmungen beziehungsweise vorhandener Abweichungen überprüft werden (zum Beispiel die Steuerberechnung mit den verschiedenen Steuerschlüsseln). Zur Überprüfung der Berechnung fügt der Prüfer eine neue berechnende Spalte ein (ACL: »Bearbeiten/Tabellenlayout/2. Register«; IDEA:«Daten/Felder bearbeiten«).Je nach Komplexität der Berechnung muss der Prüfer die Berechnung an spezielle Bedingungen knüpfen (zum Beispiel Steuersatz in Abhängigkeit vom Steuerschlüssel). Während IDEA eine solche Bedingungsfunktion im Funktionskanon besitzt (»@if()« für die einfache Auswahl, »@compif()« für die mehrfache Auswahl), definiert der Prüfer in ACL bei der Erfassung der berechnenden Formel in einem hierfür vorgesehen Teil die Bedingung und deren Wert separat.

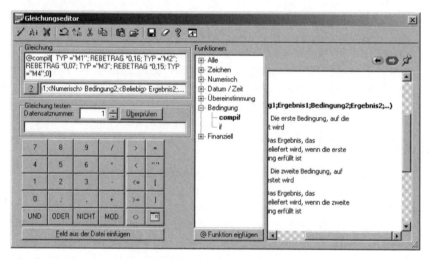

Abb. 166 Ermittlung des Steuerbetrages gestaffelt nach den Steuerschlüsseln in IDEA

6. Schichtung der Kreditoren

Um sich einen Eindruck über die Bedeutung spezieller Kreditoren zu verschaffen beziehungsweise die Abhängigkeit zu bestimmten Haus- und Hoflieferanten darzustellen, kann der Prüfer eine ABC-Analyse der Kreditoren anhand der jeweils in Rechnung gestellten Beträge erstellen. Auch hier lautet die Aufgabe, die Kreditoren nach sinnvollen Intervallen bezüglich des

Rechnungsbetrages zu schichten. Entweder liegen Wertintervalle vor oder der Prüfer kann anhand von Sigma-Intervallen sinnvolle Intervallgrenzen definieren.

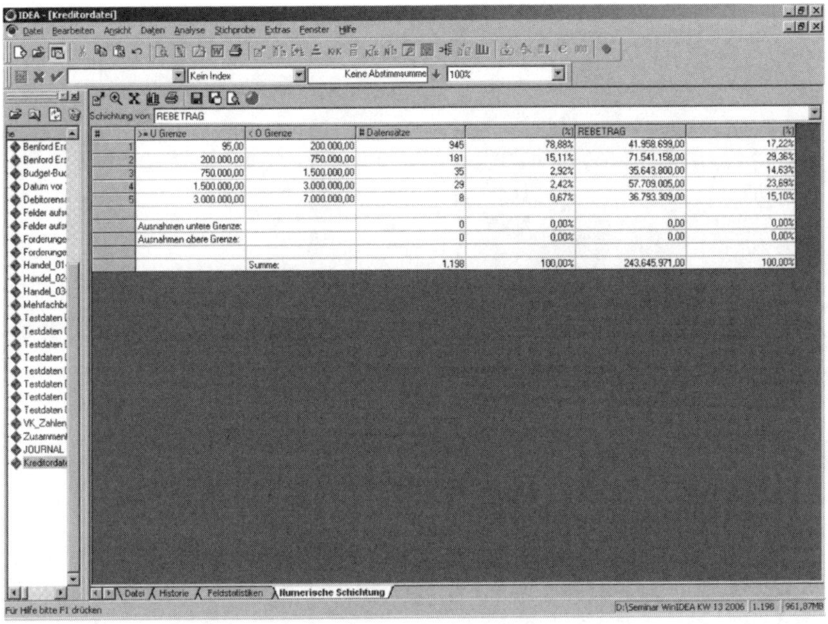

Abb. 167 Ergebnis der ABC-Analyse der Kreditoren in IDEA

7. Filtrierung der Daten nach speziellen Fragestellungen

Es kann hilfreich sein, die Datensätze nach verschiedenen für den Prüfungsauftrag sinnvollen Abfragen zu filtern. Beispiele solcher Abfragen sind:

- alle Belege, deren Steuer falsch berechnet wurde,
- alle Belege, bei denen der Rechnungsbetrag größer als ein definierter Wesentlichkeitsbetrag ist,
- alle Belege, die zu speziellen Lieferanten (auslesbar anhand der Lieferantennummer oder der Lieferantenbezeichnung) gehören, und
- alle Belege, bei denen die wesentlichen Datenfelder leer sind (wie beispielsweise die Rechnungsnummer).

Abb. 168 Filtration nach fehlenden Belegnummern in IDEA

8. Ermittlung der Höhe der Verbindlichkeiten je Kreditor durch Teilsummenbildung

Um die wirtschaftliche Bedeutung spezieller Kreditoren und die Abhängigkeit zu ihnen darzustellen, ist es sinnvoll, sich die Verbindlichkeiten nach Kreditoren gegliedert ausgeben zu lassen. Hierzu kann sich der Prüfer die Teilsummen gegliedert nach der Kreditorennummer anzeigen lassen (ACL: »Analyse/Summenstruktur ...«; IDEA: »Analyse/Felder aufsummieren«).

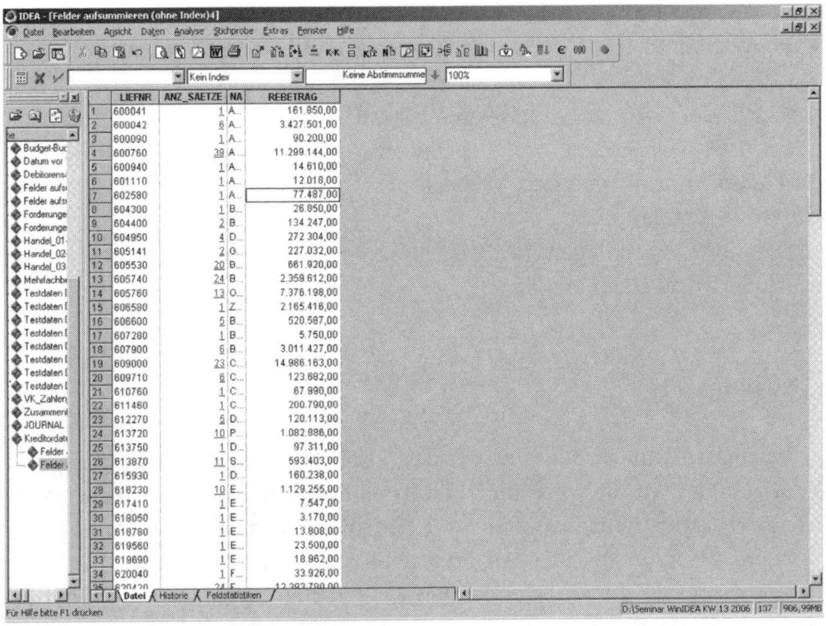

	LIEFNR	ANZ_SAETZE	NA	REBETRAG
1	600041	1	A...	161.850,00
2	600042	6	A...	3.427.501,00
3	600090	1	A...	90.200,00
4	600760	39	A...	11.299.144,00
5	600940	1	A...	14.610,00
6	601110	1	A...	12.018,00
7	602580	1	A...	77.487,00
8	604300	1	B...	26.850,00
9	604400	2	B...	134.247,00
10	604950	4	D...	272.304,00
11	605141	2	G...	227.032,00
12	605530	20	B...	661.920,00
13	605740	24	B...	2.358.612,00
14	605760	13	O...	7.376.198,00
15	606580	1	Z...	2.165.416,00
16	606600	5	B...	520.587,00
17	607280	1	B...	5.750,00
18	607900	6	B...	3.011.427,00
19	609000	23	C...	14.986.163,00
20	609710	6	C...	123.682,00
21	610760	1	C...	67.990,00
22	611460	1	C...	200.790,00
23	612270	5	D...	120.113,00
24	613720	10	P...	1.082.886,00
25	613750	1	D...	97.311,00
26	613870	11	S...	593.403,00
27	615930	1	D...	160.238,00
28	616230	10	E...	1.129.255,00
29	617410	1	E...	7.547,00
30	618050	1	E...	3.170,00
31	618780	1	E...	13.808,00
32	619560	1	E...	23.500,00
33	619690	1	E...	18.962,00
34	620040	1	F...	33.926,00

Abb. 169 Teilsummenbildung pro Kreditor in IDEA

Bonitätsprüfungen bei Bankdebitoren

Ausgangssituation

Wachsende Verluste beim Kreditgeschäft mit den Geschäftskunden veranlassten die Geschäftsleitung einer Geschäftsbank, die Bonität ihrer Kunden einer genaueren Analyse zu unterziehen. Sie beauftragte eine externe Prüfungsgesellschaft mit der Bonitätsprüfung ihrer Debitoren.

2 Prüfaufgabe beziehungsweise -auftrag

Mittels der üblichen Bonitätsinformationen sollte der Istzustand der Bonität ermittelt und bewertet werden. Als Bonitätsinformationen lagen folgende Unterlagen über die jeweiligen Geschäftskunden vor:

- Jahresabschluss beziehungsweise alternativ hierzu die Einnahmen-Überschussrechnung,

- betriebswirtschaftliche Auswertungen (BWA) und
- Planzahlen über die wirtschaftliche und liquiditätsmäßige Entwicklung.

Auf dieser Grundlage sollte eine Klassifizierung der Bankdebitoren vorgenommen werden, mit der eine Bewertung des potenziellen Kreditrisikos durchgeführt und geeignete Maßnahmen zur Gewährung von Krediten definiert werden konnten.

Die Unterlagen lagen in Form von Druckdateien, ASCII-Textdateien und/oder Excel-Dateien vor.

Lösungsweg

Nach dem Import der vorliegenden Dateien erfolgte mittels geeigneter Kennzahlen (zum Beispiel Rentabilitätskennzahlen, Liquiditätskennzahlen, Kapitalstruktur, Betriebsmittel- und Investitionsbedarf et cetera) eine Bewertung der Wirtschaftlichkeit und des Risikos. Hierzu wurden mit Hilfe der Prüfsoftware die entsprechenden Kennzahlen als neue Datenfelder definiert und ein Ranking der Kennzahlen im Hinblick auf die Bonität der Kunden durchgeführt.

Prüfungsergebnis und Fazit

Der Vergleich der Bankdebitoren anhand der definierten Kennzahlen ergab, dass trotz fehlender und/oder ungünstiger Werte Geschäftskunden in einigen Fällen zu hohe Kredite erhielten, ohne das mit der fehlenden Bonität verbundene Risiko zu berücksichtigen.

Die Prüfer definierten im Anschluss an die Ist-Analyse der Bonitätssituation ein Cluster von Kennzahlen einschließlich entsprechender Wertgrenzen zur Einstufung der Kunden nach dem Basel-II-Rating. Für die einzelnen Ratingklassen wurden entsprechende Anforderungen bei der Kreditvergabe definiert, die als organisatorische Handlungsanweisung implementiert wurden.

Prüfungstechnische Hinweise und Methoden

Folgende Fragestellungen und Prüfungshandlungen sind in diesem Zusammenhang für den Prüfer interessant:

1. Sichtprüfung auf Ordnungsmäßigkeit der vorliegenden Daten,
2. Überprüfung der Zahlungsmoral bei den Debitoren,
3. Schichtung der Kreditoren,
4. Filtrierung der Daten nach speziellen Fragestellungen,

1. Sichtprüfung auf Ordnungsmäßigkeit der vorliegenden Daten

Auch hier sollte der Prüfer zu Beginn der Analyse eine Sichtprüfung der ihm überlassenen Debitorendaten durchführen und diese auf Fehler und Konsistenz durchleuchten. Folgende Fragestellungen und -handlungen könnten hier von Interesse sein:

- Sind in der Debitorendatei Kunden mit fehlenden Kundennummern? Um diese Frage zu beantworten, extrahiert der Prüfer mit Hilfe der Funktion »Isblank()«, diejenigen Datensätze, die im Datenfeld »Kundennummer« keinen Eintrag haben. Je nach Datentyp des Feldes »Kundennummer« muss der Prüfer es zuvor mittels geeigneter Konvertierungsfunktion in ein Zeichenfeld umwandeln.
- Kommen in der Datei Datensätze mehrfach vor? Diese Frage kann der Prüfer mit Hilfe der in beiden Programmen verfügbaren Funktion (ACL: »Analyse/Nach Duplikaten suchen ...«; IDEA: »Daten/Mehrfachbelegungsanalyse«) beantworten. Beide Programme erzeugen bei ihrer Default-Einstellung jeweils eine Liste, welche die mehrfach vorkommenden Datensätze anzeigt beziehungsweise als Tabelle ausgibt.
- Gibt es Lücken bezüglich der vom Programm vergebenen Kundennummern? Mit Hilfe der Lückenanalyse, die in beiden Prüfprogrammen verfügbar ist (ACL: »Analyse/Nach Lücken suchen ...«; IDEA: »Daten/Lückenanalyse«), kann der Prüfer sich vorhandene Lücken bezüglich des Datenfeldes »Kundennummer« anzeigen lassen. Als Schlüssel wählt er die Kundennummer.
- Fehlen bei einigen Buchungsdaten wichtige Datenfelder wie beispielsweise Rechnungsbetrag, Rechnungsdatum oder Zahlungseingangsdatum? Hierzu kann der Prüfer mittels der Funktion »Isblank()« abfragen, ob die Pflichtfelder ordnungsgemäß gefüllt sind. Da es sich bei den oben genannten zwei Beispielfeldern um numerische Felder handelt und die Eingabeparameter der Funktion »Isblank()«vom Zeichentyp sein müssen, hat der Prüfer die entsprechenden Datenfelder mit Hilfe der richtigen Konvertierungsfunktion umzuwandeln (ACL: »String()«; IDEA: »@str()«).

2. Überprüfung der Zahlungsmoral bei den Debitoren

Um diese heute für viele Unternehmen wichtige Frage beantworten zu können, sollte der Prüfer folgende Analyse durchführen, die ihm es ermöglicht, einerseits die durchschnittliche Dauer zwischen der Rechnungserstellung und dem Zahlungseingang zu ermitteln und andererseits die Struktur der offenen Posten gemäß eines für das Unternehmen als sinnvoll erachteten Zeitfenster zu überprüfen. Mit Hilfe der letzten Auswertung erhält das Unternehmen einen Überblick, inwieweit das Zahlungsmanagement im Sinne eines zeitnahen Nachfassens offener Posten agiert.

- *Bestimmen Sie die durchschnittliche Dauer zwischen Rechnungserstellung und Zahlungseingang:* Hierzu hat der Prüfer ein neues, berechnendes Feld (ACL: »Bearbeiten/Tabellenlayout/2. Register«; IDEA: »Daten/Felder bearbeiten«) einzufügen, in dem er mittels der Funktion »Age()«die Differenz zwischen beiden Datumsfeldern errechnet. Falls die in der Datei vorhandenen Datumsfelder nicht vom Datentyp »Datum« sind (zum Beispiel als Zeichenfelder deklariert), so muss er sie zur Verwendung der Funktion »Age()« vorher mittels geeigneter Konvertierungsfunktion umwandeln.

Filtern der Datensätze mit einer Zeitdifferenz von mehr als sieben Tagen
Die Definition eines Filters erfolgt über die Arbeitsliste durch Aufruf des Gleichungseditors. Die Filterbedingung lautet hier »Zeitdifferenz > 7«. Anschließend wird das Ergebnis der Filtrierung angezeigt.

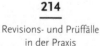

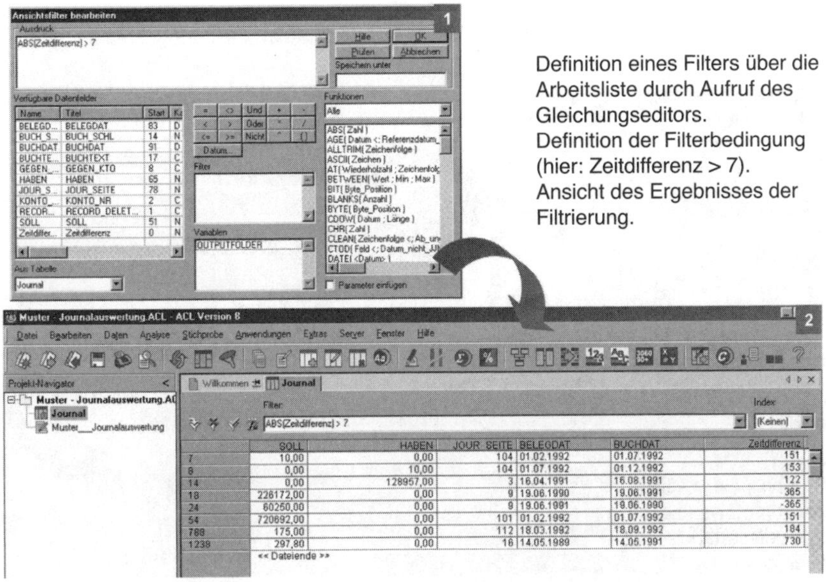

Definition eines Filters über die Arbeitsliste durch Aufruf des Gleichungseditors.
Definition der Filterbedingung (hier: Zeitdifferenz > 7).
Ansicht des Ergebnisses der Filterung.

Abb. 170 Extraktion der Datensätze in ACL, deren Zeitdifferenz zwischen Beleg- und Buchungsdatum mehr als sieben Tage beträgt

- *Führen Sie eine Altersstrukturanalyse bezüglich Rechnungsdatum und Zahlungseingangsdatum durch:* Die so genannte Altersstrukturanalyse (ACL: »Analyse/Alter ...«; IDEA: »Analyse/Altersstrukturanalyse«) ermöglicht es dem Prüfer, sich die offenen Posten der Debitoren in einem Zeitraster anzeigen zu lassen (offen bis zu 30 Tagen, offen bis zu 60 Tagen). Nach Festsetzen des für die Aufgabe relevanten Stichtages und des entsprechenden Vergleichsfeldes (zum Beispiel Rechnungsdatum) wählt der Prüfer die jeweiligen Zeitintervalle, die er als Zeitraster für sinnvoll erachtet. Die Funktion liefert anschließend eine Tabelle, in der die offenen Posten kumuliert zu den definierten Zeitintervallen ausgegeben werden.

Altersstrukturanalyse

Der Menüpunkt »Analyse/Alter« wird zum Erstellen der Altersstrukturanalyse aufgerufen, danach werden der Stichtag, das Referenzdatum (hier: »AEN_Datum«), das Betragsfeld (hier: »Off Rechn«) und die Intervalle gewählt. Anschließend wird das Ergebnis angezeigt.

Aufruf des Menüpunktes »Analyse/Alter« zum Erstellen der Altersstrukturanalyse und Wahl des Stichtages, des Referenzdatums (hier: AEN_Datum), des Betragsfeldes (hier: OFF_RECHN) und der Intervalle.

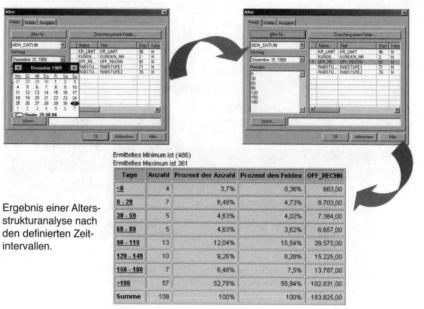

Ergebnis einer Altersstrukturanalyse nach den definierten Zeitintervallen.

Ermitteltes Minimum ist (486)
Ermitteltes Maximum ist 361

Tage	Anzahl	Prozent der Anzahl	Prozent des Feldes	OFF_RECHN
<0	4	3,7%	0,36%	663,00
0 - 29	7	6,48%	4,73%	8.703,00
30 - 59	5	4,63%	4,02%	7.384,00
60 - 89	5	4,63%	3,62%	6.657,00
90 - 119	13	12,04%	15,54%	28.575,00
120 - 149	10	9,26%	8,28%	15.225,00
150 - 180	7	6,48%	7,5%	13.787,00
>180	57	52,78%	55,94%	102.831,00
Summe	108	100%	100%	183.825,00

Abb. 171 Durchführung der Alterstrukturanalyse in ACL

3. Schichtung der Kreditoren

Um sich einen Eindruck von der Bedeutung spezieller Debitoren zu verschaffen beziehungsweise die Abhängigkeit zu bestimmten Kunden darzustellen, kann der Prüfer eine ABC-Analyse der Debitoren anhand der jeweils in Rechnung gestellten Beträge erstellen. Auch hier besteht die Aufgabe, die Debitoren nach sinnvollen Intervallen bezüglich des Rechnungsbetrages zu sortieren. Entweder liegen die Wertintervalle vor oder der Prüfer kann anhand der Sigma-Intervalle sinnvolle Intervallgrenzen definieren.

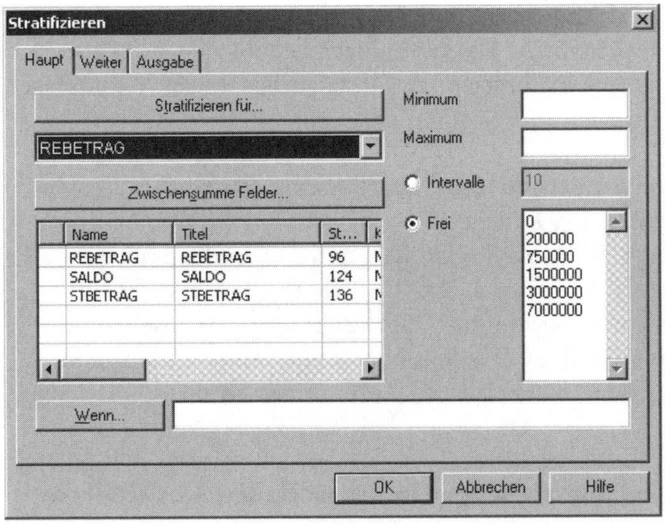

Abb. 172 Parametrisierung der Schichtung in ACL

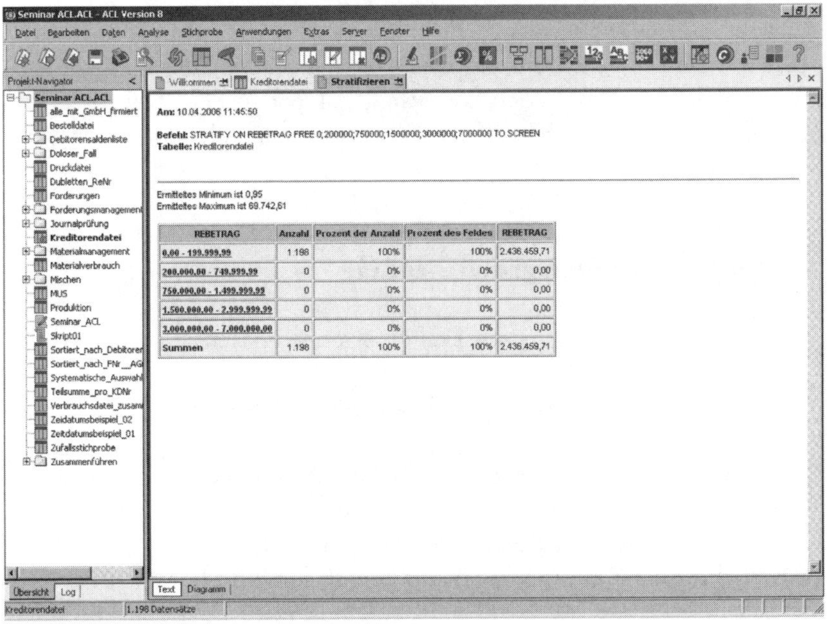

Abb. 173 Ergebnis der durchgeführten Schichtung in ACL

4. Filtrierung der Daten nach speziellen Fragestellungen

Es kann hilfreich sein, die Datensätze nach verschiedenen für den Prüfungsauftrag sinnvollen Abfragen zu filtern. Beispiele solcher Abfragen könnten sein:

- alle Kunden, deren Rechnungen noch offen sind, das heißt, für die noch kein Zahlungseingang vorliegt,
- alle bedeutenden Kunden, die eine als wesentlich erachtete Wertgrenze im Hinblick auf den getätigten Umsatz überschreiten, oder
- spezielle Kunden aus bestimmten Einzugsgebieten (zum Beispiel aus dem Großraum Berlin), mit bestimmter Bonität (zum Beispiel hohe oder mittlere Bonitätsstufe) oder mit bestimmtem Namen.

Notleidende Finanzierungen in der Darlehensbuchführung aufdecken

Ausgangssituation

Die Revision einer Privatbank erhielt durch die Geschäftsleitung die Aufgabe, das Kredit- und Darlehensgeschäft auf potenzielle Risiken hin zu durchleuchten und gegebenenfalls so genannte notleidende Finanzierungen aufzudecken.

Prüfaufgabe beziehungsweise -auftrag

Der Prüfungsauftrag gliederte sich in folgende Phasen:

1. ABC-Analyse des Kredit- und Darlehensgeschäftes bezüglich der Finanzierungshöhe,
2. Stichprobenprüfung der vertraglichen Unterlagen und Konditionen ausgewählter Kunden des B- und C-Segmentes,
3. Einzelfallprüfung aller Kunden des A-Segmentes,
4. Darstellung der Zinseinnahmen aus dem Kredit- und Darlehensgeschäft,
5. Analyse notleidender Finanzierung aufgrund ausgewählter Finanz- und Kreditkennzahlen (wie beispielsweise Deckungsquote).

Aufgabe der Prüfung war es, der Geschäftsleitung die derzeit akuten Risiken im Rahmen möglicher notleidender Finanzierungen transparent zu machen.

Lösungsweg

Zur Durchführung des Auftrages erfolgte nach einer Sichtung der Kredit- beziehungsweise Darlehenskunden eine Ist-Analyse der mit ihnen abgeschlossenen Verträge und der darin enthaltenen Konditionen und Sicherheiten. Mit Hilfe der in den Prüfprogrammen vorhandenen Stichprobenfunktionen wurden ausgewählte Kunden des B- und C-Segmentes bestimmt, deren Unterlagen von den Revisoren überprüft wurden.

Als Nächstes erfolgte anhand der in der Buchhaltung vorhandenen Daten über die Kredite und der in den Prüfprogrammen vorhandenen finanzmathematischen Funktionen eine Berechnung der Zinseinnahmen sowie ein Abgleich mit den in der Buchhaltung erfassten Beträgen. Hier konnte eine vollkommene Übereinstimmung bestätigt werden.

Bei der Analyse der bereits bei der Vertragssichtung als »notleidend« erachteten Finanzierungen wurden weitere Kennzahlen definiert, um das Ausmaß des potenziellen Risikos darzustellen. Kennzahlen hierzu waren:

- Deckungsquote Kredithöhe zum Eigenkapital beziehungsweise zu den vorhandenen Sicherheiten,
- Value at Risk (VaR),
- durchschnittliche Verlustquote (LGD), Risikogewichte (RW) und erwartete Forderungshöhen bei Ausfall (EAD).

Prüfungsergebnis und Fazit

Die Prüfer ermittelten, dass circa 7 Prozent der gültigen Kredite notleidend waren und Fehler im Rahmen der Kreditgewährung und Sicherheitenprüfung vorlagen. Mit Hilfe der definierten Kennzahlen konnten Kreditportfolios definiert werden, deren Einteilung aufgrund des jeweiligen potenziellen Kreditrisikos korrelierte, und die eine stetige Überwachung der Risiken bei Kreditvergaben ermöglichten. Darüber hinaus formulierte die Revision in ihrem Prüfbericht Maßnahmen und Empfehlungen zur Erfüllung der neuen Transparenzregeln für Kreditinstitute (DRS 5-10: Risikoberichterstattung von Kredit- und Finanzdienstleistungsinstituten; IFRS 7: Financial Instruments: Disclosure), die die Geschäftsleitung umsetzt.

Prüfungstechnische Hinweise und Methoden

Folgende Fragestellungen und Prüfungshandlungen können in diesem Zusammenhang für den Prüfer von Interesse sein:

1. ABC-Analyse der Kreditkunden,
2. Ermittlung finanzmathematischer Kennzahlen (zum Beispiel Bar- und Endwerte von Zahlungsreihen, interne Ertrags- beziehungsweise Zinsraten, Tilgungs- beziehungsweise Rückzahlungsraten bei Darlehen).

1. ABC-Analyse der Kreditkunden

Zur Klassifizierung der Kreditkunden aufgrund des Kreditvolumens führte der Prüfer eine Schichtung mit den aus der Kreditbuchhaltung vorliegenden Daten durch (ACL: »Analyse/Stratifizieren ...« beziehungsweise »Analyse/Verteilung ...«; IDEA: »Analyse/Datei schichten/Numerisch«). Dabei sind im Vorfeld in Absprache mit der Geschäftsleitung und Kreditabteilung sinnvolle Schichtungsintervalle zu definieren (zum Beispiel Klein-/Großkreditkunden). Sollte in der Tabelle kein Datenfeld vorhanden sein, das die kumulierte Höhe des jeweiligen Kredits beziehungsweise Darlehens pro Kunde aufweist, so nimmt der Prüfer im Vorfeld mittels Teilsummenbildung eine Aufsummierung der Kredite pro Kunde vor (ACL: »Analyse/Summenstruktur ...«; IDEA: »Analyse/Felder aufsummieren«).

2. Ermittlung finanzmathematischer Kennzahlen

Zur Ermittlung finanzmathematischer Kennzahlen fügt der Prüfer jeweils ein neu berechnendes Feld hinzu (ACL: »Bearbeiten/Tabellenlayout/2. Register«; IDEA: »Daten/Felder bearbeiten«). Da beide Prüfprogramme über eine eigene Funktionskategorie finanzmathematischer Kenngrößen verfügen (ACL: »Kategorie »Finanzen««; IDEA: »Kategorie »finanziell««), kann der Prüfer diese relativ mühelos erstellen. Folgende Funktionen bieten die Programme gemeinsam an:

- Ermittlung der Rate zur Rückzahlung eines Kredites (KR) über eine feste Laufzeit (LZ) und zu einem Zinssatz (Z) (ACL: »PMT(Z;LZ;KR)«; IDEA: »@PMT(KR;Z;LZ)«).

- Endwert einer Zahlungsreihe (R) über eine Laufzeit (LZ) zu einem festen Zinssatz (Z) (ACL: »FVANNUITY(Z;LZ;R)«; IDEA: »@fv(R;Z;LZ)«).
- Barwert einer Zahlungsreihe (R) über eine Laufzeit (LZ) zu einem festen Zinssatz (Z) (ACL: »PVANNUITY(Z;LZ;R)«; IDEA: »@pv(R;Z;LZ)«).
- Ermittlung der Rate in Prozent für eine Geldanlage beziehungsweise Kredit (KR) über eine feste Laufzeit (LZ) und in jährlichen Raten (R) (ACL: »RATE(LZ;R;KR)«; IDEA: »@rate(KR;R;LZ)«).

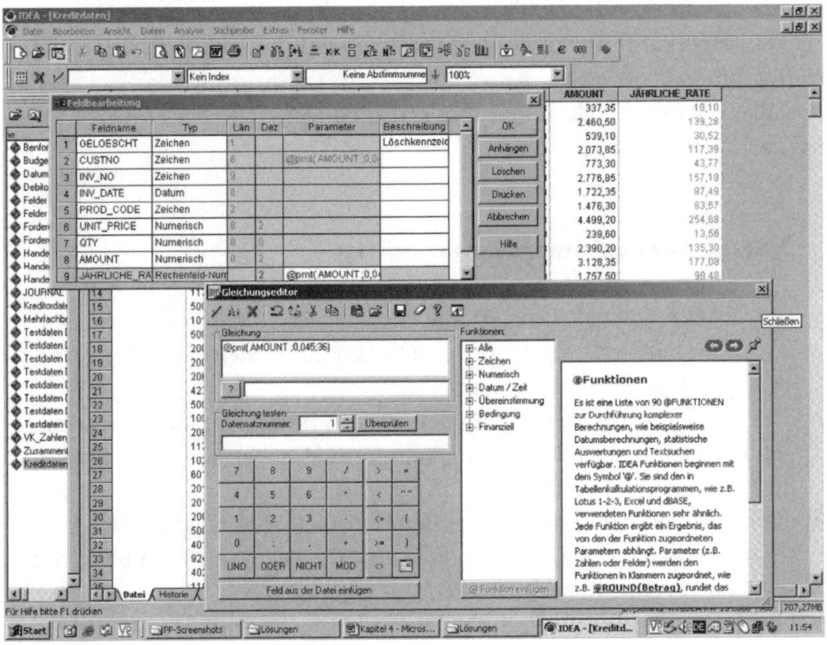

Abb. 174 Finanzmathematische Funktionen im Einsatz – Berechnung der Rate in IDEA

Verlustgefährdete Anlagen verfolgen und Anlagen-Mietverhältnisse rationell prüfen

Ausgangssituation

Ein Mitarbeiter äußerte den Verdacht, dass bereitgestellte Investitionsgelder für Anlageobjekte in einem Versicherungsunternehmen falsch verwendet und ausgegeben wurden. Hierzu wurde die interne Revision des Unternehmens ermittelnd tätig. Es galt, die entsprechenden Informationen in den

IT-Systemen des Unternehmens zu lokalisieren und hinsichtlich ihres Sachverhaltes die verwendungskonforme Nutzung der Gelder zu analysieren. Je nach Höhe der gewährten Investitionen erfolgte sowohl die Bereitstellung der Investitionsgelder als auch die Zuordnung der Mittelverwendung und der damit verbundenen Zahlungen in Tranchen.

Das Unternehmen verfügte über eine integrative Standardsoftware, die alle relevanten Aufgaben und Funktionen des Unternehmens systemseitig verwaltete. Alle Mitarbeiter griffen über entsprechende Benutzerprofile und Rollen auf die Standardsoftware zu. Innerhalb der Software wurde sowohl die Mittelherkunft als auch die Mittelverwendung verwaltet. Die Investitionszahlungen sowie die Anlageprojekte besaßen im System eigene IDs, die über entsprechende Zuordnungstabellen innerhalb der Software miteinander in Beziehung standen.

Prüfaufgabe beziehungsweise -auftrag

Die Unternehmensleitung erteilte der internen Revision den Auftrag,

- die im System verfügbaren Informationen zur Mittelverwendung und -ausgabe detailliert aufzuzeigen,
- die zu den Investitionszahlungen und der Mittelverwendung notwendigen Belege auszuwählen und detailliert im Hinblick auf investitionswürdige Ausgaben zu prüfen,
- die hinter den Rechnungen definierten Anlage- beziehungsweise Leasingobjekte darzustellen, um gegebenenfalls Rechnungen ohne eigentliche Gegenleistung zu lokalisieren,
- die für die falsche Verwendung der Gelder verantwortlichen Mitarbeiter der Einrichtung zu überführen.

Lösungsweg

Die interne Revision rief die entsprechenden Belege im System auf und brachte sie durch entsprechende Verknüpfungen mit Hilfe der Prüfsoftware ACL in Beziehung zueinander. Die Gegenüberstellung der erhaltenen Investitionszahlungen mit den korrespondierenden Rechnungen der Anlage- beziehungsweise Leasingobjekte gelang und zeigte, dass die erhaltenen Summen zu 100 Prozent auch verwendet wurden.

Die Feststellung und Rückverfolgbarkeit der hinter den Rechnungen stehenden Leistungen gestaltete sich etwas schwieriger, da hier nicht alle Objekte in einem für die genaue Verwendung notwendigen Detaillierungsgrad aufgeschlüsselt waren. Es wurde eine Liste der mit den Investitionen finanzierten feststellbaren Anlage- und Leasingobjekte erzeugt.

Prüfungsergebnis und Fazit

Mit Hilfe der Prüfsoftware gelang es der Revision, anhand der systemseitig feststellbaren Objekte den Verdacht einer falschen Investitionsmittelverwendung zu entkräften. Mit dem bereitgestellten Investitionsgeld nicht finanzierbare Anlage- und Leasingobjekte konnten im System nicht nachgewiesen werden, so dass der Verdacht der Veruntreuung von Investitionsgeldern durch Mitarbeiter des Unternehmens ausgeschlossen werden konnte.

Prüfungstechnische Hinweise und Methoden

Folgende Fragestellungen und Prüfungshandlungen sind in diesem Zusammenhang für den Prüfer relevant:

1. Mittelverwendungs- und Ausgabeabgleich,
2. Anlagen mit außergewöhnlichen Merkmalen selektieren,
3. Suche nach mehrfach gezahlten Anlagenlisten,
5. AfA-Berechnungen von Anlagen (lineare AfA, degressive AfA).

1. Mittelverwendungs- und Ausgabeabgleich

Eine häufig in der Praxis festgestellte Unterschlagungsmethode besteht darin, bei größeren Anlagenprojekten mittels Losgrößen höhere Mittelverwendungen als tatsächlich zu leistende Ausgaben zu vermitteln. Um eine solche dolose Handlung im Vorfeld mittels Analyse zu lokalisieren, muss der Prüfer in den entsprechenden Dateien der Projektverwaltung und -abrechnung die Projekte (in der Regel durch Projektnummern gekennzeichnet) mittels Teilsummenbildung verdichten. Das heißt, er bildet pro Projekt über die verschiedenen Losgrößen summarisch den Auftrags- und Abrechnungswert (ACL: »Analyse/Summenstruktur ...«; IDEA: »Analyse/Felder aufsummieren«).

Anschließend werden die erstellten verdichteten Dateien mit dem jeweiligen Auftrags- und Abrechnungswert über die Projektnummer miteinander verbunden (ACL: »Daten/Tabellen zusammenführen ...«; IDEA: »Datei/Daten verbinden«). Durch Differenzbildung zwischen den beiden Spalten

Verlustgefährdete
Anlagen verfolgen
und Anlagen-
Mietverhältnisse rationell
prüfen

»Auftragswert« und »Abrechnungswert« kann nun der Prüfer feststellen, ob Abweichungen zwischen der Mittelverwendungsangabe und der tatsächlich geleisteten Ausgabe vorliegen. Das neu berechnende Feld mit der Differenz (ACL: »Bearbeiten/Tabellenlayout«; IDEA: »Daten/Felder bearbeiten«) zeigt die Höhe der Abweichung an, welche mittels der Abfrage »Differenz <> 0« in eine eigene Tabelle extrahiert werden kann (ACL: »Daten/Daten extrahieren ...«; IDEA: »Daten/Extraktion/Direkte Extraktion«).

2. Anlagen mit außergewöhnlichen Merkmalen selektieren

Eine weitere interessante Analyse im Rahmen des Anlagenmanagements ist die Suche nach Anlagen mit außergewöhnlichen Merkmalen. Hierzu erstellt der Prüfer mittels der in den Prüfprogrammen vorhandenen Extraktionsmöglichkeit (ACL: »Daten/Daten extrahieren ...«; IDEA: »Daten/Extraktion ...«) eigene Tabellen, die jeweils diejenigen Anlagen ausweisen, die das definierte Merkmal besitzen. Anschließend können diese Tabellen in gängige Dateiformate exportiert werden (ACL: »Daten/In andere Anwendung exportieren ...«; IDEA: »Datei/Export«), wodurch die Möglichkeit geschaffen wird, dass diese Dateien auch anderen Mitarbeitern zugänglich sind, die keinen Zugriff auf die Prüfprogramme haben (zum Beispiel Mitarbeiter des Rechnungswesens). Mögliche außergewöhnliche Merkmale könnten sein:

- auffällig hohe Abschreibungsbeträge,
- stetiger Wechsel der AfA-Berechnungsmethode,
- Anlagen mit hoher Nutzungsdauer und/oder hohem Anschaffungswert,
- Anlagen mit hohen Veräußerungsverlusten.

3. Suche nach mehrfach gezahlten Anlagenlisten

Bei einem Anlagenvolumen von mehreren 10.000 Positionen würde der unberechtigte Transfer von Geldern zur Zahlung von Anlagen bei Stichprobenkontrollen kaum auffallen. Um dies mit Hilfe der Prüfsoftware zu analysieren, sind die entsprechenden Rechnungsdaten zu den Anlagen bezüglich identischer Inhalte miteinander abzugleichen. Mögliche identische Merkmale sind Rechnungsbetrag, Rechnungs- und Auftragsnummer sowie Anlagenbezeichnung und jedwede Kombination dieser Merkmale. Um nun eine solche Analyse durchzuführen, definiert der Prüfer die als »charakteristisch« festgesetzten Merkmale als Merkmalsschlüssel und führt eine Mehrfachbelegungsanalyse durch (ACL: »Analyse/Nach Duplikaten suchen ...«; IDEA: »Daten/Mehrfachbelegung ...«). Als Ergebnis erhält er diejenigen

Anlagenpositionen, die bezüglich seiner Merkmalsdefinition mehrfach vorkommen.

4. AfA-Berechnungen von Anlagen

Das Prüfprogramm IDEA bietet im Gegensatz zu ACL für die Abschreibungsberechnung in der Funktionskategorie »finanziell« spezielle Funktionen zur Berechnung der AfA an. Diese sind im Einzelnen:

- Berechnung der fixen degressiven Abschreibung einer Anlage für einen bestimmten Zeitraum (»@db(Anschaffungskosten; Restwert; Nutzungsdauer; Dauer der AfA-Periode; Anzahl Monate im Anschaffungsjahr)«),
- Berechnung des doppelten Abschreibungswertes für eine Anlage für einen bestimmte Periode (»@ddb(Anschaffungskosten; Restwert; Nutzungsdauer; Dauer der AfA-Periode; Faktor der degressiven AfA-Rate (Defaultwert=2))«),
- Berechnung des Wertes der linearen Abschreibung einer Sachanlage (»@sln(Anschaffungskosten; Restwert; Nutzungsdauer)«),
- Ermittlung der kumulierten AfA über einen bestimmten Zeitraum (»@syd(Anschaffungskosten; Restwert; Nutzungsdauer; Dauer der AfA-Periode)«).

In ACL muss der Prüfer mit Hilfe der in der Funktionsbibliothek verfügbaren Funktionen entsprechende Berechnungen zur Ermittlung der Abschreibungen definieren.

Manipulationsanalyse in der Lohnbuchhaltung

Ausgangssituation

Stetig steigende Reisekosten bei einem etwa gleich bleibenden Auftrags- und Umsatzvolumen führten dazu, dass die Unternehmensleitung eines Softwareherstellers eine externe Prüfungsgesellschaft beauftragte, das Prozedere der Reisekostenabrechnung einer detaillierten Analyse und Kontrolle zu unterziehen.

Für die Reisekostenverwaltung und -abrechnung hatte das Unternehmen eine testierte Standardlösung im Einsatz.

Prüfaufgabe beziehungsweise -auftrag

Die Prüfer hatten die Aufgabe, die von den Mitarbeitern im Reisekosten-abrechnungsprogramm erfassten Daten mit den tatsächlichen Reisetätig-keiten und -aufwendungen abzugleichen.

Lösungsweg

Hierzu wurden neben den entsprechenden Tabellen des Reiseabrech-nungsprogramms auch die im Auftragsmanagement hinterlegten Informa-tionen zu den Reisetätigkeiten der Mitarbeiter in die Prüfsoftware importiert und analysiert.

Ein Vergleich der Daten aus dem Auftragsmanagement und dem Reise-kostenabrechnungsprogramm ergab, dass es bei einer Gruppe von Mitar-beiter zu Abweichungen bezüglich der Entfernungs- und Zeitangaben ihrer Reisen kam. Obwohl zu jedem Monatsultimo ein Abgleich der Reisedaten zwischen dem Auftragsmanagementprogramm und der Reisekostensoftwa-re erfolgte, fanden sich diese Differenzen in einzelnen Monaten.

Daraufhin analysierten die Prüfer die im Reisekostenprogramm abrufba-ren Protokolldateien und stellten fest, dass manuelle Änderungen der Daten jeweils nach Durchführung des Abgleichs erfolgten. Der für die Änderun-gen verantwortliche Mitarbeiter verfügte unerlaubt über eine administrative Berechtigung, die es ihm ermöglichte, Änderungen bezüglich der Entfer-nungs- und Zeitangaben der Reisen vorzunehmen.

Prüfungsergebnis und Fazit

Die Aufdeckung der manipulierten Reisedatenänderung ergab, dass kein dokumentiertes Berechtigungskonzept für das Reisekostenabrechnungs-programm vorlag. Nachdem der verantwortliche Mitarbeiter wegen Betruges entlassen worden war, definierte das Unternehmen ein entsprechendes Be-rechtigungskonzept uns setzte es um.

Prüfungstechnische Hinweise und Methoden

Folgende Fragestellungen und Prüfungshandlungen können in diesem Zusammenhang für den Prüfer von Interesse sein:

1. Sichtprüfung auf Ordnungsmäßigkeit der vorliegenden Daten,
2. Sortierung des Datenbestandes nach verschiedenen interessanten Kriterien,
3. Ermittlung der Alterstruktur der Belegschaft beziehungsweise Betriebszugehörigkeitsdauer der Mitarbeiter,
4. Schichtung der Mitarbeiter nach Altersklassen beziehungsweise Betriebszugehörigkeitsklassen,
5. Gruppierung der Personaldaten nach interessant erscheinenden Merkmalen,
6. Analyse nach dolosen Handlungsmustern.

1. Sichtprüfung auf Ordnungsmäßigkeit der vorliegenden Daten

Auch hier sollte der Prüfer zu Beginn der Analyse eine Sichtprüfung der ihm überlassen Personaldaten durchführen und die Daten auf Fehler und Datenkonsistenz durchleuchten. Folgende Fragestellungen und -handlungen sind wichtig:

- Sind in der Personaldatei Datensätze mit fehlenden Datumsangaben (wie beispielsweise Einstellungsdatum, Geburtsdatum) vorhanden? Sind die Datumsfelder bereits beim Import als solche deklariert, so liefern beide Programme durch den Import bereits eine Antwort auf die Frage. In IDEA werden die Datensätze mit fehlenden Datumsangaben in eine separate Datei mit Namen »X_FehlerhafteDaten« geschrieben, während in ACL die Datensätze mit fehlendem Datum den Default-Wert »00000000« zugewiesen bekommen. Falls das Datumsfeld ein Zeichenfeld ist, kann der Prüfer mit Hilfe der Funktion »Isblank()« nach den Datensätzen mit fehlendem Eintrag suchen und sich diese ausgeben lassen.
- Kommen in der Datei Datensätze mehrfach vor? Diese Frage kann der Prüfer mit Hilfe der in beiden Programmen verfügbaren Funktion (ACL: »Analyse/Nach Duplikaten suchen...«; IDEA: »Daten/Mehrfachbelegungsanalyse«) beantworten. Beide Programme erzeugen bei ihrer Default-Einstellung jeweils eine Liste, die die mehrfach vorkommenden Datensätze anzeigt beziehungsweise als Tabelle ausgibt.
- Enthält die Personaldatei Mitarbeiter mit fehlenden Bank- beziehungsweise Kontoverbindungen? Um diese Frage zu beantworten, extrahiert der Prüfer mit Hilfe der Funktion »Isblank()« diejenigen Datensätze, die im Datenfeld »Bankkonto« beziehungsweise »Bankleitzahl« keinen Eintrag haben. Je nach Datentyp des Datenfeldes »Bankkonto« beziehungs-

weise »Bankleitzahl« muss der Prüfer im Vorfeld das Datenfeld mittels geeigneter Konvertierungsfunktion in ein Zeichenfeld umwandeln.

2. Sortierung des Datenbestandes nach verschiedenen interessanten Kriterien

Für eine weitere Analyse der Daten hinsichtlich möglicher Auffälligkeiten ist es hilfreich, den Datenbestand nach interessanten Kriterien (Personalnummer, Organisationseinheiten, Eintrittsdatum) zu sortieren. Je nachdem, ob der Prüfer die Sortierung für weitere Analysen nutzen möchte, kann er sich diese als neue Datei ausgeben (ACL: »Daten/Datensätze sortieren ...«; IDEA: »Daten/Sortieren«) oder als »flüchtige« Sortierung anzeigen lassen (ACL: »Daten/Index erstellen ...«; IDEA: »Daten/Indizieren«). Im letzteren Fall wird die Sortierung als Maske angezeigt, die der Prüfer jederzeit während der Sitzung aktivieren und deaktivieren kann. Beim Verlassen des Programms wird der Index gelöscht. Bei diesem Vorgehen kann der Prüfer auch eine über mehrere Datenfelder gestaffelte Sortierung vornehmen, was im Gegensatz zu der in beiden Programmen verfügbaren Schnellsortierung nicht möglich ist.

3. Ermittlung der Altersstruktur der Belegschaft beziehungsweise Betriebszugehörigkeitsdauer der Mitarbeiter

Aus verschiedenen Gründen, beispielsweise für die Gewährung eine an das Alter oder die Betriebszugehörigkeit gekoppelte zusätzliche Jahresprämie, kann es sinnvoll sind, eine Analyse des Alters beziehungsweise der Betriebszugehörigkeit der Mitarbeiter zu erstellen. Hierzu muss der Prüfer einen für die Prüfungsaufgabe sinnvollen Stichtag auswählen und mit Hilfe dieses Datums über die Funktion »Age()« in einem zu berechnenden Feld die Differenz zum gewählten Datumsfeld (Analyse Alter: Datumsfeld »Geburtstag«, Analyse Betriebszugehörigkeit: Datumsfeld »Eintrittsdatum«) ermitteln. Als Ergebnis erhält der Prüfer die Anzahl der Tage zwischen den beiden gewählten Datumsangaben. Möchte er nun zusätzlich die Angaben in Jahren haben, so kann er in einem weiteren zu berechnenden Feld das Ergebnis in Tagen durch die Zahl 365,25 teilen. Beide Prüfprogramme liefern bei Wahl einer ganzen Zahl als Datentyp in der Anzeige das kaufmännisch gerundete Ergebnis (das heißt, ab 0,5 wird automatisch aufgerundet). Da hier jedoch das stets abgerundete Ergebnis zu verwenden ist, nimmt der Prüfer mit Hilfe der Funktion »Int()« die Abrundung auf die nächstkleinere ganze Zahl vor. Falls der Prüfer anstelle des Divisors 365,25 den Wert 365 nimmt, wird er auch im Falle der Nutzung der Funktion »Int()« nur das kaufmännisch gerundete Ergebnis erhalten. Hier kann bei der Berechnungsformel mit Hilfe der Funktion »Age« ein Trick genutzt und die Anzahl der Tage durch 365,0 geteilt werden. Diese fingierte Nachkommastelle führt dazu, dass die Verwendung der »Int(...)«-Funktion das richtige Ergebnis liefert: es rundet stets ab.

4. Schichtung der Mitarbeiter nach Alters- beziehungsweise Betriebszugehörigkeitsklassen

Zusätzlich kann der Prüfer mit Hilfe der in beiden Programmen verfügbaren Funktion »Numerische Schichtung« (ACL: »Analyse/Stratifizieren« beziehungsweise »Analyse/Verteilung«; IDEA: »Analyse/Daten schichten/ Numerisch«) eine Einteilung der Mitarbeiter nach Klassen vornehmen. Hierzu wählt er als Vergleichsfeld das neu berechnende Feld mit dem Alter beziehungsweise der Betriebszugehörigkeit in Jahren aus und definiert die als sinnvoll erachteten Klassen (zum Beispiel unter 20, 20 bis unter 30, 30 bis unter 40, 40 bis unter 50, 50 bis unter 60, mindestens 60).

5. Gruppierung der Personaldaten nach interessant erscheinenden Merkmalen

Beispielsweise kann der Prüfer eine Feldanalyse bezüglich der Wohngebiete der Beschäftigten durchführen, um festzustellen, welche durchschnittlichen Anfahrtswege und -zeiten diese haben. Mit Hilfe der in beiden Programmen vorhandenen Funktion zur Teilsummenbildung (ACL: »Analyse/Summenstruktur ...«; IDEA: »Analyse/Felder aufsummieren«) lässt sich eine Verdichtung der Beschäftigten bezüglich eines hierfür interessanten Gruppierungsmerkmals wie beispielsweise Wohngebiet (PLZ) vornehmen.

6. Analyse nach dolosen Handlungsmustern

Auch bei der Analyse nach dolosen Handlungsmustern liefert die Prüfsoftware hilfreiche Unterstützung. Neben der bereits in den vorherigen Kapiteln dargestellten und in beiden Programmen vorhandenen »Benford-Analyse« können aber auch mit Hilfe der verfügbaren Funktionen weitere als dolose angesehene Fragestellungen angegangen werden. Möchte der Prüfer beispielsweise dem Verdacht nachgehen, ob Mitarbeiter sich als Lieferanten im System eingetragen haben, um somit an günstigere Einkaufskonditionen zu kommen, wäre eine mögliche Analyse der Abgleich der Bankverbindungen der im Lieferanten- und Personalstamm geführten Personen. Hierzu wird, falls keine IBAN vorliegt, in einem neuen Datenfeld durch einfaches Anhängen der Daten aus den beiden Datenfeldern »Bankleitzahl« und »Kontonummer« eine neue Kennzahl über einfache Addition definiert. Falls beide Datenfelder nicht das geeignete Datenformat aufweisen, so sind sie im Vorfeld mit Hilfe der Konvertierungsfunktionen anzupassen. Mit dem neuen Datenfeld als Schlüssel werden schließlich beide Dateien (Personal- und Lieferantenstamm) miteinander verknüpft (ACL: »Daten/Tabellen zusammenführen ...«; IDEA: »Datei/Dateien verbinden ...«) und als Abgleichungsart die Option »Übereinstimmung« gewählt. Das Ergebnis ist eine Tabelle, in der die Datensätze angezeigt werden, die sich in beiden Dateien bezüglich der Bankverbindung gleichen. Somit erhält der Prüfer eine Übersicht, welche der Mitarbeiter zusätzlich im Lieferantenstamm angelegt sind.

Erstellen einer Verbindung über den definierten Schlüssel

Die Tabellen werden anhand eines Vergleichsschlüssels zusammengeführt und nach den Attributen selektiert.

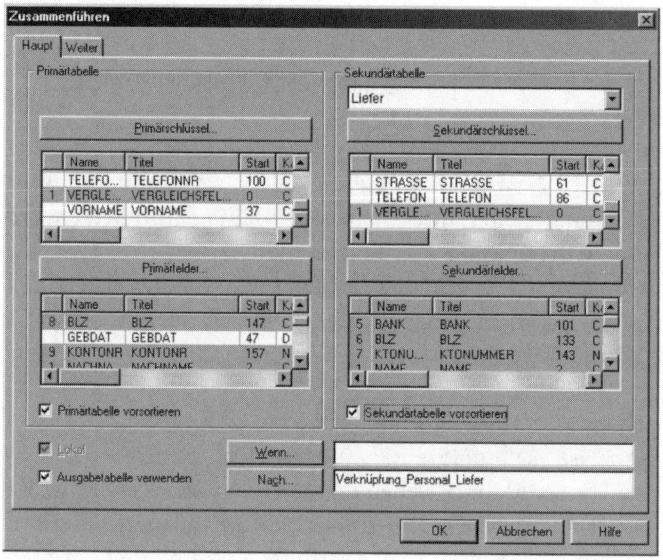

Tabellen mit dem Vergleichsschlüssel zusammenführen und Selektion der Attribute für die Anzeige der Verknüpfung.

Abb. 175 Definition der Verbindungsschlüssel zur Detailanalyse in ACL

Anhang I

Im Folgenden werden zu speziellen Prüfgebieten und Branchen Einsatzgebiete der Prüfsoftware aufgezeigt, die sich in der Praxis bewährt haben.

Lagerwirtschaft

Im Bereich der Lagerwirtschaft sind folgende Analysen und Fragestellungen von Interesse.

Fragestellung bzw. Prüfungshandlung	Funktion der Prüfsoftware
1. ABC-Analyse der Bestände	Numerische Schichtung
2. Altersstruktur der Bestände (Suche nach Ladenhütern)	Altersstrukturanalyse
3. Artikel mit geringen Wertmargen	Berechnung Extraktion/Filtrierung
4. Artikel mit korrigierten Buchbeständen	Extraktion/Filtrierung
5. Artikelbewegung (neue bzw. ausgelaufene Artikel)	Dateien verbinden
6. Bestandsbewertung (Niederstwertprinzip, LIFO- bzw. FIFO-Verfahren)	Berechnung Sortieren/Indizieren
7. Bestandsfortschreibung	Extraktion/Filtrierung
8. Ermittlung kritischer Bewegungsarten (Abwertung, Umlagerung, Verschrottung)	Extraktion/Filtrierung
9. Lieferung von bzw. an verbundene Unternehmen	Extraktion/Filtrierung
10. Plausibilitätsprüfungen bezüglich der Bestände (Bestandswerte ohne Wert- bzw. Mengenangaben, negative Wertangaben)	Extraktion/Filtrierung
11. Reichweitenanalyse	Altersstrukturanalyse

Beschaffung und Einkauf

Bei der Beschaffung beziehungsweise beim Einkauf können folgende Fragestellungen für den Prüfer von Interesse sein:

Fragestellung bzw. Prüfungshandlung	Funktion der Prüfsoftware
1. Bestellungen ohne Vergleichsangebote	Extraktion/Filtrierung Dateien verbinden
2. Bestellungen nach verschiedenen Kriterien (besonders werthaltige Bestellungen, Ermittlung alter Bestellungen etc.)	Extraktion/Filtrierung
3. Ermittlung Lieferzeitspektrum von Bestellungen	Altersstrukturanalyse
4. Ermittlung von Einstandspreisveränderungen (z.B. Zeitvergleich, filialbezogener Vergleich)	Dateien verbinden
5. Ermittlung von Lieferabweichungen (z.B. Minder-, Mehr- oder Früh-/Spätlieferung)	Berechnung Extraktion/Filtrierung
6. Fehlende Bestellnummern	Lückenanalyse
7. Mehrfach vorkommende Belegnummern	Mehrfachbelegung
8. Offene Bestellungen	Extraktion/Filtrierung
9. Splitting von Aufträgen	Sortieren/Indizieren Teilsummenbildung Extraktion/Filtrierung
10. Ungewöhnliche Lieferbedingungen	Extraktion/Filtrierung Dateien verbinden
11. Verdichtung von Bestellungen	Sortieren/Indizieren Teilsummenbildung
12. Wertmäßige Strukturierung der Bestellungen	Numerische Schichtung

Debitorenbuchhaltung

Im Bereich der Debitorenbuchhaltung liegt der Schwerpunkt der Prüfungshandlungen in der Beurteilung der Güte der Forderungen und Kundenanalyse. Folgende Fragestellungen sind aus unseren Erfahrungen in diesem Bereich von Interesse.

Fragestellung bzw. Prüfungshandlung	Funktion der Prüfsoftware
1. Altersaufbau der offenen Posten	Altersstrukturanalyse
2. Ermittlung des Abwertungsbedarfs bestehender Forderungen	Berechnung Extraktion/Filtrierung
3. Ermittlung und Analyse diverser Debitorenkonten (z.B. Diverse Kunden, Verschiedene Kunden)	Extraktion/Filtrierung Sortieren/Indizieren Teilsummenbildung
4. Gegenüberstellung Forderungshöhe zu Kreditlimit	Berechnung Extraktion/Filtrierung
5. Kreditorische Debitoren	Extraktion/Filtrierung
6. Kundenanalyse (z.B. Kunden mit zu hohen Nachlässen, Kunden ohne Preisinformationen)	Extraktion/Filtrierung
7. Ordnungsmäßigkeitsprüfung Debitorenstamm (fehlende Kundennummern, mehrfach vorkommende Kundennummern)	Lückenanalyse Mehrfachbelegungsanalyse
8. Plausibilitätsprüfungen der Kundendaten (z.B. Kunden ohne Umsatz, Umsätze ohne Kundeninformationen, etwa Thekengeschäfte)	Dateien verbinden Extraktion/Filtrierung
9. Saldenbestätigungsaktionen	Dateien verbinden Stichprobenverfahren Daten exportieren
10. Überlange Inanspruchnahme des Zahlungsziels durch Kunden	Berechnung Extraktion/Filtrierung
11. Verdichtung von Forderungen nach Kunden, nach Einzugsgebieten, nach der Bonität, nach Mahnstufen	Sortieren/Indizieren Teilsummenbildung
12. Wertmäßige Struktur der Forderungen	Numerische Schichtung
13. Zeitliche Abgrenzung der Forderungen bestimmen	Altersstrukturanalyse

Kreditorenbuchhaltung

In diesem Bereich ist für den Prüfer die Analyse des Zahlungsverhaltens von Interesse. Darüber hinaus beschäftigt er sich mit Fragen zur Ordnungsmäßigkeit und Struktur der Kreditorendaten.

Fragestellung bzw. Prüfungshandlung	Funktion der Prüfsoftware
1. Debitorische Kreditoren	Statistik Extraktion/Filtrierung
2. Einhaltung von Zahlungslimits, Unterschrifts-vollmachten etc.	Numerische Schichtung
3. Ermittlung offener Sollposten	Extraktion/Filtrierung
4. Feststellung außergewöhnlicher Gegenbuchungen bei Zahlungen	Extraktion/Filtrierung
5. Feststellung außergewöhnlicher Zahlungsarten, Zahlungsweisen	Extraktion/Filtrierung
6. Kundenanalyse (z.B. Kunden mit zu hohen Nachlässen, Kunden ohne Preisinformationen)	Extraktion/Filtrierung
7. Mehrfachzahlungen	Sortieren/Indizieren Mehrfachbelegungsanalyse
8. Ordnungsmäßigkeitsprüfung Kreditorenstamm (fehlende Kreditorennummern, mehrfach vorkommende Kreditorennummern)	Lückenanalyse Mehrfachbelegungsanalyse
9. Plausibilitätsprüfungen der Kreditorendaten (z.B. Kreditoren ohne Rechnungspositionen)	Dateien verbinden Extraktion/Filtrierung
10. Prüfung von Zahlungsverhalten und Skonti	Altersstrukturanalyse Extraktion/Filtrierung
11. Überlange Inanspruchnahme des Zahlungsziels durch Kunden	Berechnung Extraktion/Filtrierung
12. Verdichtung von Zahlungsausgängen nach Kostenstellen oder Geschäftsbereichen	Sortieren/Indizieren Teilsummenbildung
13. Wertmäßige Struktur der Lieferantenverbindlichkeiten	Numerische Schichtung
14. Zeitliche Abgrenzung der Zahlungsausgänge	Altersstrukturanalyse

Anlagenbuchhaltung

Bei der Prüfung des Anlagenbestandes sind Fragen hinsichtlich der Anlagenstruktur und Anlagenbewegungen von Interesse. Darüber hinaus ist das Thema Abschreibung ein weiteres Prüffeld. Folgende Auswertungen sind hier von Interesse.

Fragestellung bzw. Prüfungshandlung	Funktion der Prüfsoftware
1. Auflistung von Anlagengütern nach speziellen Merkmalen (z.B. GWG-Güter, Anlagen mit einem Restbuchwert von Null, alte Anlagen)	Extraktion/Filtrierung
2. Auflistung wertmäßig hoher Anlagenpositionen	Sortieren/Indizieren Extraktion/Filtrierung
3. Differenzierung nach Anlagenbestände	Sortieren/Indizieren Extraktion/Filtrierung
4. Ermittlung von Anlagenpositionen mit außerplanmäßiger Abschreibung	Berechnung Extraktion/Filtrierung
5. Ermittlung und Prüfung von Abschreibungsbeträgen	Berechnung
6. Negative Restwerte bei den Anlagen	Extraktion/Filtrierung
7. Ordnungsmäßigkeitsprüfung Anlagenstamm (fehlende Inventarnummern, mehrfach vorkommende Inventarnummern)	Lückenanalyse Mehrfachbelegungsanalyse
8. Plausibilitätsprüfungen der Anlagendaten (z.B. Anlagen ohne AfA-Konten)	Dateien verbinden Extraktion/Filtrierung
9. Stichprobenermittlung für Einzelfallprüfung	Stichprobenverfahren
10. Strukturierung des Anlagenbestandes nach Alter	Altersstrukturanalyse
11. Verdichtung des Anlagenbestandes nach Kostenstellen oder Geschäftsbereichen, Filialen etc.	Sortieren/Indizieren Teilsummenbildung
12. Verdichtung der Anlagen nach – Rücklieferung – Verkauf – Verschrottung/Bruch	Sortieren/Indizieren Teilsummenbildung Extraktion/Filtrierung
13. Wertmäßige Struktur der Lieferantenverbindlichkeiten	Numerische Schichtung

Finanzbuchhaltung und Kontierung

Im Bereich der Finanzbuchhaltung gilt das Interesse der ordnungsmäßigen, vollständigen und zeitnahen Erfassung aller rechnungslegungsrelevanten Vorgänge.

Fragestellung bzw. Prüfungshandlung	Funktion der Prüfsoftware
1. Analyse Konten nach speziellen Kriterien (z.B. alle Konten mit Nullsalden, außergewöhnliche Umbuchungen, außergewöhnliche Buchungen [Konten-Gegenkonten-Konstellationen])	Extraktion/Filtrierung
2. Analyse Kontenstadien (z.B. alle neuen Konten, alle geschlossenen Konten)	Sortieren/Indizieren Dateien verbinden
3. Besondere Buchungstexte suchen (z.B. Fehler, Storno, Umkehr)	Extraktion/Filtrierung
4. Buchungen zu außergewöhnlichen Zeitpunkten	Extraktion/Filtrierung
5. Ermittlung vordatierter Transaktionen	Extraktion/Filtrierung
6. Ermittlung unzulässiger Kontonummern, Buchungsarten etc.	Schichtung Extraktion/Filtrierung
7. Ordnungsmäßigkeitsprüfung Buchungen (fehlende Buchungsnummern, mehrfach vorkommende Buchungsnummern)	Lückenanalyse Mehrfachbelegungsanalyse
8. Plausibilitätsprüfung der Buchungen (z.B. Belegarten, Buchungsarten, Kontierung)	Extraktion/Filtrierung
9. Prüfung der Vorträge	Sortieren/Indizieren Dateien verbinden
10. Zeitnahes Buchen	Berechnung Altersstrukturanalyse

Absatz

Zum Thema Absatz findet sich eine Reihe von Analysen, deren Ziel es ist, Informationen zur operativen und strategischen Absatzentwicklung zu liefern. Folgende Fragen könnten hierbei für den Prüfer von Interesse sein:

Fragestellung bzw. Prüfungshandlung	Funktion der Prüfsoftware
1. Analysen zur Umsatzentwicklung (z.B. Umsatz-minderungen, prozentuale Umsatzentwicklung)	Berechnung Extraktion/Filtrierung
2. Gegenüberstellung stornierter Aufträge und neuer Aufträge	Sortieren/Indizieren Dateien verbinden
3. Gutschriftenanalysen (nach Kunden, nach Aufträgen, über einen Zeitraum etc.)	Sortieren/Indizieren Teilsummenbildung Extraktion/Filtrierung
4. Kennzahlenanalysen (z.B. Umsatz pro Mitarbeiter, Anteil Personalkosten am Umsatz, Bruttomargen)	Berechnung Extraktion/Filtrierung
5. Provisionsanalysen (Plausibilitätsprüfung, Ermittlung der Provisionshöhe etc.)	Berechnung
6. Rohertragsanalysen	Berechnung
7. Saisonale Verteilung des Umsatzes ermitteln	Altersstrukturanalyse
8. Soll-Ist-Abweichungen feststellen	Berechnung
9. Strukturierung des Umsatzes nach der Auftragshöhe	Numerische Schichtung
10. Verweilzeitanalysen über Bestellung/ Zahlung	Berechnung
11. Verdichtung des Umsatzes nach verschiedenen interessanten Kriterien (z.B. nach Kunden, Artikel-gruppen, Absatzmärkten, Vertretern)	Sortieren/Indizieren Teilsummenbildung

Personalbuchhaltung

Mögliche Fragestellungen bei Prüfungen im Personal- beziehungsweise Lohnbereich könnten folgende sein:

Fragestellung bzw. Prüfungshandlung	Funktion der Prüfsoftware
1. Abgleich von Zahlungen und ausgeschiedenen Mitarbeitern zu einem Zeitpunkt	Sortieren/Indizieren Dateien verbinden
2. Analyse des Altersaufbaus und der Dauer der Betriebszugehörigkeit der Mitarbeiter	Berechnung Altersstrukturanalyse
3. Analyse außergewöhnlicher Zahlungen (Merkmale z.B. Zeit, Höhe, Verantwortlichkeiten)	Extraktion/Filtrierung
4. Differenzierung von Zahlungen nach Lohnarten, Grund- und Nebenkosten, nach Steuerschlüsseln etc.	Sortieren/Indizieren Extraktion/Filtrierung
5. Ermittlung von Mitarbeitern mit hohen Überstunden	Extraktion/Filtrierung
6. Ermittlung von Nachzahlungen oder Lohn-/Gehaltskürzungen	Extraktion/Filtrierung
7. Ordnungsmäßigkeitsprüfung der Personaldaten (z.B. mehrfach vorkommende oder fehlende Personalnummern, Bankverbindung)	Lückenanalyse Mehrfachbelegungsanalyse
8. Pensionsrückstellungen nach Auffälligkeiten prüfen (z.B. geschlossener Pensionsfond mit neuen Mitarbeitern)	Sortieren/Indizieren Dateien verbinden Extraktion/Filtrierung
9. Reisekostenabrechnungen prüfen (z.B. nach der Richtigkeit, Höhe der abgerechneten Reisekosten, Kostenstellenzuordnung)	Berechnung Sortieren/Indizieren Teilsummenbildung Extraktion/Filtrierung
10. Rückstellungen ermitteln und prüfen	Extraktion/Filtrierung Berechnung Summierung
11. Sozialpläne hochrechnen	Berechnung Sortieren/Indizieren Summierung
12. Veränderung von Belegen ermitteln	Sortieren/Indizieren Dateien verbinden
13. Verdichtung von Überstunden in Kostenstellen, Geschäftsbereiche etc.	Sortieren/Indizieren Teilsummenbildung
14. Zeitanalyse zur Feststellung der Überschreitung zulässiger Stundenzahlen je Mitarbeiter	Berechnung Extraktion/Filtrierung

IT- und Netzwerkprüfung

Im Zuge der IT- und Netzwerkprüfung ergeben sich für den Prüfer folgende interessante Ansätze, die für die Feststellung der Ordnungsmäßigkeit und Sicherheit der IT wichtig sind.

Fragestellung bzw. Prüfungshandlung	Funktion der Prüfsoftware
1. Analyse der relevanten Zugriffsberechtigungstabellen nach verschiedenen Kritieren (z.B. kritische Berechtigungskonstellationen, Berechtigung ausgeschiedener Mitarbeiter)	Extraktion/Filtrierung
2. Analyse mehrfach vorkommender Dateien	Sortieren/Indizieren Mehrfachbelegungsanalyse
3. Analyse von temporären bzw. fehlerhaften Dateien (Dateien mit den Erweiterungen »tmp«, »bak« etc.)	Extraktion/Filtrierung
4. Passwortlänge prüfen	Berechnung
5. Passwortdefinition bzw. -inhalt prüfen	Extraktion/Filtrierung
6. Passwortwechsel prüfen	Dateien verbinden
7. Protokolldateien (LOG-Dateien) nach verschieden Kriterien prüfen (z.B. Mehrfachzugriff, ungewöhnliche Transaktionen, Programmabbrüche)	Extraktion/Filtrierung
8. Umstellung in Dateien bzgl. vorliegender Formatierung	Berechnung
9. Unautorisierte Programmstände und/oder veränderte Dateien ermitteln	Dateien verbinden

Branchenspezifische Prüffragen und -handlungen

Ergänzend zu den nach Funktionsbereichen dargestellten gängigen Fragestellungen lassen sich je nach Branche weitere interessante Anforderungs- und Prüffelder definieren, die sich mit Hilfe der in der Prüfsoftware vorhandenen Funktionen analysieren lassen.

In den folgenden Abschnitten möchte ich hier eine Auswahl möglicher Fragestellungen aufführen, die dem Prüfer im Rahmen seiner Handlungen begegnen könnten.

Branche Banken: Darlehensprüfung

Im Bereich der Banken ist ein wichtiges Prüffeld die Revision des Kreditgeschäftes, da hier das potenzielle Risiko des Verlustes von Finanzwerten aufgrund unzureichender oder sogar fehlender Kontrollen besteht. Mögliche Prüffelder und Fragestellungen sind:

Fragestellung bzw. Prüfungshandlung	Funktion der Prüfsoftware
1. Abgleich von Mitarbeiterdarlehen mit den Personaldaten	Sortieren/Indizieren Dateien verbinden
2. Analyse von Positionen nach risikogefährdeten Fragestellungen (z.B. Positionen mit geringer Bonität, Positionen mit Tilgungsrückständen, Positionen mit zu niedriger Verzinsung)	Extraktion/Filtrierung
3. Ermittlung und rechnerische Prüfung von Zinsbeträgen	Berechnung
4. Strukturierung und Ausweisprüfung	Sortieren/Indizieren Extraktion/Filtrierung
5. Verdichtung von Darlehensbeträgen nach verschiedenen Kriterien (z.B. nach Bonitätskennziffern, nach Darlehensnehmer, nach Kreditarten)	Extraktion/Filtrierung
6. Vergleich der Konditionen von Mitarbeiterdarlehen mit den Firmenrichtlinien	Extraktion/Filtrierung

Branche Versicherungen: Leistungsprüfung und Provisionen

Für das Versicherungswesen sind dagegen Prüfungen im Leistungs- und Provisionsbereich von besonderem Interesse. Hier muss die Revision sicherstellen, dass die erbrachten Leistungen beziehungsweise die abgerechneten Provisionen korrekt, nachvollziehbar und ordnungsgemäß erfasst und abgerechnet wurden.

Mögliche für den Prüfer interessante Fragestellungen könnten sein:

Leistungsbereich

Fragestellung bzw. Prüfungshandlung	Funktion der Prüfsoftware
1. Ermittlung von Mehrfachzahlungen	Sortieren/Indizieren Mehrfachbelegungsanalyse
2. Ermittlung der Schadensrückstellungen	Extraktion/Filtrierung Berechnung
3. Ermittlung mehrfach vorkommender Leistungsempfänger	Sortieren/Indizieren Mehrfachbelegungsanalyse
4. Ermittlung von ungewöhnlich hohen Entschädigungszahlungen	Extraktion/Filtrierung
5. Ermittlung und Vergleich von Schadensquoten	Berechnung Extraktion/Filtrierung
6. Prüfung unterschiedliche Leistungsempfänger mit gleichen Kontennummern	Sortieren/Indizieren
7. Prüfung nach wechselseitiger »Täter-/Opfer«-Konstellation	Dateien verbinden Mehrfachbelegungsanalyse
8. Strukturierung der Leistungen nach verschiedenen Kriterien (z.B. Versicherungstarif, Versicherungsnehmer, Alter der Versicherten)	Sortieren/Indizieren Teilsummenbildung
9. Verifizierung bestehender Teilungsabkommen	Extraktion/Filtrierung Berechnung

Provisionsbereich

Fragestellung bzw. Prüfungshandlung	Funktion der Prüfsoftware
1. Ermittlung der rechnerischen Richtigkeit der Provisionen	Berechnung
2. Ermittlung neuer und/oder ausgeschiedener Zahlungsempfänger	Sortieren/Indizieren Dateien verbinden
3. Ermittlung von ungewöhnlich Provisionszahlungen in Bezug auf deren Höhe, Zeitraum und zugrunde liegenden Provisionssatz	Extraktion/Filtrierung
4. Ermittlung von Neugeschäften, Stornierungen und/oder Vorschusszahlungen	Sortieren/Indizieren Dateien verbinden
5. Prüfung unterschiedlicher Provisionsempfänger mit gleichen Kontennummern	Sortieren/Indizieren
6. Strukturierung der Provisionen nach verschiedenen Kriterien (z.B. Provisionstarif, Zahlungsempfänger, Standort)	Sortieren/Indizieren Teilsummenbildung
7. Überzahlungen analysieren	Extraktion/Filtrierung Berechnung

Branche Energieversorgungsunternehmen: Leistungsprüfung

Für Energieversorgungsunternehmen sind zusätzliche Analysen im Bereich der Leistungsempfänger (Kunden) interessant.

Fragestellung bzw. Prüfungshandlung	Funktion der Prüfsoftware
1. Ermittlung der rechnerischen Richtigkeit der Tarife und Leistungsentgelte	Berechnung
2. Ermittlung neuer und/oder ausgeschiedener Leistungsempfänger	Sortieren/Indizieren Dateien verbinden
3. Ermittlung von Stundungen und Zahlungsrückständen	Extraktion/Filtrierung
4. Ermittlung von Sperraufträgen	Extraktion/Filtrierung
5. Strukturierung der Leistungsempfänger nach verschiedenen Kriterien (z.B. Tarif, Verbrauch)	Sortieren/Indizieren Teilsummenbildung
6. Zahlungsverhalten der Leistungsempfänger analysieren	Altersstrukturanalyse

Branche Handel: Prüfungen im Bereich Warenwirtschaft

Für den Bereich Handel gibt es zusätzliche Analyse- und Prüfansätze im Bereich der Disposition und Bestandsbewertung. Mögliche interessante Fragestellungen können sein:

Fragestellung bzw. Prüfungshandlung	Funktion der Prüfsoftware
1. ABC-Analyse der Waren	Numerische Schichtung
2. Auswahl von Waren für Preis- und Präsenzprüfungen	Extraktion/Filtrierung Stichprobenverfahren
3. Durchführung von Preisvergleichen an verschiedenen Standorten	Sortieren/Indizieren Dateien verbinden
4. Ermittlung von Kennzahlen zur Recherche möglicher doloser Handlungen	Berechnung Sortieren/Indizieren Teilsummenbildung Extraktion/Filtrierung
5. Ermittlung der Umschlagsgeschwindigkeit bei den Waren	Berechnung Extraktion/Filtrierung
6. Verdichtung von Fehlmengen nach verschiedenen Kategorien (z.B. Warengruppe, Standort, Disponenten, Lieferanten)	Sortieren/Indizieren Teilsummenbildung
7. Verfolgung zeitweiliger Preisveränderungen bei Artikeln	Sortieren/Indizieren Dateien verbinden

Branchenspezifische
Prüffragen und -
handlungen

Branche Baugewerbe: Auftrags- und Leistungsprüfung

Im Baugewerbe sind insbesondere Auftrags- und Leistungsprüfungen wichtige Prüfungshandlungen. Hierzu können folgende Fragestellungen dem Prüfer nützlich sein:

Fragestellung bzw. Prüfungshandlung	Funktion der Prüfsoftware
1. Abgleich abgerechneter Leistungen mit dem Gesamtauftrag (Losprüfung)	Sortieren/Indizieren Dateien verbinden Berechnung
2. Analyse mehrfach abgerechneter Leistungen	Sortieren/Indizieren Mehrfachbelegungsanalyse
3. Ermittlung der Altersstruktur der Aufträge	Altersstrukturanalyse
4. Plausibilitätsprüfungen zum Materialverbrauch (z.B. Verhältnis zwischen Aushub/Verfüllung, zwischen Strecke/Verkabelung, zwischen Bebauung/Materialeinsatz)	Berechnung
5. Regionaler Vergleich Auftragsart zum Auftragswert	Sortieren/Indizieren Dateien verbinden
6. Verdichtung von Aufträgen nach bestimmten Merkmalen (z.B. Auftragnehmer, Auftraggeber, Auftragsart)	Sortieren/Indizieren Teilsummenbildung
7. Vergleich zwischen Einzelleistung/ Einzelpreis mit der abgerechneten Leistung	Sortieren/Indizieren Teilsummenbildung
8. Vergleich Auftragshöhe zu vorliegenden Vollmachten	Numerische Schichtung
9. Wertmäßige Strukturierung von Aufträgen	Numerische Schichtung
10. Zeitvergleich zwischen Auftragsart und Auftragswert	Sortieren/Indizieren Dateien verbinden

Index

Handbuch IT-gestützte Prüfung und Revision. Erwin Rödler
Copyright © 2006 WILEY-VCH Verlag GmbH & Co. KGaA, Weinheim
ISBN 3-527-50231-9